CUANDO
EL BEBÉ
LLORA

CUANDO EL BEBÉ LLORA

Sheila Kitzinger

EDITORIAL
ALBATROS

A todas aquellas que se preocupan
por un bebé que llora, inquieto, molesto o inconsolable...
por un bebé que necesita atención constante...
por un bebé que parece estar permanentemente prendido al pecho...
por un bebé que ha asumido el control tan absoluto de sus vidas
que sienten que van desapareciendo...
por un bebé cuyas necesidades superan todas las otras...
A todas aquellas mujeres que están exhaustas, agotadas y sienten que
ya no cuentan con la energía suficiente para continuar...
les dedico este libro.

Primera edición en 2005 en el Reino Unido por
Carroll & Brown Publishers Limited – 20 Lonsdale Road – Londres NW6 6RD

Diseño de Jeremy Tilston

Copyright © del texto: Sheila Kitzinger 2005
Copyright © de la recopilación: Carroll and Brown Ltd. 2005

Para esta edición

Supervisión de la edición
Cecilia Repetti

Traducción
Silvina Merlos

Corrección
Diana Macedo

Supervisión de arte
María Laura Martínez

Diagramación
Gabriel E. Lauría

ISBN 950-24-1159-5
ISBN 978-950-24-1159-0
Cuando el bebé llora. 1ª Edición 4.000 ejemplares.

Kitzinger, Sheila
    Cuando el bebé llora - 1a ed. - Buenos Aires : Albatros, 2006.
    176 p. : il. ; 24x17 cm. (Crecer)
    Traducido por: Silvina Merlos
    ISBN 950-24-1159-5
    1. Guía para Padres. I. Merlos, Silvina , trad. II. Título
    CDD 649.102 42

Índice

Por qué escribí este libro

El sonido de un bebé que llora, uno que llora y llora cada vez más, que se calma sólo para volver a comenzar con un grito estridente que parece perforar los oídos con su apremio, es casi el ruido más perturbador, exigente y agotador que podamos escuchar. En el llanto de un bebé no hay futuro ni pasado: sólo ahora. No hay contemporización, no hay posible negociación, no hay forma de razonamiento.

Es por esta razón que sentía la necesidad de investigar los efectos sobre las mujeres con bebés que lloran, qué imagen tienen de ellas mismas y cómo son sus relaciones con otros: parejas, miembros de la familia, médicos y otros auxiliares de la salud, amigos, colegas y conocidos casuales; dado que tener un bebé ejerce efectos de gran alcance. A veces, no sólo cambia la percepción de cada uno sino todo el panorama del resto del mundo, la forma en que se percibe a otros y cómo los otros nos ven.

Una de las cosas que quería descubrir era qué tipo de ayuda es la mejor y quién podía proporcionarla. Me pareció que había mucha ayuda enmascarada como tal, pero que en realidad no colaboraba en absoluto. ¿Y qué ocurre cuando falta ayuda y la madre se siente sola y aislada? Únicamente los padres que pasaron por la experiencia de tener un bebé que llora pueden hacernos comprender cómo es este calvario y qué puede ayudar.

Decidí realizar un seguimiento de la serie completa de situaciones y procesos en la vida de los padres con un bebé que llora y ver si existe algún factor en los días inmediatos posteriores al parto, el tipo de parto que tuvo la madre y la experiencia del nacimiento, e incluso de embarazo, que se asocian con un llanto excesivo en el bebé. ¿Qué combinación de factores hace más probable que un bebé llore? ¿Qué cambios deben producirse en el cuidado proporcionado a la madre durante el embarazo y durante el nacimiento del bebé si queremos tener bebés más serenos y si las mujeres deben ser liberadas de la ansiedad y de la depresión que muchas de ellas experimentan?

Por ello, les pedí a dos publicaciones que colaboraran conmigo, una en el Reino Unido y otra, en Australia. Las dos se titulaban Parents ("padres") y contaban con una gran cantidad de lectoras de diferentes clases sociales y procedencias, cuyos hijos tienen, en general, menos de cinco años de edad. Se publicó un cuestionario en dos versiones un poco diferentes en estas revistas. Mil cuatrocientas mujeres lo respondieron y en muchos casos no sólo contestaron las preguntas sino que me proveyeron de una gran cantidad de información adicional y descripciones detalladas de sus vidas y sentimientos. Este libro surge de todo eso que aprendí de ellas. El material del cuestionario no sólo proporcionó la base para una investigación mayor de mi parte sino que me halaga saber que los datos ingleses preliminares también fueron empleados por otros escritores sobre el tema, en particular, Pat Gray de Cry-sis.

Después de analizar las respuestas de todas las mujeres que respondieron el cuestionario, concentré mi atención en los cien bebés que lloraban más, es decir, más de seis horas por día, y comparé lo que sus madres me contaron con las cien referencias de mujeres cuyos bebés lloraban menos, es decir, menos de dos horas por día. De esta parte de la investigación surgieron algunos resultados interesantes y se manifestaron asociaciones estadísticas muy significativas entre algunos aspectos de las vidas y situaciones de estas madres y las de sus bebés desde el comienzo del embarazo.

A partir de allí, continué entrevistando, por lo general en forma telefónica, a una de cada veinte de aquellas que vivían en Inglaterra y a aquellas mujeres que parecían en especial estresadas. Algunas de ellas no podían más y necesitaban a alguien con quien hablar con desesperación. No resulta sorprendente que de vez en cuando muchas tuvieran pensamientos hostiles y violentos acerca de sus bebés y que algunas hayan perdido el control y los hubieran agredido físicamente. Pude dedicar un tiempo extra para escuchar lo que tenían para decirme y las puse en contacto con quienes pudieran ayudarlas de inmediato.

Otro elemento importante de mi investigación fue descubrir cómo soportar un bebé que llora, las cosas que más ayudan ya sea para que, aunque el bebé continuara llorando, una mujer se sintiera mejor consigo misma y el bebé, o bien porque en realidad se redujo el llanto. Hay una gran cantidad de conocimientos femeninos sobre bebés en el Tercer Mundo y en culturas tradicionales, así como también en el oriente industrial, que con frecuencia no encuentra cabida en libros de ayuda escrito por expertos. Si se pueden compartir las experiencias y lo que se aprende de los bebés, las madres dejarán de sentirse solas y desesperadas, y se podrá descubrir alguna manera de tratar a los bebés que dé como resultado un llanto menos prolongado. Por ello, aunque este libro no pretenda ser un libro de recetas para que los bebés dejen de llorar, está repleto de ideas de padres sobre lo que mejor les resultó a ellos.

Sheila Kitzinger

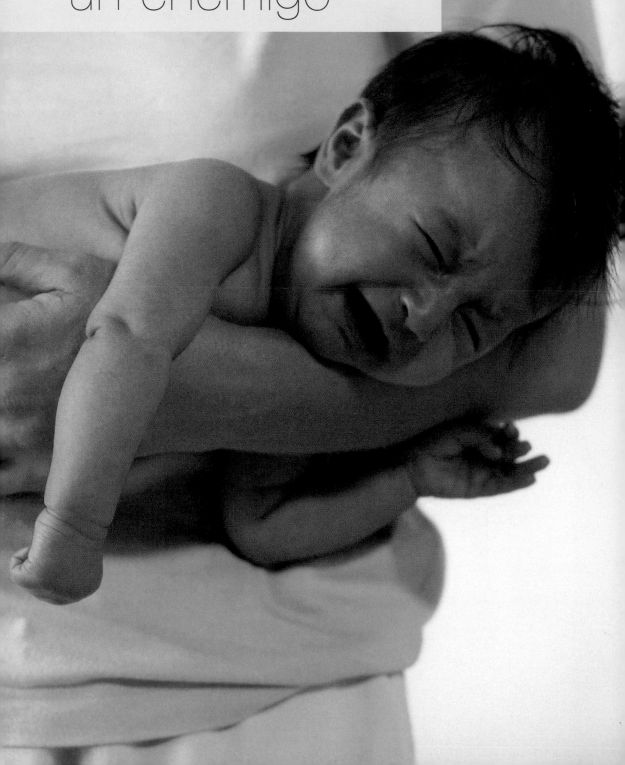

El bebé no es un enemigo

Hoy en día, tienen una gran aceptación los libros que describen métodos para tratar a los bebés, como ser sistemas de control y organización de horarios que les permiten a los padres criar bebés de manera de asegurarse que no perturbarán el proyecto de sus vidas de adultos. Los padres están ocupados, tienen trabajos importantes que atender y una vida social exigente. No se le puede permitir al bebé que se interponga. Debe "adaptarse".

Estos libros le aconsejan al lector organizar la casa y darles órdenes a los niños casi en un estilo militar. Uno de estos libros promete que si se siguen las instrucciones, uno se convierte en el "general de la casa".[1] Cuando el intruso problemático busca atención en momentos inoportunos, demuestra quién manda. Por eso, si no se hace lo que él dice, el bebé toma el mando y le arruina la vida. ¡No permita que un pequeño dictador ingrese en su casa! Éste es el mensaje implícito en estos sistemas para la crianza de bebés. La compasión, la ternura –el amor mismo– son síntomas de debilidad y de fracaso como padres. El padre exitoso tiene un bebé que lo acuesta a las 7 de la tarde, duerme entre ocho y diez horas, nunca se despierta por la mañana antes de las 7, come a intervalos regulares y duerme o descansa en la cuna el resto del tiempo.

Para reforzar su mensaje autoritario, este tipo de libros describen madres que no observan los consejos de expertos como si estuvieran completamente fuera de control. Con frecuencia, representan una escena de terror de un bebé monstruo que lucha contra la rutina por todos los medios, con quien los padres entablan batalla. El experto en crianza ofrece la salvación y dicta un ritual que debe ser obedecido con minuciosidad, casi con convicción religiosa. Una madre en el libro de Gina Ford[2] cuenta cómo su pequeño de cuatro meses "se despierta varias veces por noche... ¡Lo bajo con lentitud para acostarlo en la cuna, lo acerco centímetro por centímetro al colchón sólo para que comience a gritar a más no poder en cuanto su espalda toca el colchón!"

Después de unas semanas, se despertaba entre tres y cuatro veces entre las 7 p.m. y las 5:30 a.m. y cada vez me llevaba entre 45 y 50 minutos para que volviera a dormirse. Por eso, lograba dormir aproximadamente cuatro horas por noche interrumpidas por intervalos de 40 minutos. Está de más decir que me

sentía deprimida, frustrada y exhausta y no disfrutaba de la maternidad en absoluto. A los cinco meses comenzamos a hacer el llanto controlado con él. La primera noche, tardamos 23 minutos. La noche siguiente, seis minutos y luego, cuatro minutos y se terminó el problema.

Pero seguía despertándose entre las 5 y las 5:30 a.m. ENTONCES, como siempre pasa con William, las cosas empeoraron. Básicamente descubrí que los métodos blandos no funcionan con él.

Se puso en contacto con Gina Ford.

Decidimos que si se despertaba después de las 6 a.m. lo levantaría, pero a cualquier hora anterior a esa pondríamos en práctica el llanto controlado. A la mañana siguiente, se despertó a las 5:45 a.m. y lloró durante dos horas. Entré en su cuarto y le di una mamadera de leche alrededor de las 6:30 a.m. y lo dejé llorar, y por último se quedó dormido a las 7:45 a.m. Se despertó a los 20 minutos y continuó con el día. Al final se resolvió el problema.

Richard Ferber, un pediatra norteamericano, inventó el "llanto controlado", cuya regla básica es entrar en el cuarto del bebé que llora por la noche para hacerle saber que uno está allí, pero bajo ningún punto de vista para darle de comer, y dejarlo llorar por períodos cada vez mayores antes de ingresar al cuarto nuevamente. Dice que una madre no debe flaquear si el bebé llora tanto que hasta llegue a vomitar.

En ocasiones, al aumentar el tiempo antes de acudir al bebé, el niño puede llorar tanto que en realidad vomita; limpiarlo y cambiar las sábanas y el pijama si fuera necesario, pero

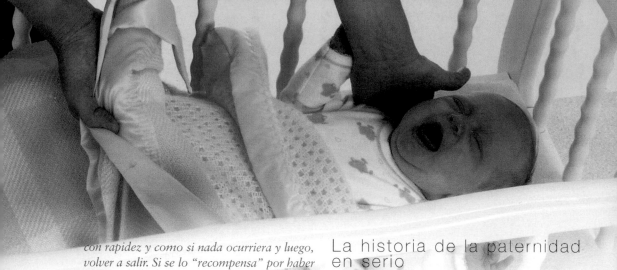

con rapidez y como si nada ocurriera y luego, *volver a salir. Si se lo "recompensa" por haber vomitado quedándose con él, sólo notará que es una buena manera de lograr lo que quiere. Vomitar no le causa ningún daño al bebé.*[3]

Una característica que muchos de estos libros de ayuda comparten es que tratan al bebé como a un enemigo. La madre debe armarse en su contra para entrenarlo con efectividad.

El Dr. John Pearce, en The New Baby and Toddlers Sleep Programme, How to have a peaceful night, every night, dice: "Sí, se puede dejar al bebé llorar:

Imagine lo que ocurriría si acudiera de inmediato cada vez que su bebé llorara. Pronto aprendería que cada vez que desee su atención u otra cosa, todo lo que tiene que hacer es llorar.

Si un bebé jadea o vomita "de mal humor" hay que ignorarlo, dado que "cuanto menos atención se le da... es menos probable que el hecho se repita."

Continúa diciendo: "El llanto no les hace daño a los bebés ni a los niños de hasta 3 años si uno se ha asegurado que la única razón del llanto es que desean estar con usted... Las investigaciones demuestran que antes de los tres años, un niño se olvida de lo que le ha ocurrido." ¿Qué investigaciones? No cita ninguna. ¿Esto significa que si un adulto abusa de un niño de menos de tres años no habrá ningún efecto que perdure? Estas declaraciones son muy peligrosas de hacer, en especial si vienen de boca de un profesional con el título de Profesor Emérito en Psiquiatría Pediátrica.[4]

La historia de la paternidad en serio

Los métodos para "endurecerse" al criar bebés no son nuevos. Christina Hardyment explora la historia del asesoramiento para padres en su libro Perfect Parents[5] y demuestra que los expertos, muchos de ellos hombres, proveen modelos para la regulación estricta del comportamiento maternal a partir del siglo diecinueve. Los libros sobre asesoramiento para el hogar, con frecuencia escritos por eruditos, ministros religiosos o doctores, instruían a las mujeres para que disciplinen a sus bebés recién nacidos. "Si, pronto después del nacimiento, es decir alrededor de la segunda semana, se los deja dormir en sus cunas y se les permite descifrar que no lograrán lo que quieren con el llanto, de inmediato se avendrán y después de un corto período, se quedarán con mayor facilidad en la cuna que en brazos."[6] A las madres se les decía que el llanto era un ejercicio necesario.

En vez de sentir temor, la práctica del llanto en los niños que desean ejercicio muscular es más beneficiosa. Los bebés débiles y enfermizos lloran bastante, pero a pesar de esto no significa que no puedan vivir demasiado tiempo. El primer acto que un bebé realiza al nacer es llorar, y muchos continúan haciéndolo entre cuatro y cinco horas por día durante los primeros años de su existencia. No pude imaginarse ni por un instante que sus llantos se deban a una sensación de dolor. Sería algo anormal en el plan benevolente de la creación y una imposición inmerecida de dolor en los pequeños inocentes, si éste fuera el caso. En absoluto. Lloran a falta de ejercicio, o mejor dicho, para ejercitarse.[7]

Truby King y el movimiento Mothercraft

Las reglas estrictas y la disciplina rigurosa fueron introducidas por el sistema Truby King de crianza infantil. Yo me inicié en la vida como un bebé Truby King. Me pusieron en una habitación toda blanca lejos de mi madre, me daban de comer sobre la base de una fórmula "científica" especial a horarios estrictos, me pesaban antes y después de las comidas y no me mecían ni me tomaban en brazos para darme palmaditas si estaba sobre-estimulada. El Dr. Truby King, un neocelandés cuyo sistema de alimentación infantil se basaba en un programa de crianza que él mismo desarrolló para terneros, denunciaba que el manipuleo innecesario del bebé le producía indigestión y "trastornos nerviosos" con posterioridad en su vida. Me quedaba sola en la cuna y le gritaba con todas mis fuerzas, al parecer, por horas, a mi madre desesperada. Después de unas semanas, se dio por vencida, se dejó guiar por sus sentimientos y yo renací.

Frederick Truby King hacía giras para dar su conferencia por todo el mundo occidental en la década del veinte. Enseñaba que no se debía confiar en las madres. Que eran blandas y tontas. Les ordenaba reprimir las emociones y ser en extremo autodisciplinadas para criar a sus hijos. No se podía tomar al bebé para abrazarlo ni mecerlo, y se debía instituir una rutina rígida para darle de comer, para hacerlo dormir y hacer ejercicio. Advertía que si no se seguían sus principios, los niños crecerían para convertirse en criminales o psicópatas.

Truby King les decía a las mujeres que lo que habían hecho por siglos, dar de comer al bebé cuantas veces quisiera, consolarlo cuando llorara y consolarlo a la noche en la cama, era terriblemente dañino. Aconsejaba que despertar al bebé para darle de comer a cualquier hora entre la media noche y el amanecer, era antinatural. Decía que cualquier bebé puede malcriarse con facilidad y convertirse en un pequeño tirano malhumorado e irritable. Una parte importante de la doctrina era creer que darle al bebé cualquier cosa que él quisiese era establecer las bases para un carácter criminal.

Un tipo de comportamiento maternal que denunciaba con firmeza en su libro *The Natural Feeding of Infants* (1912) era "el injurioso o excesivo manipuleo o estimulación de bebés". "Muchas mujeres inconscientemente o casi en forma mecánica palmean a un bebé para aliviarlo cada vez que se siente incómodo o irritable y de esta manera pueden provocarle subrepticiamente una grave indigestión acompañada de una incapacidad para retener una cantidad suficiente de comida". Las madres podrían hacer que sus bebés sintieran hambre sin darse cuenta o incluso matar a sus bebés con un amor incontrolado.

La suposición básica era que, si se quería evitar hacerles un daño inestimable a sus hijos, las madres requerían de psicólogos, doctores, enfermeras, especialistas en lactancia y "expertos" como él para decirles lo que exactamente deben hacer.

Muchos de los consejos que aún hoy en día reciben las madres primerizas con frecuencia –"cría cuervos..."; "demuéstrale al bebé quién es el que manda"; "déjalo llorar hasta que se canse, es por su propio bien"; "sólo llora para llamar la atención"– surgen de la convicción de este médico de que los bebés humanos deben ser tratados como si fueran terneros.

La Señora Frankenburg fue discípula de Truby King y publicó su propio libro para promover sus principios. Se sentó en su banquito de jugar e impartió disciplina a rajatabla. Escribió que "el bebé que no se quedaba en la cuna se transformaba en un niño que no jugaría solo, en un escolar que no acudiría cuando lo llamaran, en un adolescente que no volvería a casa por las noches."

Las mujeres nunca lo podían hacer bien. Era imposible seguir las reglas al pie de la letra. Con expertos, en su mayoría hombres, que impartían moralidad en ese grado, estaban destinadas a sentirse culpables de ser malas madres. La enseñanza conductista y los métodos de Truby King hacían de la maternidad, un sufrimiento.

A principios de la década del cuarenta, una masa de libros sobre consejos para bebés inundó el mercado. Afirmaban que se podía "criar un niño superior" si se seguían las instrucciones del autor. "El bebé debe ser educado para dormir y se le debe enseñar a no llorar. Al nacer en una organización social donde el sueño nocturno es universal, debe ser entrenado para poder dormir toda la noche sin interrupciones."[8]

Todos los bebés deben dormir unas 19 horas por día, ya sea en la cuna, solo, inmediatamente después de haberlo alimentado a las seis. "Si se despierta, se lo debe dejar llorar hasta que se canse, siempre que se encuentre bien." Otro experto en bebés que aconsejaba que había que "darles de comer con horarios", decía que un bebé de menos de tres años debe dormir todo el tiempo salvo cuando "se lo alimenta y se lo atiende". Cada hora de vigilia es "a expensas del delicado sistema nervioso".[9]

Los autores diseñaban tablas con la cantidad de horas que un bebé debía dormir.

No obstante, había cierto desacuerdo entre los expertos. Mientras que la Sra. Frankenberg les enseñaba a las madres que los pulmones de los bebés no podían expandirse a menos que lloraran todos los días y que corrían el riesgo de que el bebé muriera de neumonía si no lloraba, Marie Stopes se escandalizaba al enterarse de que una enfermera despertaba al bebé con regularidad y lo atormentaba media hora por día para hacerlo llorar porque "llorar era bueno para él".[10]

¡En la década del cincuenta, una experta estableció que los recién nacidos debían dormir 24 horas de las 24 horas del día! Seguramente se habrá dado cuenta de que no tenía sentido.[11]

La revolución Spock

En 1945, un médico especialista en bebés apareció en escena, quien en realidad escuchó y aprendió de las madres y respetó las capacidades innatas de los bebés y su comportamiento adaptativo.[12]

El Dr. Spock revolucionó la forma de pensar y se preocupó por los niños. Nos dio el visto bueno para amarlos y mimarlos, para ser espontáneos y confiar en los sentimientos intuitivos sobre lo que estaba bien para cada uno. Y aseguró que los padres no tienen que ser perfectos, ni pretender serlo. Nos dio seguridad como madres y nos demostró cómo podíamos ser amigas de nuestros hijos.

Leía a Spock cuando estaba embarazada de mi primer hijo en 1956 y consideré que todo lo que decía tenía sentido para mí. Recuerdo que mi madre también lo leyó al mismo tiempo. Siempre es una buena idea para una futura abuela leer los libros que su hija está leyendo. Es una buena forma de analizar los valores sobre la crianza de los hijos y comparar experiencias.

Mi madre estaba muy a su favor y comenzó a hablarme de la educación Montessori. Estaba de acuerdo en que no tenía sentido comenzar el entrenamiento para que dejen los pañales sino que era mejor esperar a que el niño estuviera preparado, que es lo que Spock recomendaba. Mis cinco hijos dejaron los pañales alrededor de los dos años y no tuvimos problemas de colchones mojados ni otros inconvenientes. Spock tenía razón. Lo mismo ocurría con la comida. No creía que se le debiera forzar a un niño a comer ni hacer de la comida una experiencia traumática porque tenían que dejar los platos limpios. Las comidas eran divertidas.

A veces se dice que ponía al niño en un pedestal, con el resultado de que los padres no tenían derecho ni a sus opiniones ni a sus valores y que los niños corrían libres. Pero eso no es verdad. Les enseñó a los adultos a tratar a los niños como seres humanos razonables, con consideración y respeto, a escucharlos y a permitirles que tuvieran su propio espacio. Después de todo, ¿cómo se le puede enseñar respeto a un niño si uno no lo respeta?

El Dr. Berry Brazelton es un pediatra que trabaja actualmente y trata a cada bebé como un ser individual y único.

La introducción de su primer libro, *Infants and Mothers*[13], dice lo siguiente:

Los bebés normales no son todos iguales. A pesar de la obviedad, este hecho es pasado por alto invariablemente por la literatura para padres primerizos... Desde el mismo momento del nacimiento, estas diferencias se hacen evidentes y comienzan a determinar el tono de la reacción de los padres.

Continúa con su pensamiento firme de que "el recién nacido afecta su entorno tanto como lo que el entorno influye en él" y asegura que la madre "debe encontrar su propia forma de ser madre con su propio bebé especial".

Investigación, observación cuidadosa del bebé y un intento por comprenderlo reemplazaron las instrucciones doctrinarias. Parecía que se entraba a una edad de iluminación. No tiene nada que ver con la cultura hippie, sino con la aplicación de una inteligencia analítica y una moralidad basada en la compasión y no en el egoísmo y en actitudes autoritarias.

En lo que respecta al llanto, Brazelton dijo: "No creo que ningún bebé necesite 'llorar hasta el cansancio' por ninguna razón. El hecho de dejarlo llorar no le enseña nada, salvo que sus padres pueden abandonarlo cuando él los necesita".[14] Su comprensión del comportamiento del bebé y la ayuda que brindó a los padres para conocer a sus bebés surgió de su Escala de Evaluación de la Conducta Neonatal. Evalúa la capacidad del recién nacido para organizar estados de conciencia, habituarse a hechos perturbadores, prestar atención y procesar situaciones simples y a veces complejas relacionadas con el entorno, controlar el tono motor y la actividad cuando estas cosas suceden y realizar actividades motoras integradas como ponerse la mano en la boca, mantener la cabeza erguida mientras está sentado o quitarse un pañuelo que se le colocó sobre la cara.[15]

Pero a pesar de Spock y Brazelton, hoy en día, existe una epidemia de sistemas autoritarios que conocen todo sobre la crianza de los niños. Como veremos en el capítulo nueve, las madres son blancos fijos para recibir consejos. Para cuando lea este libro ya habrá recibido consejos en el hospital, en el banco de la plaza, de su madre y de su suegra, de una anciana en la tienda de la esquina, del asistente de servicios de salud a domicilio, del médico de cabecera y del maestro de escuela, y al parecer todos saben cómo cuidar un bebé mejor que usted.

Hoy en día, muchos autores predican lo que

se describe como enfoque tipo "entrenamiento militar" de la paternidad.[16] Tal vez, ni siquiera es un entrenamiento militar, sino un adiestramiento canino. Siguiendo la publicación de un artículo sobre los métodos de entrenamiento de Gina Ford, una corresponsal que es adiestradora canina, escribió al Sunday Times para proponer –irónicamente, supongo– clases de adiestramiento para cachorros y bebés.[17]

El enfoque que propongo es bastante diferente. Como antropóloga social, he observado a madres y bebés en muchos países diferentes, y me ha sorprendido la comprensión que tienen las mujeres de sus bebés y su capacidad de responderles. La prueba a través de la historia y de diferentes culturas de cualquier parte del mundo es que, en general, las madres comunes, espontáneas y cariñosas que están atentas a las necesidades de sus bebés son mejores que todos los expertos juntos. El bebé no es el enemigo. Y no se necesita tener un título universitario en crianza de bebés para ser una buena madre.

El impacto de un bebé que llora

¡El llanto de un bebé es música! Cuando está tranquilo,
en especial por la noche, anhelamos
esta expresión primitiva del pequeño, y es consolado,
embelezado cuando la criatura indefensa rompe en llanto enérgico, y nos dice:
"Estoy vivo, denme lo que necesito!"
¡Ay, el llanto del bebé por las noches,
canto del ruiseñor para la madre y el padre!

De Semming, *A Father's Diary*, citado en *The Biography of a Baby*,
de Milicent Washburn Shinn, 1900.

La mayoría de nosotros no tiene esta visión tan romántica del llanto. Tener un bebé que llora inconsolable es ser maltratado en forma constante y sentirse exhausto por completo a causa de una pequeña criatura que tiene el increíble poder de desconcertar y angustiar. Lo hace dudar de sus capacidades como padre –su propio derecho a ser padre– y como ser humano –con seguridad, debe haber algo que pueda hacer para detenerlo.

Otro padre, John Todd, que escribió en 1829, registró en su diario que Mary, su hija de cuatro meses, "llora más que ningún otro bebé que jamás haya visto; a veces no hay momento en la noche en que no nos perturbe, y no hay que alzarla para calmarla. Hemos consultado a cuatro médicos diferentes pero nada que hayamos intentado parece servir. A veces nos desanimamos bastante y casi nos agota."[1] A los 16 meses, aún "no quiere dormir... parece como si nunca descansara por la noche, o nunca dejara de fatigarse o de dolerle la cabeza."[2]

Desde el punto de vista biológico, estamos programados para responder a la señal de alarma del llanto de un bebé. No sólo da un mensaje lógico, "Te necesito" o "Tengo hambre", sino que transfiere un conjunto de otras señales a las que reaccionamos emocionalmente y, si fuésemos madres, lo haríamos con cada fibra de nuestro ser. Estas sensaciones que tenemos son físicas: el nudo en el estómago, una obstrucción en la garganta, el esfuerzo por entender, que producen tensión muscular, jadeo, ritmo cardíaco acelerado y a veces, hasta lágrimas.

La novelista Anne Enright escribió un libro brillante y gracioso sobre los bebés y dice sobre el llanto:

Diez minutos de llanto son los diez minutos
más largos que jamás hayamos soportado.
Son seiscientas quejas individuales,
seiscientos fracasos, seiscientos rechazos,
seiscientas manifestaciones de su impotencia
frente al dolor de otro.

a-ha. a-ha. a-ha. a-ha.
a-ha. a-ha. a-ha. a-ha.
a-ha. a-ha. a-ha. a-ha.
a-ha. a-ha. a-ha. a-ha.
a-ha. a-ha. a-ha. a-ha.
a-ha. a-ha. a-ha. a-ha.
a-ha. a-ha. a-ha. a-ha.
a-ha. a-ha. a-ha. a-ha.
a-ha. a-ha. a-ha. a-ha.
a-ha. a-ha. a-ha. a-ha.
a-ha. a-ha. a-ha. a-ha.
a-ha. a-ha. a-ha. a-ha.
a-ha. a-ha. a-ha. a-ha.
a-ha. a-ha. a-ha. a-ha.
a-ha. a-ha. a-ha. a-ha.

y así, sucesivamente.

Y uno se compromete con cada haNang, uno comprende. Uno baja y sube, y hace lo mejor que puede seiscientas veces. En cada respiración la mente emerge con comprensión y un ruego que es débilmente articulado. Bueno, bueno. Bueno, bueno. Bueno, bueno. Ya está. Ya está. Ya está. Ya está. Está bien. Está bien. Está bien. Está bien. Está bien. Shhh. Ya basta, por favor. Sí, ya está, por favor. Todo está bien. Todo está bien. Todo está bien. Bueno, bueno. Bueno, bueno. Eso es. Eso es. Por favor, ya basta. Shhh. Shhh. Por favor. Bueno, bueno. Bueno, bueno. Ya está. Ya está. Ya está. Shhh. Ya está. Ya está. Ya está. Bueno, ya está, ya está. Por favor, basta ya. Sí, por favor, shhh. Shhh. Todo está bien. Todo está bien. Todo está bien. Bueno, bueno. Ya está. Ya está. Ya está. Shhh.[1]

Se espera que las madres lo logren. Se supone que ellas saben instintivamente qué hacer con un bebé, y sus propios sentimientos son secundarios a la hora de comenzar a ser una buena madre. Se espera que inmediatamente después del parto sepan cómo sostener y darle el pecho al bebé. En algunos hospitales el personal considera esto como prueba de un "enlace" afectivo. Si una mujer no comprende de inmediato cómo reaccionar frente a su bebé en forma apropiada, puede que la agreguen en una lista secreta de mujeres "peligrosas" en riesgo de desatender o maltratar a sus hijos. Desde el principio se espera que demos una buena función y es este sentido de estar "en escena" que se agrega a la desesperación que siente una madre de un bebé que llora.

De hecho, las habilidades maternales no fluyen por sus venas. Saber cómo poner el bebé al pecho, sentirse cómoda al sostener a un recién nacido, ser capaz de bañar y cambiar a un niño que berrea, entender cómo reaccionar frente al lenguaje preverbal que es el único que conoce el bebé, todo esto surge de aprender y experimentar. Y este aprendizaje se lleva a cabo de la mejor manera en un contexto de apoyo recibido por otros que colaboran para que la madre aumente la confianza en sí misma.

Mi investigación como antropóloga social me ha puesto en contacto directo con madres y bebés, de los que lloran y los que no, de todo el mundo. Siempre me sorprendió lo poco que lloran los bebés en comunidades rurales y de las muchas formas en que los bebés son cuidados no sólo por sus madres sino también por otras mujeres y niños mayores. La lectura sobre bebés y la maternidad, a veces intercultural, a veces literatura dentro del ámbito de la sociología, la psicología y la pediatría de nuestra propia cultura, también me llevó a dirigir el pensamiento a las relaciones entre madres y bebés, y en lo que las madres saben sobre cómo evitar y enfrentar el llanto. Quise extraerles todos sus conocimientos.

Por eso, me dispuse a realizar una investigación independiente que fue publicada por primera vez en 1989.[4] Lo primero que descubrí en las respuestas de los cuestionarios de madres en Australia y Gran Bretaña fue que el grado en que lloraban los bebés, y las ideas de las mujeres en lo que respecta a cuánto se espera que un bebé puede llorar, varía en gran medida. Algunos bebés lloran sólo menos de una hora en 24, aunque esto parece ser un largo tiempo para sus madres. Otros lloran durante horas hasta cansarse... a veces seis de 24 horas.

Otra cosa que aprendí es que independientemente de la cantidad de consejos que se nos da y de lo efectivo que sean diferentes métodos para los bebés de otros, tranquilizar al propio bebé y que se sienta más contento en general son parte de un proceso de aprendizaje y conocimiento del bebé y de una relación que se abre, donde uno obtiene conocimiento de uno mismo y del bebé.

Los aspectos de la vida que exploré en este libro conciernen a mujeres, no sólo a las que son madres; dado que forman parte de la condición femenina en nuestra sociedad, es muy difícil escapar al patrón cultural impuesto. Una madre atrapada en su casa con un bebé que llora, que se siente deprimida y desesperada tipifica a todas aquellas mujeres que son incapaces de definir y dar a conocer su condición, a quienes con frecuencia no pueden incluso comprender porqué son tan desdichadas, y a todas aquellas que se dan cuenta de lo que ocurre pero no se atreven a romper el molde, o no pueden hacerlo, por miedo a ser castigadas por ello, y a todas aquellas que no pueden hablar de la trampa en la que se encuentran.

Un hombre que no tiene éxito como padre puede aún sentirse orgulloso de otros logros, aquellos que en la vida de los hombres aún cuentan mucho más –sus empleos, el deporte o la política, por ejemplo. Con frecuencia esto no ocurre con las mujeres. Cuando una mujer siente que fracasa como madre, llega a pensar que debe estar fallando como mujer. Ésta es una de las razones por las que un bebé que llora parece golpear las raíces de nuestro ser.

Si usted tiene un bebé que llora, espero que al enterarse de las experiencias de otras madres al leer este libro, pueda darse cuenta de que no está sola, dado que la soledad y el aislamiento son uno de los elementos más obvios que soporta una madre que sufre cuando tiene un bebé que llora inconsolablemente. Se siente excluida por completo de todo lo que le ocurrió en la vida con

anterioridad y de otros que sabe que no comparten la experiencia. Con frecuencia se siente aislada de su pareja también, quien puede escapar al mundo del trabajo fuera de casa y no puede comprender en realidad lo que está padeciendo. Al ir escuchando y leyendo los relatos de las mujeres, dejé de sorprenderme por el hecho de que algunas eran a veces violentas con sus bebés en llanto. Más me sorprendía que muchas se controlaban tan bien que no se descargaban, en especial cuando no estaban en presencia de otros adultos y no contaban con ayuda de ningún tipo, ni siquiera emocional, durante muchas horas seguidas. El 38% de todas estas madres estaban solas de ocho a doce horas los días de semana, y otro 34%, de cuatro a ocho horas todos los días. Por ello, casi las tres cuartas partes estaban

varadas con sus bebés en llanto durante gran parte del día, en el que tenían que arreglárselas solas, soportar toda la responsabilidad y con frecuencia, intentar con desesperación una cosa tras otra para calmarlos por tan sólo unos pocos minutos. Decían cosas como: "Estaba deprimida, sentía miedo y estaba completamente sola. Perdí toda confianza en mí misma." "Tenía una sensación constante de cansancio y ansiedad. Sentía que estaría atada al bebé por siempre. Que nunca tendría mi propia vida o que sería libre otra vez. Quería dejarlo fuera del supermercado o subirme al automóvil y conducir para estar a cien kilómetros de él. No lo quería ni lo amaba, y sentía que era una madre horrible y que nunca debía haberlo tenido."

Las frases eran recurrentes: "me sentía tan

atrapada", "no podía liberarme de él", "me sentía inútil por completo", "muy culpable", "exhausta", "incapaz", "desconcertada". Y una y otra vez decían que estaban deprimidas.

El 80% de las madres con bebés que lloraban hablaban más de la depresión, en comparación con el 33% de aquellas cuyos bebés lloraban menos. También expresaban una necesidad desesperada por escapar del bebé: el 57% de aquellas cuyos bebés lloraban más, pero también el 22% de aquellos que lloraban menos. Muchas estaban al borde de la violencia y admitían que tenían muchas ganas de pegarle una bofetada al bebé –el 50%, e incluso el 20% de aquellas cuyos bebés lloraban menos. Algunas describían con horror situaciones en las que se habían quebrado y habían abofeteado o sacudido al bebé, o los habían arrojado al suelo.

Muchas tenían una relación muy estresante con la pareja. Un tercio de las madres de bebés que lloraban hizo comentarios negativos sobre sus parejas, en comparación con un escaso 4% de aquellas cuyos bebés no lloraban demasiado.

Una pareja con la que es difícil la convivencia obviamente impone un estrés adicional cuando una mujer se encuentra luchando por arreglárselas con la tarea tremendamente desafiante de intentar conocer y comprender a su bebé. El llanto de un bebé con frecuencia exacerba conflictos en una relación de pareja.

Tal como lo demuestra mi estudio, cuando sus bebés lloraban, los hombres culpaban a las mujeres por no ser capaces de controlar a los niños e incluso podrían ofenderse porque se los privaba de sus servicios. Las mujeres se esforzaban para controlar el comportamiento de los bebés con el fin de tranquilizar a sus parejas –por lo que las mujeres tenían dos personas a las que intentaba mantener calmas y satisfechas. Muchas se esforzaban con desesperación por ser una "buena esposa" mientras cumplían con las necesidades de sus bebés: "Aún tenía pérdidas por lo que mi marido se molestaba porque creía que ya era tiempo de que estuviera bien, y eso me hacía sentir aún más infeliz."

Los niveles de tolerancia en los padres con frecuencia son bastante bajos. Cuando un bebé no deja de llorar, les pasan el bebé a sus madres

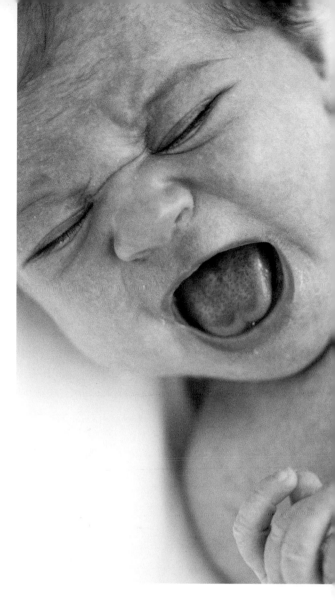

(36%), huyen del lugar (27%) o comienzan a gritar (12%). Al parecer, queda un largo camino por recorrer si en realidad deseamos una paternidad compartida en nuestra sociedad y si se debe criar a los varones para que sepan cómo cuidar a bebés pequeños y que esa es también una tarea masculina.

Pero antes de que exploremos exactamente cómo se sentían estas mujeres, resultaría más sensato hacernos una pregunta básica: ¿cuál es el significado del llanto inconsolable de un niño? ¿Y cuáles son las explicaciones que usualmente se dan ante el llanto?

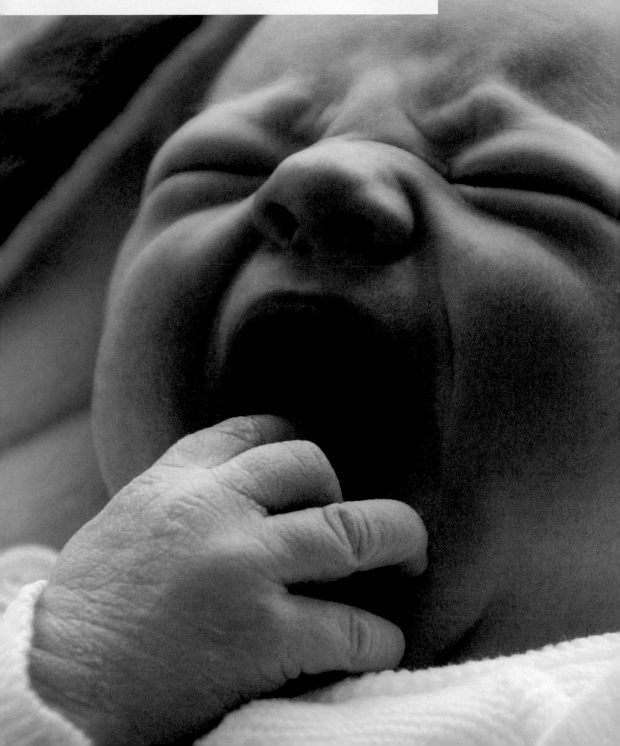

¿Por qué llora el bebé?

El llanto es la forma más contundente que tiene un bebé para llamar la atención. Cuanto más molesto sea el llanto, más parece perforarnos el tímpano y retorcernos las tripas. Berry Brazelton describe cuando en una ocasión se encontraba en un avión y un bebé comenzó a llorar con energía en los brazos de su madre. "La puerta de la cabina estaba abierta y el piloto obviamente podía escuchar el sonido por sobre el ruido de las turbinas ya que al poco rato le dijo a la azafata que calmara al bebé o que cerrara la puerta porque, argumentó, tenía miedo de perder el control del avión."[1]

La frase poética "sin otra voz que la del llanto" es a veces citada como explicación suficiente para un bebé que llora. Esto no es del todo cierto. Los bebés sí cuentan con otras formas de comunicarse y de lograr que reaccionemos. Abren bien los ojos, fijan la mirada y entablan conversaciones presérvales tempranas con un adulto que le preste atención. Con sus madres o con cualquier otra persona que les dé de comer, hacen una pausa al chupar y buscan una respuesta por parte del adulto, que usualmente consiste en una sonrisa y/o un estímulo verbal para que continúen comiendo. Cuando están aburridos o sobreestimulados, o simplemente quieren dar por concluida una conversación, dirigen la mirada para otro lado. Cuando tienen sueño, se relajan y se aflojan. Sabemos, a partir de la sensación del cuerpo del bebé y de su cabecita apoyada en nuestro brazo o contra el hombro que está por quedarse dormido. Si se está en contacto físico cercano con el bebé, se puede aprender con rapidez que si está inquieto, en unos instantes vaciará la vejiga. Cuando el bebé está satisfecho después de haberlo alimentado bien y no hay una urgencia física para hacer nada más que relajarse y disfrutar de la vida, a través de un tono muscular reducido y una expresión de felicidad tipo Buda que es casi una sonrisa, transmite el mensaje que todo está bien en su mundo.

Los padres aprenden cientos de cosas sobre lo que quieren sus bebés y lo que les resulta incómodo o bueno sin tener que llegar al llanto. De hecho, algunas madres reconocen los mensajes de sus bebés con tanta rapidez que éstos casi no necesitan llorar. Algunas me confiaron que ellas también tendrían bebés que lloran pero no se los permiten, y les prestan una atención inmediata. Dicen que tienen bebés "quisquillosos", "nerviosos", "irritables" o "muy estimulados" pero no los consideran bebés que lloran, aunque necesiten una atención regular en ciertos momentos, con

frecuencia prolongados, dentro de las veinticuatro horas, y se angustiarían mucho si no la captaran.

No obstante, para la mayoría de los bebés la mayor parte del tiempo y para todos los bebés al menos parte del tiempo, el llanto es una forma de pedir ayuda. Como dice Berry Brazelton, es un "lenguaje rico. Un llanto puede significar, por ejemplo, hambre, dolor, enojo, que han orinado, "quiero upa", o tan sólo "déjame en paz"".[2] Es un sistema de señalización en extremo efectivo para una criatura que es nueva en el mundo y que aún no ha aprendido el lenguaje de los adultos.

Aunque sea prolongado, otra es la cuestión si se trata del llanto inconsolable –del tipo de llanto que continúa por dos horas o más y que, aunque puede detenerse por un momento cuando se les habla o se los alza, comienza una vez más en unos minutos y persiste cuando se hizo todo lo pensable para hacerlo sentirse cómodo, satisfecho y seguro.

Cuando el bebé tiene un ataque de llanto, con frecuencia parece que todos menos uno mismo saben por qué está angustiado. Otros se acercan con todo tipo de explicaciones sobre el llanto, muchos de los cuales suenan absolutamente lógicos, y como resultado de ello, uno hace intentos desesperados por cambiar de comportamiento y la forma de tratar al bebé. Por lo general, ninguna de estas cosas funciona, o parece funcionar, sino sólo durante un período limitado –y después, el llanto del bebé vuelve a comenzar. En ocasiones, sea lo que fuere que se le cambie, ocurre al mismo tiempo en que el bebé se aleja del hechizo del llanto y deja de llorar. Y se lo considera como una solución. Muchas de las explicaciones dadas al llanto cuentan sólo con los fundamentos más frágiles. Nos basta con considerar la selección de explicaciones más comunes del llanto y lo que los psicólogos y pediatras tienen que decir respecto de las mismas. Saber que no existe ninguna prueba que avale algunas de las teorías

domésticas sobre el llanto puede resultar útil si cuenta con un médico que le diga a la madre que está haciendo llorar al bebé porque está tan tensa, o si se cambia del pecho a la mamadera o si se introducen sólidos el bebé dejará de llorar, o si no lo hace eructar en forma correcta, o si lo está alimentando por demás o si lo está "consintiendo".

La ficción y las lágrimas

Un bebé no llora inconsolable simplemente por la ansiedad de la madre. Criticar a una mujer cuyo bebé llora casi sin parar, decir que es su culpa porque se permitió llegar a estar nerviosa y alterada, o que ella debe tener serios problemas psicológicos que sean la razón del llanto del bebé, es culpar a la víctima. No sirve de nada aliviar la angustia o detener el llanto. ¡Por supuesto que uno se pone ansioso cuando el bebé llora inconsolable! La ansiedad es el resultado del llanto, no la causa. Ésta es una forma que con frecuencia hace sentir culpables a las madres primerizas y la razón por la cual terminan creyendo que nada de lo que hagan puede estar bien. La madre es criticada por alzar al bebé que llora, por dejar al bebé solo, por estar "tensa" o inhibida, por ser demasiado emotiva, por ser pasiva, por ser dominante, por rechazar o sofocar al niño con un "amor asfixiante" y, como si todo esto no fuera suficiente, ¡por ser contradictoria! Haga lo que haga, se siente culpable. ¡El lugar de una madre es sentir culpa!

No hay pruebas que avalen el hecho de que los bebés lloren inconsolables durante horas hasta el cansancio simplemente porque sus madres sean el tipo de persona que vive tensa o preocupada por ellos. Si nos remontamos a la década del 60, se llevó a cabo un estudio sobre el llanto y su relación con los trastornos en la personalidad, incluyendo la ansiedad, "el rechazo al papel femenino o maternal" (sea lo que fuera), la depresión, etc. Las mujeres que obtuvieron las calificaciones más altas y las más bajas en la escala presentaban cifras iguales de bebés que lloraban y que no lloraban. La conclusión fue que "no existe relación con los factores emocionales maternales, ya sean estimados en forma clínica o a través de un test psicológico estandarizado" y que los cólicos no son el resultado de "un clima

emocional desfavorable creado por una madre con falta de experiencia, ansiosa, hostil o no maternal."[3]

Una investigación posterior que utilizó diferentes tests de personalidad reveló que las madres de bebés que lloran no tenían más probabilidades de ser neuróticas que aquellas cuyos bebés eran tranquilos.[4] Al parecer, los bebés tienen sus propias personalidades y no reflejan simplemente el humor de sus madres.

Aunque algunos bebés comienzan a llorar desde que nacen, el llanto inconsolable con frecuencia no empieza hasta la segunda o tercera semana de vida. Si los bebés lloran porque la madre está sobreexcitada, ansiosa o con la autoestima baja, se esperaría que comenzara antes de esto. Una madre primeriza tiende a ser todas estas cosas justo después de tener al bebé. Winnicott lo denominó "preocupación maternal primaria". Si cualquiera se comportara de esta manera, sería considerado claramente inusitado. Pero para las madres primerizas, esa mezcla de concentración intensa sobre el bebé, la excitación, la preocupación y la duda de una misma es bastante normal.[5]

Un pediatra comparó mujeres cuyos bebés sufrían cólicos con otras cuyos bebés no lloraban. Midió cuánto la madre tocaba a su bebé y su capacidad de reacción ante las señales del bebé –incluso su sentido del humor y su "éxito como esposa" (¡otra vez resabios del patriarcado!).[6] No pudo descubrir ninguna diferencia de personalidad. Sin embargo, lo que sí encontró fue que el llanto perturbaba la relación entre madre e hijo y que las mujeres rápidamente perdían confianza en sí mismas y se sentían menos afectuosas para con sus bebés cuando llegaban a los tres meses. Volvió a realizar las pruebas con las mismas mujeres cuando sus bebés cumplieron seis meses y en ese momento, con el llanto atrás, las diferencias habían desaparecido.

Cuando los bebés lloran mucho, es más probable que haya tensión en la familia. Esto ni siquiera sorprende. En un sentido más amplio, la tensión es la consecuencia y no la causa del llanto. Los padres tendrían que ser terriblemente duros para evitar ponerse tensos cuando un bebé no se consuela. Volveré a este punto más adelante cuando analicemos las tensiones psicológicas y la interacción entre los padres en los Capítulos 7 y 8.

Luego, hay explicaciones físicas. El llanto inconsolable como éste no es provocado por burbujas de aire en el estómago y en los intestinos, aunque algunos afirmen que sí. Cuando los bebés lloran mucho y jadean, inhalan aire y como resultado de ello, se forman burbujas que son expelidas como eructos o gases. Pero éste es el resultado de un llanto prolongado, no su causa. Se han realizado pruebas con enemas de bario y rayos X para ver si un trastorno gastrointestinal pudiera ser la razón del llanto. No lo es: el estómago y los intestinos de bebés tranquilos se ven iguales a aquellos de los que lloran.[7]

Aún así, cuando un bebé llora inconsolable y se oyen sonidos siniestros en su pancita, con burbujas que parecen provenir de todas partes, esto no parece tener sentido. Cuando se sacude suavemente o se mueve al bebé hacia arriba y hacia abajo en un intento por calmarlo, se oyen sonidos en su estómago como si se estuviera agitando una botella de agua caliente llena por la mitad, y hasta uno puede llegar a convencerse de que sea la causa del llanto. Esto es lo que creía cuando uno de mis propios hijos lloraba por las noches. Pero hice un pequeño experimento. Bebí tres tazas de té y luego salté y presté atención. El resultado fue que pude oír exactamente el mismo sonido a agua que fluye y no me ocasionaba ninguna molestia. Aún así, pareciera como si el bebé tuviera un terrible dolor de panza porque levanta las rodillas como lo haríamos nosotros mismos con severos dolores de estómago. Una sugerencia puede ser que el llanto inconsolable como éste es causado por constipación o diarrea. Pero las investigaciones demuestran que no es el caso.[8]

Algunos bebés parecen estar mucho más cómodos si son colocados boca abajo con la panza sobre una bolsa de agua caliente. Dado que esto funciona para el dolor menstrual también, inferimos que la causa del llanto debe ser similar. Pero el hecho es que un bebé que llora con energía por lo general dobla las rodillas hacia arriba, cualquiera fuera la causa. Cuando un bebé

tiene miedo o se le aplica una inyección, la reacción es simplemente la misma. Los bebés no sólo sollozan. Se doblan con el llanto. Según Brazelton: "Cuando un bebé llora con desesperación, queda afectado todo el organismo, la parte gastrointestinal, autónoma, motora."[9]

El llanto inconsolable tampoco es causado por una sobrealimentación. Los bebés no beben más leche de la que quieren. Es difícil, si no imposible, sobrealimentar un bebé siempre que la leche sea materna o una leche artificialmente maternizada (fórmula) preparada en las proporciones correctas.[10]

Tampoco el llanto inconsolable es el resultado de una falta de alimentación. Desde ya que los bebés lloran cuando tienen hambre. Pero cuando son alimentados o se los vuelve a alimentar, se tranquilizan. Entonces, puede que lloren por otras razones: porque desean que se los tenga cerca o porque quieren succionar algo o que los alce para poder ver lo que ocurre.

Un bebé alimentado a pecho necesita ser alimentado con mayor frecuencia que uno alimentado en forma artificial porque la concentración de la leche humana es menor que la de la leche artificial. De hecho, en comparación con otros mamíferos, las mujeres tienen una de las leches más diluidas. El ciervo y el antílope, por ejemplo, se alimentan sólo una o dos veces por día. Los bebés humanos son más parecidos a los oseznos, que se alimentan casi sin parar.

Cuando los bebés lloran son alimentados con mayor frecuencia. El llanto es un mecanismo biológico efectivo de supervivencia. En un estudio de la década del 50, Illingworth comparó cincuenta bebés "con cólicos" con cincuenta bebés que no lloraban y realizó un seguimiento en su evolución durante seis meses. Los bebés que lloraban subieron más de peso en promedio que aquellos que no tenían un problema de llanto.[11] De hecho, un bebé muy subalimentado por lo general se torna muy calmo y pasivo, se queja en vez de llorar. Incluso si uno tiene un bebé que llora, otros llegan a decir: "Ese bebé tiene hambre" e insisten con que probemos con más comida de un tipo o de otro.

La misma madre llega a pensar que puede ser hambre, en especial si le está dando pecho, porque esto requiere una gran dosis de seguridad en sí misma. Las madres de bebés que lloran con frecuencia colocan el bebé en el pecho aproximadamente cada media hora durante los peores períodos de llanto. El bebé se prende al pezón como si estuviera hambriento, sólo para desprenderse de nuevo después de unos minutos y comenzar a llorar otra vez a lágrima viva. Si la madre está intentando todo lo que sabe para aliviar al bebé y le da su propio cuerpo como ofrenda de paz, esto parecería el rechazo máximo y sentirá que no tiene suficiente leche o que está afectando al bebé.

Si un bebé es prendido al pecho correctamente, con la boca bien colocada alrededor de la areola (el círculo oscuro que rodea el pezón) y el pezón estirado contra el velo del paladar, y es capaz de succionar cada vez que desea, es muy poco probable que cuente con una cantidad inadecuada de leche. Y todas las mujeres pueden estar seguras de que la calidad y los constituyentes nutritivos de la leche se adaptan a la perfección a las necesidades de cada bebé, ya sea un bebé prematuro o especialmente grande, de sexo femenino o masculino, delicado o retozando de salud.

Cuando un bebé es alimentado con mamadera, con frecuencia se recomienda cambiar por otra marca. Se prueba un tipo de alimento tras otro en una búsqueda frenética por encontrar algo que se adecue al bebé.

A veces, el bebé deja de llorar justo después de introducirle una nueva marca, por lo que se piensa que la fórmula anterior no debía estar "de acuerdo" con el bebé. Pero las investigaciones demuestran que si al bebé se le da leche artificial preparada en proporciones correctas no hay relación entre el tipo de fórmula con la que se alimenta al bebé y este tipo de llanto. Por ello, al menos en teoría, cambiar de marcas no sirve. Por otro lado, a veces es útil una terapia ocupacional porque la madre se siente que al menos está haciendo algo para intentar cambiar la situación. Sin esto, puede sentirse impotente y por completo a merced de los hechos.[12]

No obstante, la alteración digestiva como resultado de la ingesta de leche de vaca, incluso cuando hubiera sido modificada para alimento infantil, es otra cuestión, y algunos bebés no sólo no toleran la leche de vaca sino que tampoco la leche materna si la madre bebe mucha leche o ingiere productos a base de leche en su dieta. Se encuentran más detalles sobre este tema en la página 27.

Los bebés alimentados con pecho "a demanda" no lloran más, o menos, que los bebés alimentados con mamadera. En mi propio estudio existen iguales cantidades de bebés alimentados en forma artificial y natural en los grupos que lloran más y en los que menos. Un estudio australiano dio el mismo resultado.[13] Por esto no es una buena idea cambiar del pecho a la mamadera en un intento por detener el llanto, aunque muchas madres lo hacen y se los aconsejan amigos, familiares, médicos y profesionales de la salud quienes deben saber más que una.

No hay relación entre el llanto y la edad de la madre.[14] No es más probable que el primer bebé llore y el resto de los niños no, aunque con frecuencia se les diga a las madres que los primeros hijos lloran más, argumentando que es la propia falta de experiencia la que contribuye a que el bebé llore. Esto tiende a hacer sentir a la madre aún más acomplejada e incómoda que antes.[15]

Los varones no lloran más que las niñas, aunque con frecuencia se les dice a las madres que sí. Usualmente los estereotipos de género nos llevan a pensar que los varones tienen que ser más enérgicos, vigorosos, traviesos y tercos que las niñas.[16]

El llanto no se relaciona con la ocupación del padre ni con el coeficiente intelectual de la madre ni con su nivel de educación.[17]

No se debe a que la madre fumó o bebió demasiado café durante el embarazo.

No es más probable que un bebé llore cuando en la familia hay antecedentes de alergias o cuando otros bebés en la familia han llorado.[18]

En un estudio en Chicago, un pediatra examinó un amplio espectro de posibles asociaciones entre el llanto y otros elementos en la vida del bebé. Observó particularmente las cosas que la madre hacía o dejaba de hacer que pudieran afectar el llanto del bebé para ver si se trataba de la consecuencia de su ignorancia para tratar al bebé en forma correcta. Descubrió que el llanto no es producido porque una madre intente hacer dormir al bebé cuando no está preparado para ir a dormir, ni porque no desee dejar que el bebé llore "un buen rato" antes de dormirse, ni porque se comporte en forma contradictoria cuando el bebé llora a la noche, ni porque no reaccione con rapidez cuando el bebé llora.[19]

Los bebés tampoco lloran porque estén "malcriados". Como dice Illingworth: "Es difícil comprender por qué un llanto inconsolable debe ser atribuido a una permisividad excesiva. Cualquier padre que haya tenido un bebé con cólicos sabe que es la queja más preocupante y perturbadora, y que un bebé con un dolor obvio debe ser tomado en brazos y mimado."[20]

Una vez descartadas todas estas causas de llanto, ¿a dónde podemos dirigirnos? Al fin y al cabo, debemos erradicar toda generalización y en cambio observar con mayor detenimiento al bebé e intentar comprender lo que se siente al ser un bebé.

Un hecho abrumador sobre un bebé al emerger del útero es su energía. De hecho, incluso antes de nacer, la madre es sorprendida por esta energía cuando patea, salta, se da vuelta bruscamente, gira, golpea con los puños, rebota, baja y da volteretas en su vientre. Un bebé normal está dotado con energía desde los primeros momentos de la vida. La madre mira hacia abajo y descubre que esa criatura maravillosa ya tiene suficientes habilidades motoras y de comunicación como para atraer su atención, y una vez que ya está en sus brazos, se aferra como una almeja. El bebé es capaz de llorar, voltear la cabeza, mirar a la madre con los ojos bien abiertos, presionar algo entre sus dedos y hacer nido sobre el pecho. La mandíbula se cierra y comienza a succionar y tragar con una lengua vigorosa y una increíble presión que proviene de una boca que, aunque pueda parecer un pimpollo de rosa, es una máquina nutricional muy eficiente. Cuando se alimenta al bebé, involucra todo su cuerpo, toda la longitud de su espalda y los dedos de los pies que tiemblan por la concentración. La prensión rígida de un recién nacido es una evidencia de un pasado ancestral, en el que el recién nacido estaba equipado para colgarse de la piel que vestía su madre o de su cabello sin perderla cuando ésta corría de predadores o buscaba comida. Esos pequeños puños bien cerrados representan la supervivencia contra toda adversidad.

Y también está el llanto del bebé: más agudo y más intenso que el de los corderos recién nacidos en el campo, más irritante que casi cualquier otro sonido que pueda imaginarse, al taladrar la noche con un mensaje convincente: ¡aliméntenme!

Un bebé –cualquier bebé– se nos presenta con una paradoja fundamental. Desde un punto de vista, el que es representado por los anuncios publicitarios en la mayoría de los artículos de revistas sobre bebés, un bebé es suave y flexible, ideal para alzarlo, llevarlo, acariciarlo y besarlo. Desde otro punto de vista, es un dínamo en miniatura con una energía ilimitada en apariencia, que se retuerce, patea, se pone rígido cuando se lo tiene en brazos, arquea la espalda, grita y nos demanda cosas imposibles.

Bebés frustrados

No debe ser fácil para un bebé saludable y enérgico liberar toda la potencia encerrada dentro de su pequeño cuerpo. Aún no cuenta con la suficiente coordinación neuromuscular que le permita realizar movimientos como para poder alcanzar lo que desea –tomar un sonajero o tocar la luz del sol sobre una pared o la rama de un árbol a través de la ventana. Al observar a un bebé, es obvio que no acepta estas capacidades limitadas. Siempre está esforzándose por superarlas para conocer, tocar, degustar, ver, oír con mayor agudeza y por incorporar las experiencias en su propio ser, y hacerlas suyas. La vida de un bebé parece ser una lucha implacable por conseguir lo que se encuentra fuera de su alcance y es imposible de lograr.

No se trata solamente de que el bebé ya nazca con plenas energías. Desde el momento del nacimiento, además, los bebés se enfrentan a la idea que tenemos sobre ellos y a nuestros intentos por controlarlos. A veces, las personas a cargo del bebé están bastante relajadas y le permiten al bebé hacer más o menos lo que él desea. En algunas culturas del Tercer Mundo, los adultos aceptan a sus bebés pequeños tal como son, sin intentar modelar su comportamiento, basándose en que aún no están preparados para que se les enseñe nada. Esta situación puede continuar durante varios años hasta que se toma la decisión de que el niño ya es capaz de aprender, y a partir de ese momento, el comportamiento del niño es modelado según un patrón cultural.

Cuando trabajé en Jamaica, me sorprendió ver las actitudes tan relajadas de los adultos hacia los bebés. Las madres de zonas rurales no intentaban transformarlos según modelos preestablecidos y los alimentaban cada vez que querían. Si un bebé comenzaba a evacuar la vejiga cuando estaba sentado en la falda de su madre, ella simplemente abría las piernas y dejaba que la orina cayera en el suelo. La ropa se secaba pronto al sol. Cuando el bebé se quejaba y hacía esos ruidos que le avisaban que quería mover el vientre, paseaba fuera de la choza y sostenía al bebé sobre tierra seca en algún lugar un poco apartado de la vivienda. No intentaban entrenarlo para que controlara esfínteres hasta que el niño pudiera caminar afuera. A los bebés casi todos en la familia les daban el gusto y ninguno pensaba en frustrar adrede al bebé con el fin de enseñarle alguna cosa.

En nuestra cultura industrial del norte la situación es muy diferente. A partir de las primeras semanas de vida, se tiende a preocuparse por modelar al niño para que sea un miembro aceptable de la sociedad. Las madres quieren que sus hijos tengan hábitos regulares, coman y duerman a determinados intervalos y –aunque intentemos ser más informales en esto que nuestras propias madres y abuelas– que controlen esfínteres y se socialicen a la edad más temprana posible. No queremos animalitos salvajes en casa. Esperamos que los niños se adapten a nuestros estilos de vida y a nuestras divisiones de noche y día y a los momentos de alimentación y sueño. Por eso, intentamos entrenarlos y domesticarlos.

A los bebés se los lleva a la cama, se los aísla de todo contacto humano y se espera que se duerman. Son alimentados y se espera que se tranquilicen después. Se los baña y se los viste y se los saca a pasear y se los muestra a extraños como en un desfile y se espera que sonrían y balbuceen y nos dejen felices, contentos y orgullosos. Leemos libros y artículos sobre cómo ser padres y sobre el tiempo en que un bebé debe dormir. El bebé, desde ya, no ha leído estos libros y revistas y continúa como siempre, motivado por instintos biológicos internos. Con frecuencia, los bebés deben frustrarse en gran medida a causa de nuestros intentos por moldear su comportamiento y aculturarlos.

Cuando los bebés no hacen las cosas que planeamos para ellos, nos preguntamos si estamos haciendo algo mal o si hay algo mal con el bebé. Por eso, intentamos persuadirlos para que se comporten en forma diferente, hacemos planes más complejos y cada vez estamos más decididos a lograrlo. ¡Y empieza la batalla! Tanto la inmadurez del bebé como nuestros intentos por condicionar y entrenarlo causan frustración y llevan a una tensión interna reprimida.

Los adultos cuentan con todas las formas de descargar la tensión interna cuando están frustrados. Miran televisión, escuchan música, se ponen a trabajar, fuman o beben alcohol o ponen toda su energía en hacer cosas, ya sea una proyecto tipo "hágalo usted mismo" o en otra forma de actividad creativa.

Para un bebé, la única forma de descargar esta gran cantidad de tensión intolerable es llorando. El llanto le permite liberar la tensión. A veces, es la única forma en que los bebés pueden liberarse de la tensión que proviene de su propia inmadurez y de su relativa impotencia, y también de las tensiones que se les impone culturalmente. El bebé se siente mejor después.

Algunos descubrimientos de los padres

A veces, los padres sienten que debe haber un problema físico que, una vez revelado y tratado, detendría el llanto. Para la mayoría de nosotros, no hay una solución más simple que ésta, y el llanto es causado por la tensión y la incomodidad que provienen de una variedad de estímulos, donde ninguno de ellos en forma separada es responsable de la angustia del bebé sino todos ellos juntos.

Por otro lado, algunos padres logran descubrir la llave psicológica del llanto y son capaces de cambiar la forma de tratar al bebé o de proporcionarle un tratamiento adecuado que termine con el llanto. En las próximas páginas quisiera explorar algunas soluciones que otros padres han descubierto después de realizar un trabajo minucioso de detective y de seguir cada pequeña pista hasta dar con la causa.

Intolerancia a la leche de vaca

Algunos bebés no pueden digerir la leche de vaca, la leche artificial derivada de la misma u otros productos de leche de vaca. Pueden ser sensibles a la proteína de la leche de vaca. La mayoría de las denominadas "leches para bebés" tienen como base la leche de vaca. Es muy probable que los bebés se sientan mal como resultado de la intolerancia a la leche de vaca cuando se los alimenta con mamadera. Los bebés que se sienten de esta manera si se los alimenta en forma artificial con leche para bebés, por lo general toleran bien la pequeña cantidad de proteína de la leche de vaca que reciben en la leche materna. No

obstante, algunos bebés también son sensibles a las proteínas de la leche de vaca presentes en la leche materna después de que la madre haya bebido leche o comido queso.

Un estudio sueco reveló que existe una gran relación entre los cólicos en bebés alimentados a pecho y el consumo de sus madres de leche de vaca.[21] Un tercio de los bebés alimentados a pecho que lloraban por lo que se les diagnosticó como cólicos, dejaron de llorar cuando sus madres excluyeron la leche de vaca de sus dietas. Unos años después, se llevaron a cabo otros estudios en Gran Bretaña que examinaron el efecto de la exclusión de leche de vaca y huevos en la dieta de la madre, sobre los bebés con eccema alimentados a pecho.[22] Algunos bebés mejoraron cuando sus madres omitieron la leche y los huevos de sus propias dietas. No sólo desapareció el eccema cuando las madres evitaron el huevo y la leche, sino que empeoraron cuando estos alimentos fueron vueltos a introducir. Algunos bebés también tenían trastornos gástricos después de que las madres comieran estos alimentos. Si el bebé alimentado a pecho llora bastante, bien vale la pena probar eliminar la leche de vaca de la dieta de la madre. Pero los autores de estos estudios advierten que sólo debe hacerse una dieta tan estricta si la exclusión de estos alimentos da como resultado una mejora obvia y si el estado del bebé se deteriora cuando se los vuelve a introducir, y siempre con la ayuda de un dietista.[23] El problema es que si esto es visto como panacea para el llanto, muchas madres pueden estar alimentadas en forma inadecuada.

Los síntomas de la intolerancia a la leche de vaca son el llanto después de comer y entre comidas, un estómago hinchado y blando, gases, vómitos, deposiciones espumosas y verdes, poco aumento de peso corporal, irritación en la cola, erupciones o eccemas en la piel y mucosidad. Por otro lado, estos síntomas en un bebé alimentado a pecho pueden indicar un exceso de lactosa (ver página 38). Los bebés alimentados con mamadera tienen deposiciones flojas, con frecuencia con partes sin digerir. (Un bebé alimentado a pecho puede presentar deposiciones muy blandas, incluso líquidas, porque los nutrientes en la leche materna están completamente digeridos; por eso, si se alimenta a un bebé a pecho, las deposiciones flojas no son síntoma de que haya algo malo con el bebé.) A veces, la respiración del bebé se ve afectada y puede oírselo jadear, respirar con ruido o carraspera. Esto puede ser precursor de asma o bronquitis. Un bebé sensible a las proteínas de la leche de vaca no evoluciona en forma adecuada y cuenta con pocas defensas ante infecciones.

Con frecuencia se contagia un resfrío tras otro y sufre infecciones en el oído, lo que puede detectarse cuando el bebé se rasca o se frota la oreja. Algunos bebés de más edad sufren de anemia a causa de la inflamación y del sangrado de los intestinos. Muy rara vez, un bebé alimentado sólo a pecho que de pronto se le da leche de vaca puede sufrir un shock anafiláctico. Se torna laxo, pálido y húmedo en sudor, respira con dificultad, se le acelera el pulso y, lo peor de todo, puede entrar en coma. Ninguno de estos síntomas por separado puede dar un diagnóstico seguro de sensibilidad a la leche de vaca pero, en conjunto, representan un fuerte indicio de que ésta sea la causa del problema.

Con frecuencia a los bebés sensibles a la leche de vaca se les da leche de cabra o de soja. La leche de cabra no pasteurizada puede ser peligrosa. Si se utiliza leche de cabra fresca diluida, es fundamental asegurarse de que la cabra esté saludable y sea mantenida bajo condiciones ideales. Los bebés también pueden ser alérgicos a la leche de cabra y a la de soja y a los productos a base de soja.

La mayoría de los bebés que no pueden digerir la leche de vaca revierten esta situación en algún momento de su segundo año de vida. Algunos se sienten mejor si se les mantiene una dieta libre de leche de vaca durante toda su niñez. Esto es en especial probable con los niños de origen chino. En el Lejano Oriente y en algunas partes de África, algunas personas tienen una incapacidad genética para digerir la leche de vaca.

En la producción de leche materna, se filtran muchas sustancias químicas y proteínas alimenticias. No llegan al bebé en absoluto o bien lo hacen en cantidades ínfimas. Aún así, algunos bebés son sensibles incluso a estas pequeñas cantidades. Las madres descubrieron que sus bebés lloran menos cuando ellas reducen o evitan por completo todo alimento con contenido de leche, incluso yogur, manteca, queso, salsas a base de leche, tortas,

budines, helados de crema, pan, galletitas, chocolate con leche y productos de confitería. Lleva tres o cuatro días eliminar la leche de vaca antes de ver algún efecto en el comportamiento del bebé. Entonces los resultados pueden ser inmediatos.

Oí decir que el hecho de que todo lo que la madre coma puede afectar al bebé que se alimenta a pecho es simplemente un "cuento de viejas". Pero existen pruebas científicas confiables de que los bebés pueden reaccionar en forma adversa a algunas sustancias presentes en la leche materna que derivan de lo que la madre comió. Las "viejas" tenían razón. Algunas madres advirtieron que cuando bebían café o gaseosas cola sus bebés lloraban bastante. Al parecer, los niños reaccionaban ante la presencia de cafeína en la leche materna. Las mujeres que encontraron soluciones al llanto de sus bebés citaron, además de leche de vaca, huevos, chocolate, nueces, frutillas, azúcar, trigo y productos con trigo, uvas, naranjas, cualquier otro cítrico, cebollas, arvejas y chauchas, ciertas especias, alcohol, café y té. Por ejemplo, una mujer me contó que su niño "lloraba más si yo había bebido vino tinto seis u ocho horas antes, y con las uvas ocurría lo mismo". Otra me dijo sobre su hija: "El chocolate, el café y el alcohol siempre parecían hacerle peor".

Ante la sospecha de que un alimento o bebida en particular produzca algún efecto sobre el bebé, bien vale la pena excluirlo por una o dos semanas. Si el llanto se reduce, observar qué ocurre una vez que se vuelve a introducir la sustancia. Si no se experimenta de esta manera, nunca se sabrá con seguridad si ese alimento fue la causa de la irritabilidad del bebé. Uno puede inferir erróneamente que una simple asociación casual fue causa y efecto una vez que la mayoría de los bebés comienzan a llorar menos –en algún momento entre la semana 10 y 16– (por lo general es un cambio repentino). Con un riesgo de un par de días de trastorno, bien vale la pena probar la propia hipótesis para asegurarse de la relación. Un bebé sensible a ciertos alimentos en la leche materna puede continuar siendo sensible a los mismos durante meses.

Los bebés pueden superar la intolerancia a los alimentos. Una mujer me contó que su bebé lloraba más que lo usual cuando ella comía huevos

o queso; le aconsejé que los volviera a introducir con cuidado más que con aprensión cuando el bebé tuviera aproximadamente diez meses. Descubrió que para esta edad ya podía tolerarlos.

Otras sensibilidades a los alimentos

Con frecuencia, un bebé comienza a llorar inconsolable por primera vez cuando se le introducen sólidos. Resulta significativo que los bebés que lloraban más según mi estudio tenían el doble de probabilidades que los bebés que lloraban menos cuando se les introducían sólidos antes de los dos meses. Se sabe que los bebés de menos de dos meses tienen dificultad para digerir alimentos diferentes de la leche. Una mujer con frecuencia se decidía a probar con los sólidos (tal vez bajo la presión de otros) porque su bebé lloraba demasiado. Pero esto no reducía el llanto y es probable que hasta lo hiciera sentir más incómodo.

Algunos bebés también reaccionan ante los aditivos en alimentos procesados o envasados y a la presencia de estos aditivos en la leche materna. Entre estos se encuentran el annatto (un colorante rojo extraído de la corteza de un árbol), colorantes alimentarios artificiales, antioxidantes y otros conservantes. En Gran Bretaña, el Colegio Real de Médicos formó una base de datos sobre intolerancia alimentaria para proporcionales a los médicos detalles sobre las sustancias en alimentos procesados y listas de alimentos similares que no contienen esos ingredientes. Es bueno consultar a un médico para contar con ayuda especializada si se desean evitar ciertos alimentos porque el bebé parece reaccionar ante los mismos en la leche materna, o cuando un bebé de más edad que ya ingiere sólidos pueda presentar sensibilidad a los alimentos. Viva donde viva, si piensa que su bebé puede reaccionar frente a los aditivos, consulte las etiquetas en todos los productos y tome nota de cualquier alimento sospechoso.

Los bebés con frecuencia son sensibles a la proteína de los huevos y del trigo. Lo mejor es introducir un cereal de arroz antes que el trigo y probar con comidas sólidas sólo después de los seis meses, cuando un bebé está más apto para tolerarlas. Darle una pequeña cantidad por vez –una cucharadita de té es abundante– introducir sólo una comida nueva para poder observar cualquier reacción y dejar que transcurran unos cuantos días antes de intentar algún otro nuevo sabor.

Si la madre es alérgica o sabe que hay antecedentes de asma, eccema, fiebre del heno o migraña en su familia o en la del padre, se aconseja dar el pecho todo el tiempo en que la madre y el bebé se sientan cómodos. No se tiente con los comentarios hechos por otros ni por las bendiciones garantizadas por los fabricantes de comida para bebés, no pase a la leche de vaca o a una dieta mixta hasta que el bebé pase al menos al tercer trimestre.

Las publicidades que promueven una amplia variedad de alimentos en lata o envasados para bebés y los describen como "alimentos naturales", comparados con la leche materna, pueden ofrecer una receta para el desastre. Por ejemplo, una publicidad de alimento para bebés mostraba una ilustración de un bebé de cuatro meses y ofrecía un menú con pescado en salsa de queso y ensalada de frutas para el almuerzo". Esta es una publicidad irresponsable.

Si la madre trabaja fuera de la casa, es posible que se saque leche con una bomba extractora y la guarde en el refrigerador para que otra persona pueda dársela al bebé en una mamadera. Se puede llevar parte al freezer para alguna emergencia. Asimismo, muchas mujeres descubren que pueden continuar amamantando si dan el pecho antes y después del trabajo, aunque se solía decir que, ante estas circunstancias, resultaba imposible mantener un buen suministro de leche. Cualquiera sea la teoría, las mujeres descubrieron que en realidad funciona en la práctica, y si la pareja puede hacerse cargo de la cena, es bueno poder llegar a casa después de un día agotador en el trabajo, elevar un poco las piernas y dar el pecho al bebé.

Verifique que el bebé no tenga fiebre.

Si el bebé está resfriado, puede ayudarlo a que respire con mayor facilidad si lo sienta sobre la falda.

En acción

¿El bebé siente dolor?

Una infección. Algunas mujeres descubrieron que el llanto de sus bebés se debía a alguna infección. Describen cómo se diagnosticó una infección de oído o del tracto urinario y al tratársela, el llanto cesó. O cómo cuando un afta oral en el bebé (cándida, una infección de levadura) fue eliminada con medicación se produjo una reducción significativa en el llanto. Las aftas se ven como escamas blancas en la boca del bebé. No se lo debe confundir con los restos de leche, que también son frecuentes. Dado que las aftas infectan el pezón de la madre y luego, a su vez, vuelven a infectar al bebé, se deben tratar el bebé y los pechos de la madre. Cuando un bebé presenta una infección de oído, a veces tiene la cara roja de un lado y puede tirarse de la oreja o rascársela, a veces hasta sangrar. Esto puede alertar a la madre sobre la causa. El único síntoma obvio de una infección urinaria puede ser el llanto, aunque puede advertirse que la orina tiene un olor muy fuerte. Los bebés con una infección en el tracto urinario con frecuencia gritan en forma intermitente cuando pasa la orina porque les produce ardor y punzadas.[24] Un bebé con dificultades para respirar con frecuencia encuentra complicado sincronizar la succión con la respiración. Los períodos de alimentación llevan bastante tiempo, son cansadores y resultan irritantes para los dos porque el bebé puede succionar de a poco y si la

madre piensa terminar en 15 ó 20 minutos, entonces llorará de hambre. Si el bebé puede respirar con facilidad cuando se lo coloca derecho, deja de llorar cuando se lo sostiene sobre el hombro o se lo sienta en la falda, y llora inconsolable cuando se lo acuesta, lo más probable es que sea porque tiene un buen resfrío.

Displasia de cadera. Algunos bebés nacen con una cadera dislocada. Esto puede ocurrir después de un parto de nalgas o de una cesárea. En general, es posible identificarla al nacer, por lo que a todos los bebés se los somete a un estudio especializado. Esto se lleva a cabo al comprobar la estabilidad de las articulaciones de la cadera y al oír un "clic" al mover las caderas.[25] El médico o la partera doblan las piernas del bebé hacia arriba y las abre en toda su extensión como una rana. Aún así, de cada diez bebés con este problema, al menos uno o dos son ignorados. Y otros bebés son tratados por displasia de cadera cuando nunca la sufrieron. El tratamiento se basa en entablillar (o a veces colocar algún aparato ortopédico o arnés) durante doce semanas.

Algunas mujeres que me contaron sobre el llanto inconsolable de sus bebés descubrieron que, con frecuencia después de que el bebé estuvo angustiado durante semanas, la causa del problema era una displasia de cadera. Estas madres no podían entender por qué, cuando

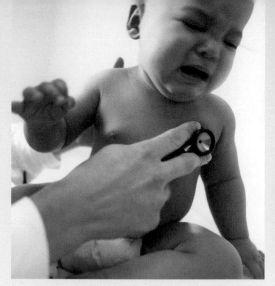

Si considera que el bebé llora de dolor, hágalo ver.

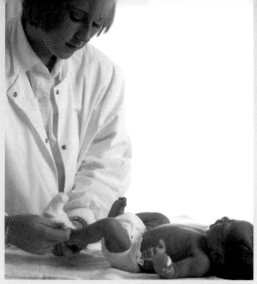

Si un bebé pequeño llora mucho al vestirlo, puede ser un indicio de una cadera con displasia.

trataban de calmarlos hamacándolos y palmeándolos, cambiando la posición o moviéndolos hacia arriba y hacia abajo, lloraban más y más. Era como si el bebé no quisiera que lo calmaran y cada vez que lo tocaban o lo movían, parecía que sentían dolor.

Una mujer a la que le habían dicho que su beba sufría cólicos y pasó mucho tiempo colocándola sobre su hombro, palmeándola en la espalda, meciéndola y moviéndola, advirtió que no soportaba ningún movimiento que afectara la parte inferior del cuerpo. Parecía causarle un dolor que se localizaba alrededor de las caderas. Llevó a su beba al médico y le comentó lo que había observado. La causa del llanto pasó a ser "una cadera con displasia y la otra, sonaba... Las tablillas que le colocaron funcionaron como un pase de magia –y tuvimos una beba mucho más contenta de inmediato."

Hernia. Otro estado que puede causar dolor y provocar un llanto inconsolable es una hernia, la protrusión de parte de algún órgano interno porque el músculo que lo contiene es débil o se ha desgarrado. Una hernia inguinal se produce cuando un tramo de tracto intestinal se sale del canal inguinal. El resultado es un bulto en la ingle. Esto puede ser congénito y es mucho más común en los varones que en las niñas.

Vacunas. En ocasiones, un bebé comienza a llorar después de recibir alguna vacuna. Una mujer me contó que acababa de descubrir que su bebé de pecho era alérgico a los salicilatos y que lloraba después de beber jugo de naranja. "Luego, reaccionó ante la vacuna y lloró casi continuamente durante seis semanas. Después de la insistencia de un asistente de servicios de salud a domicilio que me asistió, mi médico nos envió al Great Ormond Street Hospital, y allí confirmaron que Peter había reaccionado a la vacuna y me aconsejaron que no le hiciera dar más esa vacuna ni a él ni a ninguno de mis otros hijos."

Pero algunas de las razones más comunes del llanto se relacionan con problemas alimenticios. La pregunta no sólo es cuánta leche está tomando el bebé sino qué tipo de leche.

¿El bebé
siente dolor?

Era un organismo menos complejo que... un tracto largo
de boca a ano de cuyo mantenimiento era responsable.
Roberta Israeloff, Coming to Terms
Roberta Israeloff, *Coming to Terms*

Cada mujer con un bebé que llora se pregunta si su hijo tiene hambre. Con seguridad, ningún bebé podría continuar llorando a menos que estuviera muerto de hambre. Para una madre que amamanta, que no puede ver ni medir la cantidad de leche que el bebé toma a menos que se dedique a realizar el tedioso control de peso durante un período de 24 horas, la pregunta se presenta aún más amplia: ¿tengo suficiente leche? ¿Soy capaz de producir suficiente leche? Como me comentó una mujer: "Lo que ocurre es que no veo cuánta leche bebe mi hija por eso nunca sé si bebió lo suficiente y me quedo pensando si no la estaré alimentando de menos. Si se queja y la pongo de nuevo al pecho media hora después de haberle dado de amamantar, siempre succiona, por lo que sigo pensando en que la estoy matando de hambre."

Los bebés disfrutan tanto succionar que siempre lo harán si se les ofrece el pecho o una mamadera aunque no tengan hambre. Que el bebé se prenda con fuerza al pecho a la hora o a la media hora de haberle dado de mamar, no significa que se lo haya subalimentado. Puede ser uno de esos bebés que ya tengan la panza llena pero que succionan uno o dos minutos, se queda dormido y se despierta cuando se intenta retirar el pezón y succiona con entusiasmo nuevamente. Aunque estos bebés se prenden al pecho como a un oasis en el desierto, no quieren alimentarse durante demasiado tiempo, e incluso si continúan succionando y succionando, no tragan. No están hambrientos.

El pecho brinda comodidad, no sólo alimento. Los adultos se sienten reconfortados al ver a una persona que aman o al sostenerle la mano. Esto no ocurre con un bebé de tres meses. Para sentirse completamente seguro, el bebé necesita una sujeción mayor, un contacto más íntimo, y asegurarse de que todo está bien a través de la sensación del pecho en su boca.

Los ojos del bebé exploran el entorno al lograr descubrir más sobre la gran aventura de vivir. La boca, que es en especial sensible en un bebé recién nacido, también busca el pecho. Ésta es la razón por la que el bebé se prenda al pecho como si tuviera mucho hambre, succiona un poco y luego se queda dormido. Pero es el sueño más liviano de todos. Si se intenta retirar el pezón, el bebé se despierta y salta como una trucha que intenta atrapar a una mosca, para tomarlo y prenderse con

mayor firmeza al pecho una vez más.

Un bebé de tres a cuatro meses con hambre deja de llorar y jadea excitado al ver que la madre está por darle el pecho o está preparando la mamadera, y si alguna de las dos actividades se prolonga un poco, retoma el llanto con renovadas fuerzas. Una vez que se le presenta la tetina o el pecho, el bebé succiona con energía y pasión. Después de unos minutos de intensa succión, al satisfacer el hambre, reduce la intensidad un poco, se entretiene con el cabello o la ropa de la madre, o hace una pausa y sonríe –tal vez dejando deslizar el pezón con tono de broma sólo para tomarlo nuevamente con placer renovado y continuar succionando. Al satisfacer por completo el hambre, el bebé se muestra más distraído por lo que ocurre a su alrededor.

A esta edad, los bebés con frecuencia juegan con el pezón cuando están satisfechos, lo toman con la boca, lo expulsan con la lengua, mordisquean el extremo y luego lo extraen y succionan con avidez durante unos pocos segundos, sólo para soltarlo una vez más. Cuando se los acuesta, gritan. Ya no sienten hambre. Les agrada jugar con el pecho.

Los bebés lloran de sed así como de hambre. Un bebé con calor necesita una mayor cantidad de líquido. La primera leche del pecho tiene un menor contenido de grasa que la última, por lo que ataca la sed en particular. En un clima caluroso el bebé necesita mamar con mayor frecuencia que lo usual pero dado que la leche con bajo contenido de grasa satisface mejor la

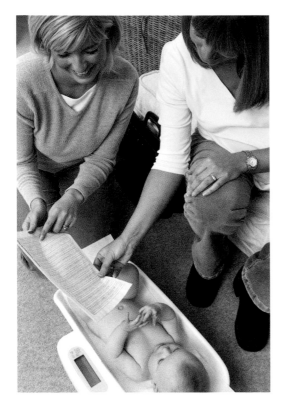

seis o más pañales húmedos cada 24 horas, ojos brillantes y un aumento de peso definido durante un período de tres semanas. Dado que los bebés con frecuencia suben de peso a pasos agigantados, con mesetas en medio, no debe esperarse que suba de peso cada semana. El aumento puede ser de 28 gramos (1 oz) una semana y de 170 gramos (6 ozs) la siguiente, o nada una semana y 226 gramos (8 ozs) la siguiente. Incluso si tiene semanas de peso estable, un bebé que sube 450 gramos (16 ozs) cada cuatro o cinco semanas está bien alimentado.

Si se desea pesar al bebé, se recomienda hacerlo en la misma balanza a la misma hora del día una vez por semana como máximo. A menos que exista alguna razón en especial para preocuparse por un bebé que no sube de peso en forma suficiente, pesarlo una vez cada cuatro semanas basta. Los bebés continúan creciendo –y esto sucede en cualquier parte del mundo– aunque no se los pese jamás.

A partir de las 2 semanas hasta los 3 meses de edad, el promedio de aumento de peso va entre 170 y 226 gramos (6-8 oz). Dado que se trata de un promedio, significa que algunos bebés aumentan menos y otros, más. No comienzan a hacerlo hasta no haber recuperado el peso de nacimiento, lo que se produce alrededor de los 10 días. No todos los bebés pierden peso en esos primeros días, pero sí les ocurre a la mayoría. Los bebés de menor peso al nacer con frecuencia aumentan con mayor rapidez que los bebés que ya tienen un buen peso.

No debe esperarse que el bebé mantenga el mismo nivel de aumento de peso después del tercer mes. Usualmente sólo aumenta alrededor de 140 gramos (5 ozs) a partir de allí hasta que cumple los seis meses y tal vez aumente tan poco como 56 gramos (2 ozs) por semana, en promedio, desde ese momento hasta el final del primer año. Un nivel de aumento de peso reducido al ir desarrollándose el bebé no significa que la madre tenga menos leche ni que el bebé no esté satisfecho. Si llora pero aún así sube de peso en forma progresiva, las razones del llanto son otras. Tampoco debe pensarse que porque los pechos dejaron de estar tan llenos como a las dos o tres semanas posteriores al parto, la producción de leche esté desapareciendo.

sed, puede no requerir que se lo alimente durante períodos prolongados. Lo mismo ocurre en invierno si el bebé se encuentra en un ambiente demasiado caluroso o si está abrigado por demás. Logra un sueño profundo pero despierta con el cabello húmedo y llora miserablemente, necesita que lo pongan al pecho de inmediato o, si se lo alimenta en forma artificial, que le den agua hervida en mamadera o con una cucharita. Se trata de un bebé con sed y no con hambre.

Sobreabrigar a un bebé puede ser peligroso: no sólo se pone inquieto sino que se puede deshidratar, respirar con dificultad, incluso sufrir convulsiones y descomponerse con un golpe de calor.[1] Los bebés más pequeños transpiran poco por lo que no pueden bajar la temperatura con tanta facilidad como los adultos, y las mantas modernas de materiales sintéticos pueden aislarlos como si estuvieran metidos en bolsas térmicas. ¡Y ni hablar de lo incómodos que están!

Los signos físicos de un bebé bien alimentado son un cuerpo firme, vitalidad y estado de alerta,

Como regla básica, los bebés por lo general necesitan aproximadamente 85 ml (3 ozs) de leche por cada 450 gramos (1 lb) de peso corporal en 24 horas. Por eso, un bebé de 2,7 kg (6 lb) necesita 510 ml (18 ozs) y uno de 3,6 kg (8 lb), 680 ml (24 ozs). Pero al igual que los adultos, no requieren las mismas cantidades en cada ingesta, por lo que a veces el bebé habrá tomado lo suficiente después de una alimentación corta, y otras –por lo general cuando la madre está apurada o intenta acelerar el momento de la alimentación para poder salir– el bebé está listo para un largo banquete de varios platos. Si la madre deja de alimentarlo antes de lo necesario, el bebé puede llorar como si lo privaran de las necesidades básicas para sobrevivir. El llanto suena a un llanto de hambre, pero no hay necesidad de matarlo de hambre. Sólo quiere estar al pecho de su madre y continuar allí indefinidamente.

Puede suceder que aunque el bebé por lo general tenga un ritmo de alimentación definido y esté bastante satisfecho, hay días en los que pierde todo esto y quiere succionar todo el tiempo y llora cuando no está al pecho. En ocasiones, se trata de un signo de que el bebé está luchando contra alguna infección y necesita un consuelo adicional. A veces, se trata de una expresión de inseguridad e incomodidad y necesita estar en brazos de la madre y succionar sin parar por razones psicológicas desconocidas. Con mayor frecuencia, es un signo de que el bebé está por tener un crecimiento repentino y necesita más leche. Si se lo alimenta con mayor asiduidad, se estimula aún más la producción de leche. Esto ocurre alrededor de la sexta semana, en algún momento entre la semana ocho y la catorce y nuevamente a los seis meses. El llanto no significa que se esté matando de hambre al bebé. Es una forma de asegurarse de que la madre tenga más leche.

Por lo general, se tardan varios días en ajustar el suministro de leche a las necesidades cada vez mayores del bebé. Esos días pueden ser bastante difíciles y si uno se resiste a la demanda, el bebé llora y es probable que la madre se sienta un poco tensa. La respuesta es saber de antemano que habrá períodos como éstos entre la sexta semana y el tercer mes del bebé y que se debe ser flexible, ajustar el día, en lo posible, para poder mimarlo y

alimentarlo a demanda o, si la madre ya retomó el trabajo, contar con porciones adicionales de leche materna freezada para estas ocasiones.

Si se le da leche artificial y sólidos cuando esto sucede, se reducirá la producción de leche y se descubrirá que no se podrá llegar a cumplir con las demandas del bebé en crecimiento.

La leche no se "acaba" y ya. Si la madre está tensa o angustiada, la leche puede no fluir. Esto se debe a que el reflejo de eyección láctea no es debidamente estimulado. La leche está allí pero no está accesible para el bebé. Algunas mujeres me contaron algunos incidentes cuando sus bebés lloraban con desesperación y descubrieron que la leche les había "desaparecido". Chrissie, por ejemplo, dijo que cuando su pequeño hijo tenía 13 semanas, gozando de buena salud y estando bien alimentado, se pasó toda una noche llorando. Llamó al médico por teléfono a la mañana y un asistente de servicios de salud a domicilio pasó por ella y la acompañó al hospital local para utilizar su bomba extractora eléctrica. No produjo casi nada de leche. Le dijeron que había perdido la leche y que debía darle mamadera. Ella aceptó el veredicto y dejó de darle el pecho.

Lo que Chrissie no sabía era que dado que había alimentado a su bebé con pecho durante

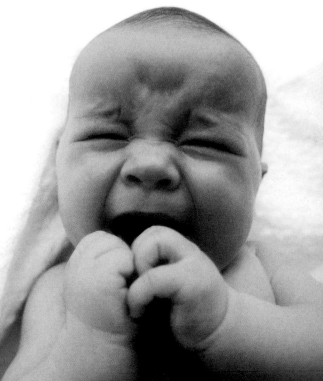

tres meses y él había progresado bien, aún podía producir leche. No se trataba de un pozo que se había secado. Su bebé estaba por tener un crecimiento repentino y necesitaba una mayor cantidad de alimento para ello. Mientras lloraba esa noche, la madre se preocupó pensando en que algo malo le ocurría y su ansiedad le provocó una tensión física que inhibió su reflejo de eyección láctea. Es la sensación cálida del fluir de la leche por el pezón como si de pronto abrieran el grifo de una fuente dentro de ambos pechos. Tan sólo no pudo relajarse y dejar que fluyera la leche. El caso de la mamadera quedó cerrado cuando la bomba extrajo solamente muy poca leche. Aún así, una máquina eléctrica no es como un bebé y no estimula la sensación cálida "de dar" como respuesta a la succión del bebé. En este caso, además, la bomba estaba siendo utilizada para evaluar y examinar la capacidad de la madre para producir leche como si fuera la hoguera para las brujas. No es de extrañarse que, al ser expuesta al juicio de una máquina, Chrissie no pudiera producir leche.

Una mujer que amamanta tiene una relación íntima con su bebé. Siente que puede ofrecerle el pecho como signo de consuelo cuando está en casa, pero siente cierta vergüenza al hacerlo en público porque es exponer ese acto íntimo y porque puede ser considerada una exhibición sexual.

Nuestra cultura orientada hacia la tecnología apunta a organizar a las personas como máquinas. Todo gira alrededor del control. Se enciende el televisor para ver programas de transformaciones sobre cómo se puede tener más control de nuestra vida, nuestro hogar y... nuestros hijos. Se advierte sobre familias donde los padres han perdido el control y los hijos tomaron la posta.

El amamantamiento no se adecua a este patrón dominante de función tipo máquina. La leche materna que brota del cuerpo de una mujer es vista como algo sin control e incluso contaminante, como el sangrado menstrual. El amamantamiento en forma abierta cada vez que un bebé necesita ser alimentado es con frecuencia concebido como el comportamiento de una "madre burda", no de una mujer capaz, organizada que tiene pleno control de su vida.

El bebé no tiene conocimiento de esto, desde ya. Si la madre decide poner las necesidades del bebé por delante y se acostumbra a darle el pecho abiertamente, será la cosa más simple y obvia de hacer cuando el bebé llore.

Muchas mujeres toman la decisión o sienten que se las fuerza a pasar del pecho a la mamadera cuando sus bebés necesitan más leche porque están por tener un crecimiento repentino. Algunas piensan que fracasaron. Llegan a exasperarse ante otras madres que alaban las virtudes del amamantamiento, o ante las que dar el pecho no es ningún problema porque dicha sensación de fracaso y culpa no se lleva con esto. Una mujer me dijo: "Me molesta todo este tema del amamantamiento. A las mujeres que dan el pecho sin problemas les encanta hacer sentir culpables a aquellas que no pueden. Estoy harta de tanta 'alharaca' que se le da al amamantamiento. Mi bebé está muy bien con la mamadera."

Ninguna mujer debe sentirse bajo presión al dar el pecho o leche artificial. Pero entre los fabricantes de leche artificial para bebés, los libros de cuidado para bebés, profesionales de la salud, otras madres y sus parejas, la mayoría de las mujeres se encuentran bajo esta presión. Como resultado de ello, algunas mujeres se sienten destrozadas porque les dan a sus hijos mamadera cuando "deberían" darles el pecho; otras, porque están luchando por amamantar sin la ayuda y el respaldo que necesitan.

Si éste es su caso, identifique bajo qué presiones se encuentra, considere la idea de que la ayuden y qué tipo de ayuda sería la más apropiada y... pídala. Se trata de su bebé, de sus pechos, de su vida, por lo que es una cuestión que le compete sólo a usted, no a su médico, ni a una empresa

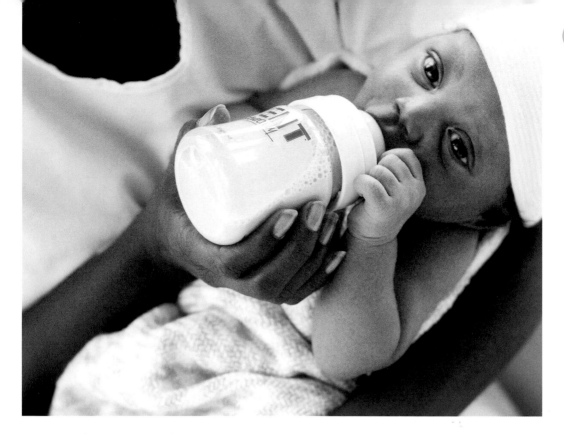

que fabrica fórmulas para bebés, ni a su madre, ni a "expertos" en bebés, ni a nadie más. Puede no tener nada que ver en forma directa con el bebé; por ejemplo, podría necesitar ayuda en su casa, o más horas de sueño, o más sexo, o nada de sexo.

Si piensa que el llanto del bebé se debe, al menos en parte, a que se queda con hambre, dele más leche. Una mujer descubrió que su bebé dejó de llorar cuando siguió el consejo de su abuela: "Mi abuela me dijo que debía darle el pecho como las gitanas, sin tener en cuenta los horarios." Si se les ofrecen sólidos a los bebés antes de los seis meses puede verse afectada su digestión y reducirse la cantidad de leche que toma. Dado que el amamantamiento contiene todos los nutrientes esenciales y es el alimento ideal por excelencia para un bebé durante el primer año de vida, es una pena hacer algo que reduzca la ingesta de leche, y es mejor mantener los alimentos sólidos como sabores interesantes y como algo extra.

Para una madre que da la mamadera, dar más leche es una cuestión de preparar más fórmula de leche en polvo. No se recomienda agregar una medida más para hacerla más concentrada. Esto es peligroso porque recarga el sistema digestivo del bebé con sales superfluas, lo que puede causarle diarrea y deshidratación. Debe ajustarse a las instrucciones del fabricante y utilizar la cuchara

medidora que se proporciona. Si el bebé llora cuando se lo alimenta y comienza a succionar pero luego se suelta de la tetina como si le hubieran dado un golpe, asegúrese de que los orificios de la tetina no sean demasiado pequeños. Los puede agrandar con una aguja caliente.

Si se le da el pecho, la madre deseará aumentar la cantidad de leche. Lo primero es asegurarse de que el bebé se prenda bien al pecho. Algunos bebés se ponen nerviosos cuando se dan cuenta de que se los está por alimentar pero luego empieza la lucha. Se siente terrible cuando uno intenta forzar a un bebé que no nos quiere y que actúa como si se le quisiera dar veneno. Cuando esto ocurre, con frecuencia, es signo de un reflejo de eyección láctea tardía y el bebé sólo obtiene gotas de calostro. Un bebé impaciente y con hambre se pone rígido ante la frustración de que la leche aún no fluye. Al ponerse ansiosa la madre por no tener suficiente leche puede provocar un reflejo de eyección láctea tardía. Cuando el bebé se comporta de esta manera, hace que la madre se ponga aún más ansiosa.

Si piensa que su propia tensión interfiere con el flujo de leche, intente poner en práctica los ejercicios de relajación que le enseñaron en el curso de preparto, en particular si pone especial hincapié en la zona de los hombros. También

ayuda poner música y recrear un ambiente de relajación especial, siempre que sea posible, para dar el pecho. (Reconozco que es más fácil decirlo que hacerlo.) Un masaje puede ser lo que necesita. Y si puede ser con regularidad, mejor aún. La madre necesita cuidados al igual que el bebé.

Formación del pezón

Una de las razones del reflejo de eyección láctea tardía es que el bebé no está bien prendido al pecho. Esto ocurre porque cuando un bebé sólo introduce el pezón en la boca, como una cereza con el cabo, no puede estimular todo el proceso de producción de leche dentro del pecho. Como resultado de ello, no se siente el reflejo de eyección láctea y el bebé, aunque trabaje y se esfuerce por sacar leche, sólo logra algunas gotas o, en el mejor de los casos, una sucesión de pequeños aperitivos pero nunca una comida completa. A causa de la posición de la boca del bebé en el "cabo" del pezón, el pezón también puede lastimarse y sangrar, lo que hace del amamantamiento una experiencia más traumática. La solución es asegurarse de que cada vez que el bebé sea puesto al pecho, tome dentro de la boca el pezón y todo el tejido que lo rodea.

A algunos bebés hay que enseñarles a succionar correctamente; se les debe mostrar la posición correcta en el pecho. Para hacerlo en forma eficiente, la madre debe sentirse bien segura de lo que le va a enseñar al bebé. Aunque suene extraño que algo tan natural como succionar deba ser un comportamiento adquirido, otros mamíferos recién nacidos tampoco lo logran siempre de inmediato y necesitan ayuda. Cuando una elefanta tiene su primera cría, otras elefantas experimentadas se reúnen a su alrededor y van empujando suavemente la cría hasta la posición correcta. Cuando un delfín tiene cría, otras hembras se reúnen a su alrededor, actúan como parteras y la guían para amamantar a su cría.

Un bebé necesita succionar el pecho, no sólo el pezón. Para obtener un buen flujo de leche, el bebé debe llenarse la boca extrayendo el extremo del pezón y colocándolo bien adentro de la boca donde se unen el velo del paladar y el paladar duro. La acción de hacer presión para extraer la

leche con las mandíbulas utilizando los músculos de la parte superior de las orejas es bastante diferente de la forma de succionar una gaseosa a través de un sorbete.

Si al bebé se le presenta el pezón solamente, es bastante probable que sus intentos por beber leche la lastimen, y sólo podrá obtener el calostro y nada de la leche suculenta de lo profundo del pecho. Como resultado de ello, el bebé puede ser puesto al pecho muchas veces pero nunca se satisfará ni apreciará esa sensación de panza llena que lo conduce a un sueño profundo e idílico.

Incluso si la madre cuenta con abundante leche en las primeras semanas después del parto, en caso de que el bebé sólo tome del pezón, la producción de leche se verá rápidamente reducida dado que no cuenta con el estímulo suficiente para producir más leche.

El arte de prender el bebé al pecho, con la boca bien abierta y el hemisferio inferior de la areola (el círculo más oscuro que rodea el pezón) dentro de la boca, es probablemente la única habilidad más importante de amamantar. (La parte superior de la areola no necesita ser introducida en la boca del bebé). Aún así, muchas mujeres nunca se enteran de lo esencial que es esto y muchas enfermeras no saben cómo ayudar a las mujeres para que descubran cuál es el truco.

El bebé puede encontrar en especial difícil extraer una buena parte del pecho e introducirlo en la boca si: los pezones de la madre son muy grandes; o uno o ambos pezones son planos o umbilicados.

El pecho está rígido y lleno de leche y el pezón ha desaparecido en el tejido circundante. Si éste es su caso, presione con la mano para extraer suficiente leche y facilitarle al bebé tomar el pezón. Colocar bien al bebé al pecho es en especial importante si los pezones no le son fáciles de tomar. El bebé necesita una oportunidad para modelarlos a una forma que le sea simple de succionar. Un bebé que no está bien prendido al pecho tiende a llorar y protestar y necesita ser alimentado cada hora o media hora. Esto desgasta a la madre y provoca que el bebé esté cada vez más cansado e irritable. Adelántese a la página 40 para leer sobre algunos consejos sobre cómo prender el bebé al pecho.

Exceso de lactosa

Esto se produce cuando se tiene mucha leche
pero el bebé no se satisface después de ser
amamantado y llora mucho. Puede ocurrir que
suba bien de peso pero quiera ser alimentado con
frecuencia y cada vez que se lo amamante lleve
bastante tiempo, esté intranquilo en el pecho, con
frecuencia presente reflujos de leche, eructe, tenga
gases y vaya de cuerpo en forma explosiva
(posiblemente de color verde). En vez de
desprenderse del pecho de manera espontánea,
satisfecho y feliz, se retuerce y llora. También es
probable que sufra alguna erupción en la cara.

No se trata de una sobrealimentación sino de un
exceso de lactosa, un síndrome que fue detectado
por primera vez por los consultores sobre temas
lácteos Chloé Fisher y Sally Inch en el Hospital John
Radcliffe de Oxford[2]. Descubrieron que esto ocurre
con frecuencia en madres cuyos cuerpos funcionan
correctamente pero cuando el bebé es colocado al
pecho, no se prende bien. Traga, se relame, se toma
y se desprende del pecho a intervalos, se siente
incómodo y se mueve, tose, se atraganta, forcejea
y lo vuelve a intentar pero no logra extraer la leche
con la lengua. Pareciera como si luchara con el
pecho, y esto hace que la madre se sienta mal.

Cuando un bebé no está bien prendido al
pecho toma demasiado calostro y no suficiente de
la leche cremosa y más grasosa que baja al final
de la toma. Dado que la grasa proporciona la

mayor parte de las calorías que necesita, así como
también un tiempo más lento de vaciado gástrico,
un bebé que no se prende bien al pecho tendrá
hambre otra vez con mayor rapidez que si se
hubiese prendido bien. Pero incluso si se le da el
pecho poco tiempo después, a menos que logre
prenderse bien esta vez, una vez más tendrá una
toma "con bajo contenido de grasa".

En 24 horas, el bebé habrá bebido más
cantidad de leche que si hubiera estado bien
prendido al pecho. Dado que la concentración de
lactosa en la leche es bastante constante, habrá
recibido mucha más lactosa que de la otra forma.
Este exceso de lactosa en el intestino excede la
cantidad de enzima lactasa que el páncreas del
bebé puede generar. Por eso muestra signos de
intolerancia a la lactosa/deficiencia de lactosa.
Cuando los bebés tienen tomas de gran volumen
con más lactosa que lo que sus sistemas
digestivos pueden asimilar, la lactosa pasa al
intestino y extrae fluidos.

Pero esto no es todo. Cuando las bacterias del
intestino del bebé reciben más lactosa que lo usual,
las bacterias fermentan, lo que produce grandes
cantidades de gases en el proceso (principalmente
dióxido de carbono y metano). El intestino se
distiende por el fluido y por los gases, lo que
causa dolor y deposiciones más blandas. Ésta es
la razón por la que la materia fecal se torna "chirla"
y el bebé tiene dolor de panza y está intranquilo.

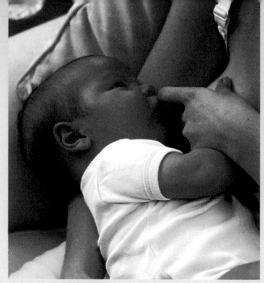

Estimule el reflejo de succión del bebé.

Acomode la posición del pecho, de ser necesario, para asegurarse de que el bebé llene su boca con el pezón y la areola.

En acción

Cómo prender el bebé al pecho de forma correcta

Adopte la posición adecuada. Descubra el pecho, no sólo la zona del pezón. Baje los hombros, respire profundo y relájese. Espere hasta que el bebé comience a cabecear con impaciencia. Entonces, con un movimiento firme y seguro, guíelo hacia el pecho hasta hacer presión con la mejilla. Aproveche el instante en el que abra la boca para colocar el pezón y la areola dentro de la misma.

Observe qué ocurre. Los bebés son muy quisquillosos a la hora de comer. Carecen de buenos modales. Engullen y tragan. Una buena toma es en efecto una experiencia orgiástica para un bebé con hambre. Los bebés que se prenden bien al pecho se alimentan con un placer básico y elemental. Se les mueven las orejas en su entusiasmo por alimentarse, encogen y extienden de placer los dedos de los pies y hasta no satisfacer su apetito, toda la concentración está dirigida a un pecho que les proporciona leche.

Ofrézcale el otro pecho. Si el bebé aún desea continuar, ofrézcale el otro lado. En la próxima toma, comience con el pecho que tomó en último término.

Ajuste la posición de la boca, de ser necesario. Si la boca del bebé no cubre la zona sugerida y sólo succiona con suavidad, con movimientos de los labios en vez de con movimientos de la mandíbula, deslice un dedo dentro de la boca y retírelo para volver a intentarlo una vez más. Es posible que deba repetirlo varias veces antes de lograr una buena prensión. Pero es mucho mejor comenzar de nuevo a que el bebé succione con los labios, lo que es probable que lleve a una frustración en ambos. Amamántelo todo el tiempo que sea necesario. No controle el tiempo de la toma. Aliméntelo de un pecho durante todo el tiempo que el bebé saque leche hasta vaciarlo, o se duerma al pecho. Si el bebé se alimenta durante un corto período, observe qué ocurre cuando levanta con suavidad el pecho desde abajo de manera que el mentón del bebé se ponga en contacto con el pecho. Esto ayuda a extraer la leche cremosa que es producida al final de la toma.

 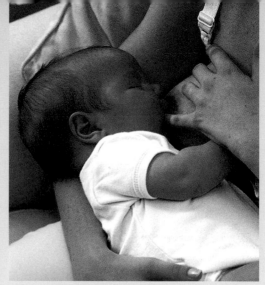

Amamántelo todo el tiempo que sea necesario para el bebé y ofrézcale el otro pecho si aún desea continuar comiendo.

Interrumpa la succión deslizando un dedo e introduciéndolo en la boca cuando quiera retirarlo del pecho.

Cómo aumentar la producción de leche

Deje que el bebé succione noche y día. Coloque el bebé al pecho como respuesta a cada signo que muestre que está preparado para succionar en un período diurno de 12 horas y cada vez que despierte y llore durante la noche. Permítale succionar todo el tiempo que quiera del primer pecho y que coma hasta satisfacerse con el otro, si lo desea.

Cree un santuario para amamantar. El propósito es contar con un lugar donde la madre pueda encontrarse en la misma sintonía con el bebé y disfrutar de una relación uno a uno. El mejor lugar puede ser la propia habitación pero aunque sea un rincón de la sala, debe estar resguardado del entorno, con algún biombo u otra forma de "demarcación" para indicar que se trata de un territorio especial para la madre y el bebé. Ayudará si la madre organiza cómo va a hacer todo esto de antemano con su pareja, alguna amiga, algún miembro de la familia o ayuda profesional. Debe estar aislada de intrusos y otras formas de llamar la atención y de requerir energía por parte de la madre, por ejemplo cuidar a otro hermanito (ayuda que a los otros niños de la casa se los saque a dar una vuelta), hacer las compras, cocinar, lavar y limpiar.

Beba en abundancia. La madre sentirá sed y necesitará mucha bebida aunque es contraproducente forzar los líquidos. Sólo debe satisfacer la sed. Una jarra de limonada fresca o agua con hielo es una buena idea y quien colabore debe ofrecerle té, bebidas a base de leche y, si se siente un poco tensa, tal vez alguna copa ocasional de vino o un vaso de cerveza.

Cuente con alguna persona de confianza. Además de la ayuda práctica, una persona de confianza debe ser alguien que le dé ánimo y tenga claro el tema del amamantamiento. Esa persona necesita saber cuándo retirarse un poco y dejarla continuar a la madre sin interferir con ella, y que sea lo suficientemente sensible como para saber cuándo su ayuda es bien recibida. Algunas mujeres sienten que necesitan una *doula* (en griego, mujer que sirve a los deseos personales). Por lo general, se trata de una persona de la misma edad que la madre o mayor que puede prestar una colaboración como de hermana a hermana. Otras, sienten que la persona más comprensiva es el padre del bebé. Debe ser alguien que no dependa emocionalmente de la madre ni que intente descargar sus propios problemas con ella, ni que quiera que la madre dependa en todo momento de su ayuda y de sus consejos. Por eso, debe elegirse con sumo cuidado. Puede solicitarse los servicios de una doula postnatal a través de organizaciones enumeradas en la página 173.

El estrés
en el embarazo

Hay mayores posibilidades de que un bebé llore bastante cuando el embarazo fue muy estresante. Este es uno de los importantes descubrimientos de mi investigación. Las mujeres cuyos bebés lloran, tienden a haber vivido embarazos en los que se vieron sometidas a tremendas presiones de una crisis tras otra, o donde sufrieron un constante estado de ansiedad como consecuencia de situaciones que no fueron capaces de controlar.

Tener un bebé, por naturaleza, es estresante.[1] Independientemente de si el embarazo fue bienvenido o no, éste supone enfrentar un gran cambio en el estilo de vida y una transformación en el rol social de la mujer ya que se convierte en madre. No es necesario que un embarazo sea no deseado o que la mujer viva sometida a condiciones sociales exigentes para que sufra de estrés. Las emociones positivas –la alegría, la excitación y la ilusión ansiosa– también ocasionan estrés ya que la mujer contempla el mundo con otros ojos y se enfrenta al desafío de una profunda adaptación en su vida.

Tener un bebé no es solamente una revolución vital sino que también provoca otras crisis y transiciones que son, en sí mismas, molestas y estresantes. Por ejemplo, muchas parejas se mudan cuando esperan un bebé o poco tiempo después del nacimiento. Esto es, con frecuencia, a un nuevo lugar donde no tienen amigos y están lejos de sus familias. Un estudio demostró que el 40% de las mujeres se mudó durante el embarazo o dentro de las seis semanas posteriores al nacimiento del bebé o que aún se encontraba bajo la angustia de grandes alteraciones en el momento del nacimiento del bebé.[2] Los hombres cambian de trabajo para ganar más dinero y afrontar los gastos que implica la responsabilidad de un bebé. El 32% de los hombres cambió de trabajo durante el embarazo de su pareja.

Las relaciones se cierran, ya sea con el matrimonio –el 13% de las parejas contrajo matrimonio o comenzó a vivir en pareja durante el embarazo–, o bien pueden romperse ya que la pareja se separa cuando el hombre ve al futuro bebé como una amenaza. Con frecuencia, las mujeres abandonan los trabajos remunerados y se vuelven amas de casa por completo, algunas veces, por primera vez en sus vidas. El mismo estudio indicó que el 32% renunció a su trabajo como consecuencia del embarazo. Otras crisis en la vida no relacionadas con el embarazo también pueden influir en él: por ejemplo, el 22% de las mujeres sufrió la muerte de un familiar cercano durante el embarazo.

Durante el estresante proceso que implica tener un bebé, el apoyo de otras personas que reciba la mujer puede marcar la diferencia entre ser capaz de afrontar la experiencia o bloquearse ante la misma.[3] Esto es así ya que cuando la mujer está embarazada, con frecuencia se aísla socialmente y se ve privada del apoyo habitual con el que cuenta. Al mismo tiempo, se enfrenta de pronto a un nuevo grupo de personas –médicos, parteras, enfermeras y demás– que supervisan el embarazo y con quienes debe relacionarse. Hace veinte o treinta años, una mujer continuaba consultando al médico de la familia durante el embarazo. Hoy en día, muy pocas mujeres reciben los cuidados integrales de médicos o parteras de la familia. En cambio, existen, en general, visitas obligatorias a hospitales, con frecuencia, lejos del hogar. Allí, las mujeres deben tolerar condiciones infrahumanas en las que las observan, les hacen ecografías, las pinchan y las examinan miembros del personal médico que desconocen en absoluto y que tampoco las conocen a ellas, y donde deben esperar, en ocasiones, durante horas interminables. El embarazo es intrínsecamente estresante y se vuelve más estresante debido a otros importantes cambios vitales que se sufren al quedar embarazada o que son provocados por la organización institucional de la maternidad.

Hace tiempo se sabe que el estrés durante el embarazo puede provocar un parto prematuro. Un proyecto de investigación analizó la hipótesis de que existía una relación entre los partos prematuros y las situaciones importantes en la vida que tenían como consecuencia un grave estrés psicosocial.[4] Los factores enumerados como situaciones importantes en la vida incluían la muerte de la pareja o una enfermedad grave en la familia, la separación o el divorcio, una enfermedad física grave de la mujer o una lesión que requiriera hospitalización, abuso físico o psicológico por parte de la pareja, la pérdida del hogar, el desempleo, una disminución del 25% o más en el ingreso, preocupaciones financieras de gravedad y enfrentamientos familiares. El 84% de las mujeres cuyos bebés fueron muy prematuros vivieron embarazos donde se produjeron situaciones importantes de este tipo en sus vidas.

El 67% de las mujeres que entraron en trabajo de parto pretérmino y el 43% de aquellas cuyos embarazos finalizaron en término experimentaron estas estresantes situaciones en la vida. Cuanto más temprano fue el parto, mayor fue el nivel de estrés psicosocial.

El estrés grave interfiere con la nutrición del bebé en el útero, provocando un retardo del crecimiento antes del nacimiento. Richard Newton, el neurólogo pediatra que llevó a cabo este estudio sobre estrés psicosocial y la condición de prematuro, efectuó luego una investigación sobre el estrés y el bajo peso al nacer.[5] Descubrió que el bajo peso en el momento del nacimiento también se asociaba de manera significativa a las situaciones importantes en la vida. Ni la condición de prematuro ni el bajo peso al nacer se asociaban con un "estado de ansiedad". Esto significa que un nacimiento prematuro o un bebé con bajo peso al nacimiento no ocurren como consecuencia de que la madre sea una persona ansiosa, sino que las situaciones externas han disparado un grado intolerable de estrés.

No se conocen con certeza todos los mecanismos por los cuales el estrés y la ansiedad provocada por el mismo son comunicados al feto. Pero el estrés causa una respuesta biofísica. Tiene como resultado una descarga de adrenalina en el flujo sanguíneo, una contracción de los músculos, temblores, sudación, falta de aire, respiración agitada e hiperventilación –que reduce el oxígeno recibido por el bebé– y molestias gastrointestinales. La sangre se desvía del útero hacia las áreas periféricas. Se pueden sufrir palpitaciones, hipertensión, dificultades para conciliar el sueño o dormir, o dolores y molestias que pueden afectar diversas partes del cuerpo, de los cuales el dolor de cabeza es el más común. El sistema inmunológico también se ve afectado, razón por la cual existen mayores posibilidades de contraer una infección.

Cuando la presión sanguínea asciende hasta 140/90 o más, se reduce el torrente sanguíneo a través de la placenta. La placenta es el "árbol de la vida" para el bebé, que depende del funcionamiento efectivo de la misma para la nutrición, el oxígeno y la evacuación de desechos. Cuando se afecta la función de la placenta, se dificulta el crecimiento del feto.

El estrés eleva, además, los niveles de catecolaminas (hormonas del estrés) en la sangre. Esto interfiere, a su vez, con el flujo sanguíneo a través de la placenta y puede estrechar los vasos sanguíneos en el músculo uterino, lo que reduce, además, el oxígeno disponible. Los altos niveles de catecolamina tanto en la madre como en el feto están asociados con la preeclampsia y hacen que el bebé sea más susceptible a presentar patrones anormales de frecuencia cardíaca durante el trabajo de parto y problemas respiratorios en el momento del nacimiento.[6]

Puede haber otros efectos menores cuando la placenta no está funcionando de manera adecuada y cuando los niveles de catecolamina son altos, lo que provoca cambios en el comportamiento del bebé después del nacimiento. Es posible que las experiencias de un embarazo traumático tiendan a afectar el sistema nervioso central del bebé, lo que implica que el bebé descargue la tensión acumulada.

Mi propia investigación reveló que el 60% de las mujeres cuyos bebés lloraban excesivamente (más de seis horas por día) tuvieron un embarazo estresante, complicado por situaciones importantes en la vida, en comparación con el 40% cuyos bebés lloraban menos (menos de dos horas por día). Ahora, por supuesto, una madre que sufre el estrés del llanto de su bebé puede tender más a recordar su embarazo como estresante que una madre cuyo bebé no llora tanto. Además, puede ocurrir que cuando la madre haya sufrido mucha ansiedad durante el embarazo, también sea más ansiosa en su interacción con el bebé y asuma que el llanto del bebé es señal de su fracaso como madre. Esto conduce a un aumento de tensión, tanto para la madre como para el bebé, donde cada uno actúa sobre el otro para disparar una mayor frustración. Por ejemplo, una mujer que tenía su propia empresa se enteró, cuando estaba embarazada de cuatro meses, de que las instalaciones habían sido destruidas por una explosión: "Tuve que mantener la empresa en funcionamiento bajo condiciones muy complicadas durante el resto de mi embarazo". Cuando una mujer estaba embarazada de ocho meses, una amiga cercana falleció en un accidente automovilístico. Pasó las últimas semanas de su embarazo en un estado de conmoción y sufrimiento y con una sensación de desastre inminente, enfocado sobre el bebé, ya que sentía la certeza de que iba a morir.

Otra mujer estaba sumamente preocupada a causa del alcoholismo de su madre, justo durante su embarazo.

Las madres de bebés que lloraban sin consuelo eran más propensas a relatar relaciones altamente estresantes con sus parejas, padres u otras personas en la familia mientras estaban embarazadas, o a haber tenido una relación cercana destrozada por la muerte, una enfermedad grave o una separación durante el embarazo. Una gran cantidad de mujeres se habían visto sometidas a abusos psicológicos y físicos por parte de sus parejas mientras estaban embarazadas. Problemas como estos se exacerbaban con frecuencia como consecuencia de la pobreza y de los hombres que perdían su trabajo durante el embarazo: "Estuve sometida a un tremendo estrés ya que vivíamos en dos habitaciones precarias, plagadas de insectos y me deprimí mucho. Mi marido no pudo tolerar mis sentimientos y las condiciones en las que vivíamos, entonces solía irse de casa y embriagarse".

Además de las dificultades relacionadas con la vivienda, que conducen a convivir con los padres y la familia política lo que provoca relaciones estresantes en el ámbito familiar, las mujeres dieron cuenta de desalojos –y, en algunos casos, indigencia. Con frecuencia, no conocían las subvenciones a las que tenían derecho y había demoras prolongadas en el pago de otras sumas que se les adeudaban. Una mujer describió cómo, cuando llevaba varios meses de embarazo, ella y su otro niño de menos de tres años no tuvieron más que papas para comer durante cinco días. Otra mujer, que intentó suicidarse cuando estaba embarazada de seis meses, luego de que la echaran de su casa, pasó los cuatro últimos meses del embarazo en un sórdido hospedaje.

Otras mujeres no tenían parejas: eran madres solteras, aisladas y sin ningún apoyo. Algunas que habían quedado embarazadas en forma accidental y no tenían una pareja estable sintieron la presión de contraer matrimonio con el padre del bebé: "Estuve bajo estrés familiar porque no sabía si deseaba casarme o no, y amenazaron con abandonarme si no me casaba".

La cuestión del aborto surgía una y otra vez. Algunas veces, la mujer misma buscaba el aborto y luego cambiaba de parecer o no podía llevarlo a cabo. Con frecuencia, eran sus padres o el padre del bebé los que la presionaban para que se practicara uno: "Cuando les conté a mis padres que estaba embarazada, me ordenaron que me sometiera a un aborto. Después, cuando no lo hice, me ordenaron que diera al bebé en adopción"; "Mi madre no podía aceptar que yo fuera a tener un bebé… se inclinó hacia el otro lado… intentó chantajearme diciéndome que si me sometía a un aborto por su bien, no por el mío, entonces asistiría a mi boda".

Una mujer que sufría náuseas y vómitos constantes me confesó: "Realmente no había querido quedar embarazada. Fue un gran shock. Me sentía devastada y destrozada por completo –pasaba largas horas llorando y era totalmente incapaz de concentrarme en nada". Su marido le sugirió un aborto: "Deseaba decir sí, pero simplemente no podía. Aceptarlo me llevó varios meses, por no decir casi todo el embarazo. ¿Por qué yo? No deseaba a mi bebé pero no podía enfrentar la idea de un aborto –no podría vivir con la culpa".

Resultó que ninguna de las mujeres cuyos bebés lloraban muy poco, describió presiones sociales de este tipo durante el embarazo, mientras que casi la mitad –el 48%– de aquellas cuyos bebés lloraban más de seis horas por día experimentaba un grave estrés psicosocial. Estas son algunas de sus historias:

Una pareja discutía con frecuencia. Él era, en general, un hombre violento. Se separaron cuando ella estaba embarazada de seis meses y medio. Intentaron volver a vivir juntos un mes después, pero él continuaba agrediéndola. Ya tenían tres hijos, vivían en la pobreza y tenían grandes deudas.

Una mujer que había creído que cuando quedara embarazada, su amante iba a abandonar finalmente a su esposa, descubrió que cuando en realidad ocurrió, él no estaba dispuesto a tomar esa decisión.

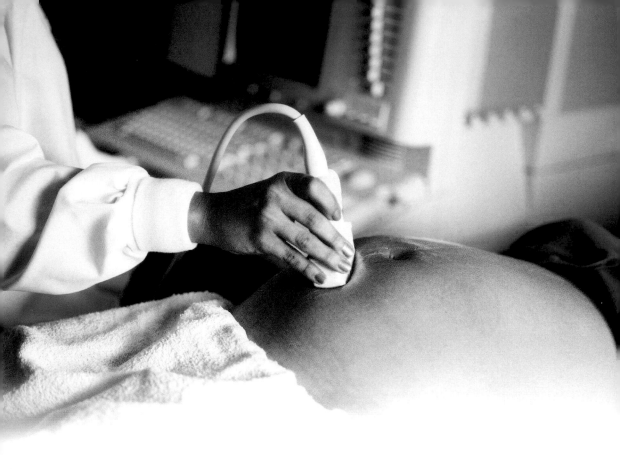

A una mujer, cuyo padre tenía cáncer de laringe, le dijeron que probablemente él viviría sólo hasta el mes en que debía nacer el bebé. Otra, a cuyo padre le diagnosticaron cáncer de pulmón cuando llevaba diez semanas de embarazo, explicó: "Soy enfermera y lo cuidé en mi casa. Murió cuando estaba embarazada de ocho meses".

Cuando llevaba dos meses de embarazo, una mujer fue despedida de su trabajo con el pretexto de que su empleo era inadecuado para una embarazada. La pareja contaba con poco dinero y vivía con sus padres, que no aceptaban la situación. "Fue muy deprimente", me contó. "Permanecía en mi habitación la mayor parte del tiempo. Me estaba volviendo loca". Recién cuando llevaba ocho meses de embarazo encontraron casa propia.

Una mujer había recibido tratamiento por alcoholismo crónico tres meses antes de su embarazo. Cuando quedó embarazada, me contó:

Un asistente social me amenazó con quitarme al bebé inmediatamente después de que naciera. Me siguió los pasos durante todo el embarazo. Intentó persuadirme de dar al bebé en adopción cuando me separé del padre, pero yo consideré cuidadosamente qué era lo que más necesitaba el bebé: amor, seguridad, alimento, calidez y ser deseado. Sabía que podía darle todas esas cosas a mi bebé y me negué a darlo en adopción.

Una mujer que no estaba segura de que su marido fuera el padre del bebé expresó: "Un día me decía que me amaba y deseaba al bebé. Otro día esperaba que naciera deforme. Me dejó cuando estaba embarazada de cuatro meses, pero aún se encontraba molesto y volvía y discutíamos por cualquier motivo." Dice que la persiguió y se puso violento en muchas ocasiones, hasta que finalmente ella obtuvo una orden judicial. Agregó: "Era adicta a los tranquilizantes. Estaba decidida a abandonarlos y lo hice, poco a poco, pero sufrí graves síntomas de abstinencia durante los dos últimos meses del embarazo."

Otras mujeres describieron la separación de

sus parejas a causa de sus empleos. Algunos hombres estaban en las fuerzas armadas y fueron enviados a alta mar. Las parejas también se separaron cuando las compañías cerraron y los hombres perdieron sus empleos.

En uno de los casos, por ejemplo, el hombre obtuvo un nuevo empleo que implicaba trabajar fuera de la casa toda la semana y la mujer vivía con sus padres, con los muebles y su ropa guardados en un depósito. Ella expresó: "Tenía que viajar desde Yorkshire a Londres los fines de semana para buscar otro lugar donde vivir."

Las mujeres cuyos bebés lloraban más no sólo describen estrés grave sino estrés múltiple. Eran casi el doble de susceptibles de sufrir estrés múltiple en comparación con las madres cuyos bebés lloraban menos. Éstos son algunos de los testimonios típicos de lo que se vieron sometidas a vivir.

La pareja de una mujer la abandonó cuando llevaba cuatro meses de embarazo: "Estaba destrozada. El médico de la familia me concedió licencia por enfermedad por tres semanas." Cuando regresó al trabajo, se encontró bajo una mayor presión ya que el padre del bebé trabajaba en el mismo lugar, pero lo toleró. Luego, al séptimo mes de embarazo, su madre falleció en forma repentina. Expresa: "Me sentí vacía, razón por la cual no pude reaccionar cuando un amigo de veinte años también falleció de pronto cinco días después que mi madre."

Otras mujeres me contaron:

Mi marido ganaba un sueldo muy bajo y luego perdió su empleo en dos oportunidades durante mi embarazo. Mi bebé nació pocas semanas antes de lo previsto ya que mi padre falleció y él nació el día del funeral de mi padre.

Mi bebé es mestizo (el padre es árabe), por ello supe que podía, además, esperar problemas raciales. Me separé de mi "esposo" –nuestro matrimonio es islámco, lo cual no es legal en Inglaterra– como consecuencia de su actitud frente a mi embarazo. Estaba muy enojado porque le había contado a mi familia sobre el bebé que esperábamos, lo cuál no es acostumbra

en su cultura, pero como yo no pertenezco a ella y me sentía muy orgullosa de estar esperando un hijo suyo, quería que la gente lo supiera. Durante un período de tiempo que permanecí internada, cuando estuve enferma en el embarazo, él y mi "mejor amiga" vivieron un breve amorío y ella quedó embarazada. (Ese bebé fue adoptado). Me separé de él. No se ofreció en absoluto a ayudarme con el bebé.

Mi niñera falleció al comienzo de mi embarazo. Teníamos una relación muy estrecha y lloré entre tres y cuatro horas por día durante semanas. Luego, mi tío falleció cuando estaba embarazada de ocho meses.

Mi marido estaba desempleado y tuvimos graves problemas económicos con la llegada de nuestro tercer bebé. También había tensiones con mi suegra y vivíamos peleas constantes.

Para algunas madres solteras y desprotegidas el embarazo implicó una serie de crisis. Una adolescente, por ejemplo, afirmó que cuando su padre descubrió su embarazo y ella se rehusó a abortar, él la repudió. Los padres de su novio también la presionaron para que pusiera fin a su embarazo. Por las noches, permanecía despierta, preocupada: "Había estado tomando las pastillas anticonceptivas y actuando normalmente y estaba preocupada por los daños que pudiera causarle (al bebé) ya que tengo un hermano discapacitado".

Otro factor que hizo estresante el embarazo para muchas mujeres fueron los procedimientos de monitoreo y ecografías, muchos de los cuales no daban resultados concluyentes sino que las dejaron preocupadas. A pesar de que la relación entre esto y tener un bebé que llora demasiado fue menos significativa que la relación entre el llanto y las relaciones personales tensas o complicadas, aquellas mujeres cuyos bebés lloraban más tendían a haber experimentado mayores estudios especiales durante el embarazo, a que sus embarazos fuesen tratados como de "alto riesgo", y a tener diagnósticos positivos falsos de condiciones como ser, por ejemplo, placenta previa (donde la placenta se encuentra frente a la cabeza del bebé, lo que podría provocar una hemorragia masiva) y retardo del crecimiento intrauterino. Una mujer, por ejemplo, pasó tres semanas aislada internada con reposo absoluto ya que le dijeron que su bebé era "pequeño para la edad gestacional" (no crecía de manera adecuada en el útero), pero dio a luz un bebé que pesó 3,7 kg.

Estas investigaciones eran llevadas a cabo con frecuencia porque las mujeres ya se encontraban dentro de la categoría de alto riesgo como resultado de un previo nacimiento del feto sin vida o de una serie de abortos espontáneos.

La prueba de alfa-fetoproteína (AFP) (detección de sustancias en la sangre que sugieren posibles anomalías fetales) y la amniocentesis (análisis del líquido amniótico en busca de signos de anomalía fetal) provocaron un estrés excesivo. Algunas mujeres citaron la tortura que les produjo la larga espera de los resultados de la amniocentesis que no llegaban y los complicados procedimientos que condujeron a más estudios pero no lograron dar un diagnóstico definitivo. Una mujer que se hizo un análisis de sangre de rutina que indicó un alto nivel de AFP, expresó: "Tuve que volver de las vacaciones para hacerme otro análisis. Este también indicó un alto nivel. Me dijeron que mi bebé podía tener espina bífida". Se hizo una ecografía que no mostró anomalía alguna, "pero mi médico no estaba satisfecho, por ello tuve que someterme a una amniocentesis. En ese momento, llevaba siete meses de embarazo y, de todos modos, no podrían haber hecho nada." No se detectó anomalía alguna, "pero siguieron insistiendo en que aún podría haber algún problema con el bebé. Hasta que di a luz en un terrible estado. Nunca dejé de preocuparme y continué sufriendo fuertes migrañas."

Las mujeres que tuvieron hemorragias a principios del embarazo, sintieron ansiedad hasta que nació el bebé. Una mujer expresó: "Me sentí preocupada durante todo el embarazo de que el bebé quizás no fuera normal después de haber

perdido tanta sangre." Los consejos otorgados por los médicos contribuyeron, con frecuencia, a calmar la ansiedad. Una mujer volvió a quedar embarazada luego de tres semanas de haber tenido un aborto espontáneo, sufrió algunas hemorragias al principio del embarazo y estaba muy preocupada de que, con un trabajo exigente, también perdiera con certeza a este bebé, o ingresara en trabajo de parto prematuro. Su médico le recomendó reposo. Pero fue imposible seguir su consejo, ya que podía perder el empleo y, tanto ella como su pareja necesitaban desesperadamente el dinero. Los médicos les advirtieron a algunas mujeres que se sentían muy presionadas y fumaban, que dejaran de hacerlo. Esto aumentó la tensión, lo que las llevó a fumar aún más. Algunas mujeres que esperaban los resultados de la amniocentesis describieron cómo retomaron el hábito de fumar que habían abandonado al descubrir que estaban embarazadas, o se encontraron fumando más de lo habitual.

La comida se volvió, con frecuencia, en una fuente de ansiedad. A una gran cantidad de mujeres se les indicó que no estaban aumentando el peso suficiente y que debían alimentarse mejor. Intentaron alimentarse con comida nutritiva y para algunas comer se volvió una penitencia. Eran regañadas en cada consulta clínica prenatal y las hacían sentir cada vez peor.

A casi la misma cantidad de mujeres se les indicó que su peso había aumentado demasiado y que debían comenzar una dieta. Se sintieron deprimidas y, además, ansiosas. Para algunas, la vida parecía girar en torno a la comida que supuestamente debían ingerir o no y se sentían atemorizadas de estar perjudicando al bebé. Este temor de que las cosas que habían hecho o no pudieran perjudicar al bebé fue un tema recurrente:

Me sentía culpable de continuar fumando, incluso cuando ni siquiera intenté abandonarlo (y aún no lo hice). Mi bebé parece muy saludable, pero todavía me siento preocupada de haberlo perjudicado de algún modo.

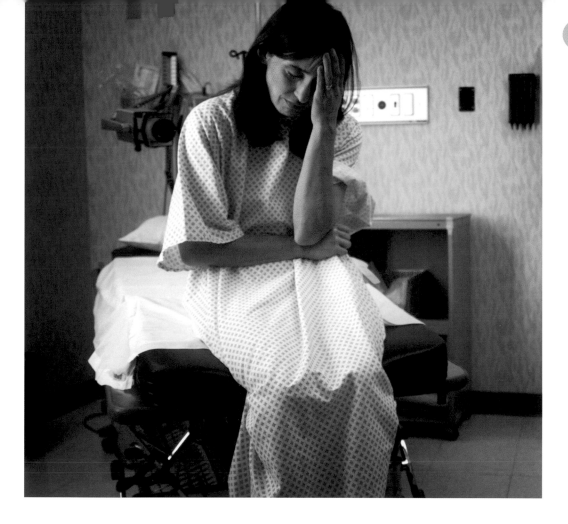

Al momento de quedar embarazada contraje rubéola. Fui al hospital para hacerme un análisis de sangre. El resultado fue positivo. Mi marido y yo nos sentimos devastados por completo. Deseábamos con ansias al bebé. A las diez semanas le dijimos al médico que estábamos dispuestos a continuar con el embarazo.

Nos informó que existía un 20% de posibilidades de que el bebé naciera con una discapacidad ocular o auditiva. Vivimos un infierno. Me sentía sumamente tensionada. Todos los días lloraba en el baño del trabajo o en la cama por las noches. Tuve una hemorragia a las 28 semanas –lo que incluso provocó una mayor tensión. Estaba convencida de que las cosas no estaban bien. Nunca sabré cómo, junto con mi marido, sobrevivimos a las interminables 40 semanas de embarazo. El estrés nunca nos abandonó.

El terrible sentimiento de preocupación permanecerá para siempre con nosotros.

Algunas mujeres vivieron la mayor parte del embarazo intentando obtener la clase de cuidados que deseaban mientras enfrentaban oposiciones a lo largo del camino. En algunos casos, un nacimiento en el hogar, con frecuencia la certeza de que podrían tener un parto con anestesia epidural o un parto activo sin anestesia: "Me trataron como a una niña, de forma sumamente condescendiente", afirmó una mujer que deseaba un parto natural. Ante la desesperación, cambió de obstetra poco antes del nacimiento del bebé y sólo en ese momento logró relajarse.

Algunas veces, por supuesto, los problemas que provocan estrés en el embarazo pueden continuar una vez producido el nacimiento del bebé. Cualquier mujer que es víctima de una relación infeliz, o una madre soltera y desprotegida que intenta afrontar sola la situación, es propensa

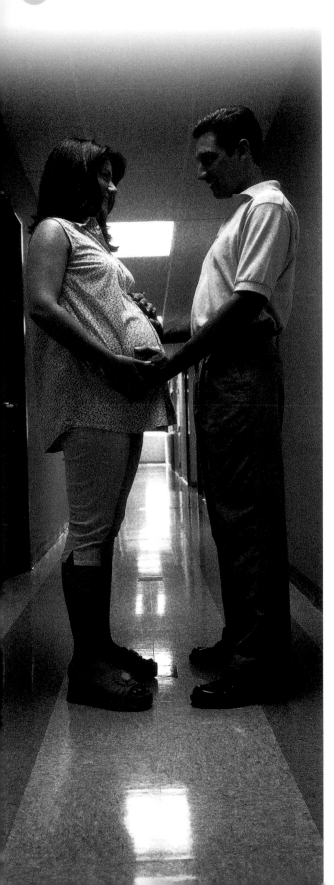

a sufrir el mismo estrés o uno similar luego de tener al bebé que el vivido durante el embarazo. El estrés que continúa tiene obviamente un efecto sobre el presente y puede desempeñar un cierto papel en la provocación del llanto. Pero la conclusión importante que surge a partir de estos testimonios es que, incluso cuando se solucionaron los problemas, el estrés en el embarazo puede afectar el comportamiento del bebé.

Las experiencias que vivieron estas mujeres no pueden revelar ni explicar la razón del llanto de todos los bebés.

Pero parece existir un precursor importante para el llanto de muchos de los bebés que más lloraban. Indicó, con certeza, que estas mujeres estaban ansiosas y tensas durante todo el embarazo o la mayor parte del mismo. La imagen romántica de una mujer embarazada tejiendo a la luz de una lámpara, radiante al sentir que un bebé está creciendo dentro de ella, se aleja bastante de los nueve meses de tortura que toleraron estas mujeres.

Ninguna mujer puede esperar un embarazo completamente libre de estrés. Quizás, tampoco sea algo tan bueno ya que el estrés es un estimulante. La cantidad adecuada de estrés, sin ser demasiado poca ni excesiva, nos empuja al crecimiento y al cambio psicológico. Infunde excitación por la vida y presenta objetivos por los que luchar y problemas que superar con éxito. Pero cuando el estrés es tal que sentimos perder por completo el control de nuestras vidas, se vuelve patológico. La prueba de los testimonios de estas mujeres es que es precisamente eso lo que les ocurrió a ellas. Se sintieron "shockeadas", "atemorizadas", "incapaces de tolerar la situación", "en estado de pánico", "ansiosas", "angustiadas", "paralizadas", "deprimidas", "indefensas" y "fuera de control".

En acción

Aceptación de un embarazo estresante

Comience por reconocer el estrés. Esto es, con frecuencia, más sencillo de decir que de llevar a la práctica ya que las mujeres están culturalmente educadas para no expresar enojo. Eso parece ser cosa de hombres. Cualquier persona que haya vivido el tipo de experiencia mencionada con anterioridad tiene un justificativo para sentirse enojada. Cuando el enojo no es reconocido y se lo internaliza, se convierte en depresión. Por ello, es necesario expresarlo y aceptarlo. En lugar de intentar dejar atrás malas experiencias y olvidar que ocurrieron, reconozca las emociones generadas.

Exprese por escrito lo que ocurrió y los sentimientos que le provocó. Las personas que escriben los problemas en un diario visitan con menor frecuencia al médico y seis meses después se encuentran en un mejor estado de salud que aquellas que no escriben acerca de sus sentimientos.[7] Si desea recordar el embarazo de esta forma, lleve un diario retrospectivo de las situaciones que demostraron ser estresantes. Describa en detalle lo acontecido y cómo recuerda sus sentimientos en ese momento. Podría ser una forma de aceptar las cosas que ocurrieron y que estaban fuera de su alcance en esa instancia. A pesar de que probablemente no tenga un efecto directo sobre el llanto de su bebé, esto puede ayudarle a aceptar la fuerza de sus emociones y a reconocer su derecho de sentirse así. Eso la ayudará a construir la confianza en usted misma, fortalecerá el sentido de su propia identidad y en forma indirecta tendrá un efecto positivo sobre la manera de relacionarse con un bebé que llora.
Al advertir que las cosas que ocurrieron incluso antes del nacimiento del bebé –circunstancias imposibles de "cambiar"– pueden haber afectado al bebé y comprender que éstas provocaron el estrés en el embarazo, ya no se sentirá responsable y culpable por su llanto. No son sus falencias como madre las que hacen llorar a su bebé; en cambio, es el desahogo de una respuesta al estrés que ambos compartieron.

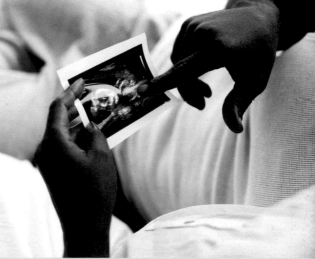

Recuerde lo cerca que se encontraba de su bebé, incluso antes de su nacimiento.

Acepte que no es posible cambiar el pasado. Sus vidas se mezclaron mucho antes del nacimiento. Pero usted no puede contener la angustia de su bebé, mantenerse en pie y cuidarlo reconociendo y aceptando el dolor sin intentar borrarlo. No es una cuestión de apresurarse intentando una estrategia tras otra para que deje de llorar. Eso puede conducir a la frustración de ambos. Cuando se sintió bajo el mayor estrés, si alguien le hubiera dicho que no se preocupara o que dejara de estar deprimida, o que guardara silencio y dejara de llorar, esto, lejos de ayudarla, hubiera contribuido a que se sintiera peor. De la misma forma, no tiene sentido luchar por detener el llanto de un bebé. Encuentre formas de liberar sus propias tensiones construidas sobre la compasión que siente en pos de su bebé. Golpee almohadas, amase pan o salga a correr. Pero recuerde que están juntos, compartiendo y trabajando en una experiencia disparada por el mismo estrés. El llanto de su bebé no es una acusación de que usted sea una mala madre. Tiene otro mensaje: han compartido juntos una experiencia desde mucho antes del nacimiento.

El parto

Las madres de los bebés que lloran bastante –seis horas o más por día– son significativamente más propensas a haber tenido un parto donde hubo intervención obstétrica y donde prácticamente no tuvieron elección sobre lo que ocurrió, que aquellas madres cuyos bebés lloran mucho menos (menos de dos horas). El trabajo de parto fue, con frecuencia, inducido o acelerado con goteo intravenoso para estimular las contracciones. Esto le ocurrió al 64% de las madres primerizas y al 35% de las que ya habían tenido otro u otros bebés.

También se sintieron significativamente menos satisfechas con los cuidados que recibieron durante el trabajo de parto (el 37% expresó sentirse "muy feliz" con los cuidados recibidos en comparación con el 60% de aquellas cuyos bebés no lloraban demasiado). Una gran cantidad de mujeres relató historias angustiantes del parto. Al principio pensé que los bebés lloraban más luego de partos complicados –por ejemplo, partos con fórceps y cesáreas. Es así, pero esto marca un efecto menor que el de los sentimientos de la madre respecto de lo que ocurrió. Lo que resulta significativo es que las madres de los bebés que más lloran recuerdan el trabajo de parto como una experiencia donde otras personas ejercieron poder sobre ellas y se sintieron indefensas.

Desde el punto de vista de la obstetricia, una gran cantidad de estos trabajos de parto no fue complicada. Entran dentro de la categoría de partos que los médicos describen como "sin inconvenientes". Pero en términos de la propia experiencia de la mujer, el parto fue complicado y la dejó emocionalmente traumatizada, con la confianza destrozada. Las mujeres expresaron sentirse "shockeadas", "enojadas", "indefensas", "engañadas" y "deprimidas". El 22% de los bebés lloró desde el parto y otro 34% comenzó antes del sexto mes de vida. Algunos comenzaron a llorar cuando la madre regresó del hospital a la casa, ya sea en forma inmediata, o bien, cuando desapareció o concluyó cualquier ayuda que hubieran recibido luego del parto. Muchas mujeres se sintieron de pronto terriblemente solas y atemorizadas frente a la gran responsabilidad que habían asumido y esto coincidió con que el bebé comenzara a llorar.

Las primeras semanas posparto son un período de gran adaptación física y emocional para una gran cantidad de mujeres. Dado que los médicos dividen el embarazo en tres trimestres, éste podría denominarse el "cuatro trimestre". Lo que ocurre durante ese tiempo se ve profundamente afectado por lo que aconteció antes –la clase de parto que experimentó la mujer y los sentimientos de competencia o incapacidad.

El bebé, por supuesto, es afectado por las situaciones que rodean al parto. El trabajo de parto puede haber provocado, por ejemplo, la escasez de oxígeno. Las acciones tomadas inmediatamente después del parto –como la colocación de una sonda nasogástrica o el permanecer en una nursery muy iluminada y ruidosa– también pueden haberle causado angustia. Algunas mujeres cuyos bebés nacieron con fórceps comentan que ellos se comportaban como si sufrieran dolores de cabeza. Algunas expresan que cada ínfimo ruido y cambio de entorno los hacía sobresaltar y sólo parecían desear que los dejen solos.

Los bebés que han atravesado un parto complicado y aquellos cuyas madres tuvieron preeclampsia en el embarazo tienden a tener problemas para dormir.[1] Los bebés que nacen por cesárea, los bebés a cuyas madres se les suministró una gran cantidad de analgésicos durante el parto y aquellos que sufrieron la escasez de oxígeno durante el trabajo de parto o tuvieron problemas respiratorios inmediatamente después del parto, son todos más propensos a sentirse molestos. En realidad, la reducción del oxígeno recibido por el bebé puede modificar sutilmente la forma en que actúa el cerebro y entorpecer el delicado funcionamiento del sistema nervioso central durante semanas, meses y, en algunos casos, años.[2]

Los analgésicos y sus efectos sobre el bebé

Hoy en día se utilizan tantas drogas en el momento del parto que la mayoría de los bebés comienzan sus vidas con una diversa variedad de químicos en sangre. Gran parte de esta medicación obstétrica consiste en drogas calmantes: la anestesia (que hace desaparecer el dolor) y los analgésicos (que calman el dolor). También se administran otras sustancias en la sangre de la madre: drogas beta-miméticas para reprimir la actividad uterina, pesarios con prostaglandina, oxitocina para inducir o acelerar el trabajo de parto, sedantes y tranquilizantes para calmar a la mujer, drogas para reducir o elevar la presión sanguínea, antibióticos y sintometrina para contraer los músculos en la tercera etapa del trabajo de parto.

Algunas de estas drogas tienen un efecto adverso sobre el comportamiento del bebé después del parto. Pero resulta complicado llevar a cabo una investigación respecto de este tema ya que muy pocas mujeres no reciben droga alguna en el momento del parto, por ello no se encuentra disponible ningún grupo de control no medicado.

Los investigadores se enfrentan con otra dificultad: con frecuencia resulta complicado realizar un seguimiento de los efectos de las drogas ya que un bebé somnoliento durante los primeros días, cuando aún se encuentra en el hospital, puede ser luego bastante diferente –especialmente irritable y sobresaltado. Alrededor del momento de regresar a casa del hospital, el bebé se despierta y comienza a llorar inconsolable.

Además, el efecto de las drogas es, en general, sutil. Es imposible determinar si el comportamiento de un bebé es una consecuencia directa de la medicación obstétrica o de una diversidad de otros factores. Los psicólogos están interesados en el efecto que estas drogas pueden tener sobre la comunicación entre padres e hijos. Tal como lo expresa Rudolph Schaffer:

"Ambos, padres e hijos, actúan dentro de un sistema de mutualismo donde el comportamiento de uno de ellos produce efectos sobre el otro que, a su vez, modifican el comportamiento del primero. Uno debe considerar la red completa de influencias en interacción… La tarea de una madre es… no crear algo a partir de nada sino ensamblar su comportamiento con el del infante… Ser madre, después de todo, puede comprenderse solamente con relación a la clase de ser que debe recibir el cuidado materno."[3]

Es importante examinar los resultados de las investigaciones acerca del efecto de las drogas sobre el comportamiento neonatal ya que si el bebé recibió drogas a través de la sangre de la madre, esto puede ayudarla a comprender el comportamiento que, de otro modo, sería inexplicable y que la conduciría a creer que es resultado de su mal manejo del bebé.

Una gran cantidad de estudios acerca del efecto de las drogas en el trabajo de parto analiza a los bebés solamente durante los tres primeros días de vida. Algunos los estudian hasta siete o diez días. Sólo unos pocos van más allá. Un bebé recién nacido normal y saludable está capacitado para adaptarse al entorno y comunicar sus necesidades, interactúa activamente con los que lo cuidan y cambia e influye sobre el comportamiento de los adultos. La madre disfruta cuidando a su bebé que es inteligente y sensible y esto le permite desarrollar su confianza y autoestima. Si, por otro lado, un bebé no demuestra sensibilidad, es difícil contar con la misma seguridad. Las drogas utilizadas durante el trabajo de parto pueden interferir con esta sincronización del comportamiento y con el intricado equilibrio creado mutuamente entre la madre y el bebé.

Luego de la anestesia general, por ejemplo, los bebés pueden estar muy dormidos y puede resultar complicado alimentarlos durante los primeros días de vida y necesitan mucha estimulación si deben ser despertados.[4] Cuando se administra petidina dentro de un período de cuatro horas antes del parto, el bebé tiende a sufrir dificultades respiratorias en el momento del nacimiento, está dormido y succiona lentamente y no se orienta con tanta habilidad en respuesta a la voz humana.[5] Todos los analgésicos y tranquilizantes se asocian a las dificultades tempranas de alimentación y la madre debe trabajar con ahínco para conservar el interés de su bebé en succionar.[6]

Con frecuencia se afirma que una anestesia epidural no afecta al bebé. En realidad, cuando las mujeres preguntan, los médicos generalmente les aseguran que la bupivacaína –la droga que se utiliza más comúnmente– no llega al bebé ya que se trata de una inyección solamente en la región epidural y que no atraviesa la placenta. Esto no es cierto. Se ha demostrado que la bupivacaína, en especial en altas dosis y durante un período de tiempo prolongado, reduce el estado de alerta del bebé y puede modificar la capacidad de orientación a estímulos visuales y auditivos durante hasta seis semanas después del parto.[7] Esto, a su vez, afecta la relación en desarrollo entre la madre y el bebé. La madre cuida a un bebé que no

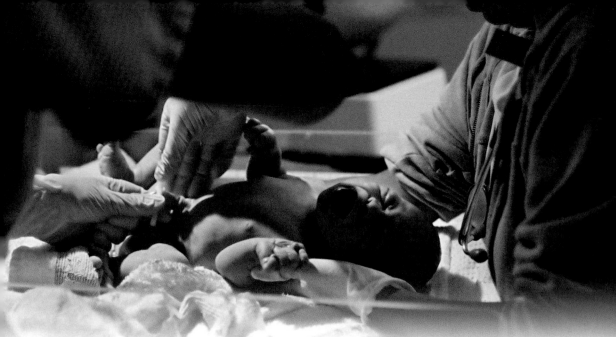

interactúa con ella de forma activa, a diferencia de un bebé alerta y sensible. Un estudio sugiere que la interacción puede permanecer afectada durante varios años, y que, a continuación de un parto con anestesia epidural, incluso luego de cinco años, el desarrollo cognitivo del niño es levemente menor.[8] A pesar de que algunos estudios no han demostrado diferencias en las capacidades de orientación (la capacidad del bebé para girar sobre sí en dirección a sonidos o imágenes estimulantes) después de una anestesia epidural, las madres creen lo contrario. Cuando se les preguntó a las mujeres respecto del comportamiento de sus bebés, solamente el 45% de las madres a las que se aplicó anestesia epidural expresó creer que las capacidades de orientación de sus bebés eran excepcionales, mientras que el 85% de las mujeres del grupo de control que no habían recibido anestesia epidural opinó que sus bebés se orientaban extraordinariamente bien.[9]

Si se utilizó oxitocina para estimular el útero a los efectos de inducir o acelerar el trabajo de parto y se aplicó, además, una anestesia epidural, es más probable que el bebé se encuentre somnoliento y emocionalmente "inactivo" durante la primera semana de vida. Lo mismo ocurre si la presión sanguínea fue baja durante el trabajo de parto –uno de los efectos de la anestesia epidural. Es posible que las mujeres que recibieron una anestesia epidural deban perseverar en estimular y tentar al bebé para que succione durante el primer mes.[10] Cuando las mujeres llevaban diarios del comportamiento de sus bebés, aquellas cuyos trabajos de parto habían sido estimulados con

oxitocina y que habían recibido, además, anestesia epidural, revelaron que sus bebés estaban tan dormidos que se alimentaban menos que los bebés de madres que no se habían sometido a estas intervenciones. Pero luego de algunas semanas se presentó, con frecuencia, un cambio marcado. Entonces los bebés de pronto se volvieron mucho más demandantes. Si la madre debía instar al bebé para que despertara, puede ser una gran conmoción descubrir que una vez pasada dicha fase, el bebé pareciera tener una personalidad completamente diferente y lloraba inconsolable.

Los bebés varían en base al grado en que pueden autorregular sus estados de conciencia. Algunos aprenden con lentitud las capacidades para calmarse a sí mismos –por ejemplo, chupándose los dedos. Varían, además, en función del grado en que reciben ayuda para sentirse aliviados –relajándose cuando se los acurruca y acomodándose en los brazos de la persona que los sostiene. Si la madre ha recibido muchas drogas en el momento del parto, el bebé se dejará acurrucar menos al principio. Los bebés de mujeres que recibieron analgésicos en el trabajo de parto no se sienten aliviados tan fácilmente al tercer día posparto. Y pueden continuar de esta forma durante hasta un mes.[11] Los estudios han demostrado que después de haberse aplicado una anestesia epidural, los bebés están menos capacitados para calmarse a sí mismos a los 3, 10, 28 y 42 días.[12]

Al igual que otras drogas analgésicas y anestésicas, la bupivacaína puede afectar la interacción entre las madres y sus bebés. Un estudio descubrió que las madres que habían recibido una anestesia epidural debían estimular más a sus bebés, tanto a los cinco días como al mes del parto, para mantener la succión.[13] Tendían a tratar a sus bebés con menor afecto y existía un menor contacto visual durante la alimentación.

Existe todo tipo de problemas metodológicos al llevar a cabo investigaciones como ésta y muchos de los resultados son controvertidos. Se requieren estudios de seguimiento. También es importante descubrir qué clase de apoyo puede resultar mejor para las mujeres cuando el comportamiento de sus bebés se ve

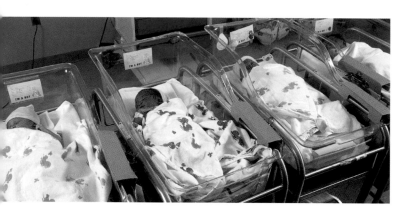

desestabilizado por los efectos de las drogas utilizadas en el parto.

Ya hoy en día existe una gran cantidad de pruebas que indican que los analgésicos, tales como la petidina, los tranquilizantes, las drogas utilizadas para estimular el útero y la anestesia epidural pueden todos originar dificultades en la relación temprana entre la madre y el bebé –dificultades que pueden hacer que los primeros meses de maternidad se conviertan en un obstáculo.

El poder y la impotencia

Un parto complicado para el bebé también puede haberlo sido para la madre, tanto física como emocionalmente. Esto puede afectar la forma de tratar al bebé. El estado emocional de la madre después del parto, ya sea si se siente triunfante e importante o impotente y frustrada, es un elemento significativo de la confianza en sí misma como madre y del placer de ejercer dicho rol. Una emoción abrumadora experimentada por una mujer que tiene un bebé que llora en forma

constante es la sensación de estar atrapada. Parece no haber solución a la angustia del bebé y la madre no puede escapar de ello. Es incapaz de decidir qué hacer ya que no tiene opciones. Sólo le resta sufrir y sobrellevarlo.

Para más de la mitad de las mujeres que me contaron que sus bebés lloraban bastante, esta sensación de ser incapaces de elegir fue, además, una característica marcada en el parto. No compartían las decisiones tomadas sobre sus cuerpos. Se sentían excluidas y fuera de control. Una gran cantidad expresó, además, que este sentimiento de estar fuera de control comenzó incluso antes del parto.

Los cuidados durante el trabajo de parto fueron amables, pero autocráticos. Manifestaron sus temores, asombro y enojo a causa de incidentes respecto de los cuales no habían sido consultadas o informadas. Describieron intervenciones para las cuales no prestaron su consentimiento. A pesar de ello, cuando se les preguntó si se sentían satisfechas con el modo en que las había tratado el personal del hospital, la mayoría hizo comentarios positivos. Incluso después de haberse visto sometidas a situaciones desagradables, se sienten agradecidas. Sienten asombro, frustración, desprotección, enojo, y al mismo tiempo, alivio y gratitud. Están atrapadas en un doble vínculo.

El poder sobre una mujer durante el parto puede ejercerse de diversas formas. Una forma especialmente importante consiste en la restricción del movimiento físico y la posición. Con frecuencia, no se les permite a las mujeres moverse y cambiar de posición según sus deseos y se espera que adopten determinadas posturas –algunas veces, más o menos apoyadas contra la espalda– para exámenes pélvicos, monitoreos fetales electrónicos y para el parto. Solamente el 17% de las mujeres cuyos bebés lloraban más me contó que se les permitió dar a luz en la posición que eligieron. Existe una impresionante diferencia entre ellas y las mujeres cuyos bebés lloraban menos, donde el 40% de ellas pudo elegir la posición para dar a luz.

La desprotección y la frustración que sienten las mujeres se extienden después del parto y amenazan su relación con el bebé. Una mujer expresó: "¡Me sentí como una suicida! El bebé estaba de nalgas, lo que no había sido diagnosticado y luego de un trabajo de parto de casi 20 horas tuve que someterme a una cesárea. No generé leche en absoluto y debí alimentar al bebé con mamadera, algo por lo que aún me siento muy apenada. Sentí que no pude dar a luz normalmente y luego, tampoco pude alimentarlo a pecho."

Otra mujer que deseaba evitar una episiotomía pero aún así tuvo que someterse a una, declaró sentirse enojada, indefensa y "mutilada".

Con frecuencia, esta frustración va acompañada de síntomas físicos posparto que hacen que las mujeres se sientan débiles, exhaustas e incompetentes. Una mujer me contó, por ejemplo, que no pudo generar vínculo alguno con el bebé durante las primeras semanas ya que, "mi principal preocupación era yo misma". Se le aplicó una anestesia epidural que fue fallida, con dos punciones espinales, lo que le provocó fuertes dolores de cabeza que la obligaron a permanecer recostada durante la primera semana. Otra mujer dijo:

Me sentí muy deprimida, ya que tuve un parto complicado que condujo a una anestesia epidural y a la utilización de fórceps. Tenía una gran cantidad de puntos y me sentía muy dolorida. Me llevaron a una sala de observación y me sentí muy sola. No me agradaba en absoluto que el bebé llorara, ya que era muy incómodo levantarme y volver luego a la cama. Lo alimentaba a pecho y no me sentía cómoda en ninguna posición. Durante el embarazo, había estado en forma y era activa y después, de pronto, me convertí en una ruina encorvada que sólo podía caminar arrastrando los pies.

Las mujeres que se sienten indefensas y superadas por el parto son más propensas a haber experimentado un trabajo de parto inducido o una cesárea. Algunas vivieron ambas situaciones: "Mi trabajo de parto fue inducido y duró 20 largas horas con anestesia epidural. No era lo que deseaba, fui obligada a someterme a ello y no me tomó de un lado." El personal le dijo varias veces durante el trabajo de parto que el

bebé estaba agotado y ella sintió mucho temor. Luego, se le practicó una cesárea bajo anestesia general. Después del parto se sintió perturbada emocionalmente: "Estaba deprimida porque no podía hacer demasiado por el bebé que lloraba mucho. Me llevó unos días sentir que era mi bebé y no el de otra persona."

Otra mujer que fue sometida a una segunda cesárea de emergencia cuando se le desgarró el útero después de nueve horas de goteo con oxitocina, expresó que el sentimiento dominante una vez pasado el parto fue el de fracaso: "Me dijeron que tenía suerte de estar con vida y de tener un bebé sano, lo que, en realidad no me ayudó demasiado."

Un ejemplo típico de la clase de experiencia de parto que va seguida del llanto inconsolable del bebé es el de la mujer que afirmó haber tenido "un parto terrible, que comenzó con una inducción y un monitoreo que no deseaba y tener que permanecer en reposo, aunque tampoco quería hacerlo, pero tuve que aceptarlo porque me dijeron que era lo mejor para el bebé y para mí." El bebé se encontraba ubicado con el rostro contra el pubis y se atascó.

Por ello continuaron acelerando las cosas y el dolor era increíble, entonces, también me administraron petidina, aunque hubiera preferido que no fuera así. Tuvieron que practicarme una gran episiotomía y fórceps y luego, tuvieron que retirar la placenta en forma manual. Recibí transfusiones de sangre. Estaba aturdida, confundida y asustada, y por alguna razón, pensaba en mí como un bebé. Quería llorar y llorar, expresar todas mis tensiones, pero ni siquiera tenía las fuerzas para hacerlo. En ningún momento sentí alegría. Estaba más atemorizada que nunca por mi beba.

Con frecuencia, las madres de los bebés que más lloran se sienten sorprendidas de haber permitido que los profesionales hayan tomado decisiones por ellas y las hayan convertido en pacientes quejosas. Protestan ya que, en general, no suelen actuar así. Están conmocionadas por lo difícil que fue para ellas actuar con determinación durante el parto. Una mujer de cerca de cuarenta años describió cómo enseñaba en una clase de adolescentes rebeldes y se consideraba una buena partidaria de la disciplina. Podía mantener la calma en situaciones complicadas en las que otros docentes menos seguros entraban en pánico. Sin embargo, en el parto le resultó imposible actuar con determinación y se sintió atrapada en una cinta transportadora que no podía detener.

Lo que todas estas mujeres expresan, en realidad, es que se sienten alienadas de sus propios cuerpos, fuera de control e indefensas. Esta desprotección continúa después del parto y contribuye a que se sientan indefensas al enfrentarse a la asombrosa intensidad del llanto de un bebé.

La realidad del poder y la pasión con la que puede comunicarse un bebé recién nacido, se convierte, con frecuencia, en un shock –en especial si se trata del primer bebé. Tal como expresó una mujer: "Me sentí completamente perdida y muy ingenua, ya que mi hijo era el primer bebé que sostenía en los brazos."

Cuando "gritaba con fuerza durante el día", la madre reaccionaba ocultándose emocionalmente detrás de un escudo protector y describe sus sentimientos hacia el bebé como "escasos, ya sean negativos o positivos".

Una mujer necesita sentirse segura y fuerte para afrontar la violencia de los sentimientos expresados por el bebé –y la violencia de su propia reacción emocional frente a tan cruda necesidad. Puede lograr mantener el equilibrio ocultándose, como lo hizo esta mujer, y haciendo oídos sordos a los mensajes enviados por el bebé, distanciándose de él. Cuando esto ocurre, las mujeres expresan, en general, sentirse "paralizadas", "confundidas", "alienadas de la realidad" o "no sentir más que lástima por el bebé por tener una madre como ésta". Una mujer me contó: "No existía mi instinto maternal y sólo sentía por el bebé lo que podría haber sentido por cualquier pequeño animal bajo mi responsabilidad."

En lugar de aferrarse a sus sentimientos, otras mujeres no pueden evitar sentirse emocionalmente absorbidas por el enojo del bebé y esto las destroza. Entonces la mujer prácticamente adopta el rol de niña, conmocionada y a merced de la angustia emocional originada por el bebé.

Cualquier mujer cuya confianza se vea sacudida por una mala experiencia en el parto, donde se sintió indefensa frente al poder del sistema médico, ya comienza su relación con el bebé con desventaja. Una gran cantidad de hospitales modificaron las prácticas de rutina después del parto como resultado de la publicación del trabajo de Klaus y Kennel que demuestra que el tiempo inmediatamente posterior al parto es un período de sensibilidad en el cual la madre generalmente se une emocionalmente al bebé, y que cuando se la priva del contacto con él puede tener dificultades para establecer el vínculo.[14] En consecuencia, establecieron un tiempo de "vínculo" obligatorio después del parto.[15] Se le permite a la madre, o quizás se le ayuda a que sostenga al bebé durante un lapso de 10 minutos o más y pueda tenerlo sobre el pecho. Se deja a la pareja sola con el bebé para que puedan conocerse. También hubo cambios en las salas de posparto. Las madres y los bebés permanecen juntos durante el día y en muchos hospitales, también durante la noche. Esto fue un adelanto: reconocer que los bebés necesitan a sus madres y viceversa. No obstante, es incomprensible que a las mujeres no se les permitiera tener contacto cercano con el bebé, a pesar de solicitarlo, hasta que los pediatras demostraron con estudios que algunos bebés podían ser rechazados o sufrir abuso si esto no ocurría. Los deseos de las madres eran desestimados; la investigación pediátrica y la invención de una palabra especial para definir el amor materno –"vínculo"– confirmaron ese amor y lo validaron, de forma que se ha vuelto respetable.

Alison Gopnik, profesora de psicología, nos cuenta cómo cuando dio a luz a uno de sus hijos, una enfermera se acercó a ella para decirle que se llevaría al bebé a la nursery. Cuando Alison se negó amablemente a ser separada de su bebé recién nacido (en realidad, afirmó que necesitarían una barreta), la enfermera le respondió: "No te preocupes, querida, primero te permitiremos crear el vínculo". Esto fue una especie de comparación

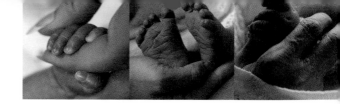

entre "vínculo" y "súper adhesivo": coloque a la madre y al bebé juntos y presione durante varios minutos hasta que estén totalmente adheridos. No obstante, el vínculo entre la madre y el bebé es un proceso. Los bebés no construyen un vínculo con la primera criatura que ven, como los gansos que crearon un vínculo con el psicólogo Konrad Lorenz y lo seguían en hilera, graznando por las calles. Solía creerse que era una respuesta instintiva e instantánea en los bebés. Pero los bebés construyen, con el transcurso del tiempo, lo que se describe como "modelos internalizados", imágenes del modo de relación entre las personas.

"Si vemos que las personas en las que confiamos para sentirnos relajados y cómodos se alejan cuando estamos angustiados, eso puede influir en nuestras expectativas respecto de cómo actuarán los demás y nuestras interpretaciones sobre lo que en realidad hacen."[16]

Puede haber problemas con el "vínculo" cuando se convierte en una rutina institucionalizada. El entusiasmo profesional respecto del mismo con frecuencia se les impone a las mujeres, sin sensibilidad por sus necesidades individuales. A pesar del agotamiento, de una herida de cesárea o una episiotomía dolorosa, se espera que las mujeres cuiden a sus bebés durante las 24 horas. Algunas son, en mayor o en menor medida, obligadas a amamantar y criticadas si se muestran renuentes.[17]

Hay pruebas que demuestran que los sentimientos de una mujer hacia su bebé se ven más afectados por el entorno donde dan a luz y por el hecho de tener o no oportunidad de controlar lo que se le está haciendo que por cualquier práctica hospitalaria relacionada con el "vínculo". Las mujeres expresan más afecto hacia sus bebés en hospitales donde se facilita el contacto de la madre con el bebé que en hospitales donde el personal manifiesta entusiasmo con relación al vínculo pero requiere que las madres sean pacientes pasivos.[18] Una mujer debería ser capaz de decidir lo que desea y no sentirse empujada a crear el vínculo.

La maternidad dista mucho de ser una condición pasiva. Implica una constante toma de decisiones, la imposición de límites, el ejercicio del poder, el aprender del bebé y la aceptación de la atemorizante responsabilidad por la vida de otro. Luego de una experiencia de parto practicada con alta tecnología en obstetricia, una mujer debe transformarse de pronto, durante el lapso de algunas horas, de paciente niña en madre adulta.

Para muchas de nosotras es complicado atravesar ese abismo. No es porque no seamos adecuadas. Es porque el sistema médico nos habituó a aceptar un rol pasivo o, si nos resistimos, nos obliga a entrar en un conflicto estresante. Algunas mujeres resuelven este conflicto abandonando el hospital tan pronto como es posible. Se sienten aliviadas al llegar a su casa con el bebé y una vez que pueden hacer las cosas a su manera, experimentan con rapidez la transformación hacia la maternidad. A otras les resulta más complicado. Todo lo que debería haber ocurrido en forma espontánea está sujeto a un accionar consciente y se transforma en agonía. Sienten que deben demostrarse a sí mismas que pueden ser buenas madres –demostrar con hechos su competencia. Deben proporcionarles pruebas de ello a sus madres, parejas, médicos, amigos y familiares –a sí mismas– y principalmente, al bebé. Una consecuencia es que se desarrolla una lucha entre la madre y el bebé.

Otras mujeres –aquellas que fueron reducidas con eficacia a un estado infantil por la forma en que se las trató en el hospital– se instalan en el rol de niño. Al igual que la mujer cuyas palabras cité anteriormente que expresó encontrarse aturdida y que seguía sintiéndose como un bebé, a las mujeres les resulta muy complicado efectuar la transición hacia la maternidad. Cuando el bebé llora sienten como si ellas mismas estuvieran llorando. Poco o nada pueden hacer para calmar o relajar al bebé ya que son ellas las que lloran, las que necesitan calmarse y relajarse. "Lloraba virtualmente todos los días", afirmó una mujer. "No creía en realidad que el bebé fuera mío. Un día, después de haberlo alimentado cuatro veces en dos horas, sentí que deseaba deshacerme de él y olvidar que lo había tenido". Para una mujer que se encuentra, además, en un estado físico débil y que sufre el dolor por los puntos, sus necesidades se vuelven aún mayores. El bebé se convierte en un tirano y en un enemigo.

A partir de las descripciones de las experiencias posparto de las mujeres se infiere que el regreso al hogar implica mayor dificultad para las mujeres que se han hecho dependientes de las enfermeras y médicos en el hospital. Su retroceso al estado de "niña pequeña" las convierte en buenas pacientes pero en madres ansiosas y desconcertadas.

Un tema recurrente en los testimonios de estas mujeres es el anhelo de ser cuidadas, incluso enfrentándose una y otra vez con la realidad de que el bebé debe preponderar por sobre sus necesidades y deseos. "Seguía preocupándome acerca de cuándo se despertarían mis instintos maternales", me contó una mujer. "En realidad, no me agradaba demasiado mi hija. Sólo me sentía cansada –como una máquina expendedora de refrescos– y completamente acabada. Amamantar era un gran trabajo y deseaba acelerar la vida de mi hija hasta el momento en que pudiera darme algo a cambio."

El placer de la pareja de la madre hacia el bebé puede reafirmar esta sensación de abandono: "Me sentía celosa de la atención que le dedicaba mi marido a la beba"; "Sentía que mi pareja amaba más al bebé que a mí". Las ansias de ser acariciada pueden ser tan intensas que la madre llegue, en mayor o en menor medida, a ignorar al bebé. Tal como expresó una mujer que sintió esta necesidad de ser cuidada cuando estaba internada, pero estaba en una sala donde a las madres se las apresuraba a asumir su rol tan pronto como fuera posible: "No creo haberme dado cuenta por completo de que era hospital."

No obstante, mientras continúan internadas, muchas mujeres son protegidas de esta sensación de pérdida. Algunas veces, la sala posparto ofrece "un santuario" o "capullo" (a pesar de que, como podemos apreciar, las realidades de la vida en una sala posparto lo complican). La mayoría de las mujeres se sienten superiores por haber tenido un bebé: "Me sentí muy orgullosa y comencé a ejercer la maternidad casi de inmediato, me sentí feliz por el bebé y de contar, por una vez, con la atención que tanto necesitaba", me contó una mujer. Cuando regresó a su casa y tuvo que valerse por sí misma, se sintió perdida e ingresó en un estado de depresión cuando el bebé lloraba y lloraba.

Si se privó a la mujer de autonomía durante el parto, no hay forma de volver atrás y hacer que el parto sea diferente. Incluso muchas mujeres reviven las experiencias del parto como una vieja película que se repite en sus mentes una y otra vez. Luchan por ordenar la secuencia y el tiempo de las situaciones, qué dijeron e hicieron las personas, y por comprender por qué. Rara vez encuentran a alguien que esté dispuesto a contarles lo que ocurrió con exactitud. Una pareja que estuvo presente durante el trabajo de parto puede haber comprendido menos que la mujer misma. Un hombre, en general acepta la visión de los hechos del obstetra y sin notarlo, tiende a minimizar y trivializar la experiencia de la mujer. Los médicos y las parteras se muestran renuentes a dar explicaciones detalladas o a reconocer errores, con frecuencia porque temen acciones legales en su contra. Incluso cuando esto no sea tema de discusión, rara vez saben cómo afrontar las quejas con eficacia y tienden a volverse hostiles y a estar a la defensiva. A uno lo tratan como un "paciente complicado", incluso como a un "neurótico" que debe ser tratado con cautela. Entonces, cuando uno intenta hablar del parto, se encuentra con certezas insustanciales. Le dicen a la madre que debería sentirse agradecida de que el bebé sea sano y esté con vida, lo que generalmente implica que todo es para bien en el mejor de los mundos. No obstante, para manejar la experiencia del parto, para tomar conciencia de lo que ocurrió e incorporarlo a la vida, es necesario hablarlo y ensamblar situaciones, procesos y emociones que fueron fragmentados. Es necesario ser capaz de analizar lo ocurrido con alguien que comprenda, que lo acepte y no regatee tiempo. Dicha coordinación de experiencias –el patrón de cualquier experiencia de vida donde nos hayamos sentido privados de la identidad como adultos– es vital para una mujer que comienza a ejercer el rol adulto por excelencia, el de la maternidad. Cada madre reciente necesita alguien con quien hablar, que no la juzgue, que se interese verdaderamente en lo que dice y que reconozca y pueda reflejarle la amplia gama de emociones que ella expresa acerca de la gran transformación de vida que conlleva el nacimiento de un bebé. Para la madre de un bebé que llora inconsolablemente puede ser esencial para mantener la calma –y algunas veces, para lograr el desarrollo adecuado en la vida del bebé. No obstante, como se explicará en el Capítulo 7, luego de tener un bebé, muchas mujeres se aíslan socialmente y se sienten más solas que nunca.

En acción

Aceptación de una mala experiencia en el parto

La importancia de hablar sobre el tema. Busque a alguien que la escuche y hable con usted. Esta persona puede ser la instructora de las clases de preparto, una amiga cercana, su madre o una hermana, o alguna partera, médico o asistente de servicios de salud a domicilio que pueda llegar a comprenderla. Quizás sienta que su pareja es la persona indicada. Considere el hecho de preguntarle a alguien que aún no conozca bien para evitar sentir que debe colmar las expectativas que la otra persona tenga de usted.

No permita que nadie desestime o trivialice su experiencia. Si alguien intenta hacerla sentir segura, o contradecirla, o darle algún consejo, hágales saber que no es lo que desea. Necesita ser capaz de expresar su dolor y enojo sin sentir que se trate de una locura o de algo peligroso o que usted es un fracaso, o que abrir su corazón para expresar libremente sus sentimientos puede perjudicarla o afectar a otra persona.

Una mujer no siempre crea de inmediato el vínculo con su bebé.

Comuníquese. Comuníquese con las asociaciones de su país, que le brindarán apoyo y asistencia telefónica.

Participe de un grupo de mujeres. Si existe la posibilidad, reúnase con otras mujeres en algún grupo para elaborar diferentes estrategias para el futuro, para otras consultas médicas –en especial, si alguna vez desea tener otro bebé. Utilice la fuerza de sus sentimientos como estímulo para hacer algo para crear una experiencia más positiva la próxima vez, y para otras mujeres en el futuro.

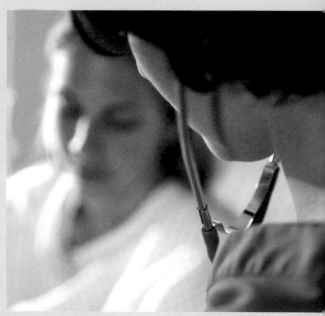

Exprese sus sentimientos a la partera o a su médico.

El contacto
con la realidad

Sentí que no debería haber tenido nunca un bebé.
Si alguien me hubiera contado de qué se trataba,
podría haber salvado mi vida a tiempo.
¿Quién era esa persona inmensamente poderosa
que gritaba de forma ininteligible, que succionaba
mi pecho hasta dejarme en un estado de fatiga
y cuyas alegrías nunca conocería?
¿Quién era él y con qué autoridad había reclamado el derecho a mi vida?
Nunca seré una buena madre. Creí que los experto
estaban en lo cierto. Los bebés nacen como criaturas
tranquilas y alegres. Solamente una mala madre que
reprime su injusto resentimiento, sosteniendo al bebé
con demasiada o escasa firmeza, con mucha o poca
frecuencia, que lo deja llorar y lo alza en sus brazos demasiado
pronto, que lo alimenta en exceso o demasiado poco,
que lo sofoca con su amor o que no lo ama lo suficiente es la culpable.
Jane Lazarre, *The Mother Knot*.

Después del parto, una mujer siente, en general, que hizo algo muy especial y, con frecuencia, se asombra de haber sido capaz de dar a luz un bebé de verdad. Muchas mujeres sienten como si se hubieran dado a luz a sí mismas –están más radiantes, espléndidas y gloriosamente vivas.

Luego de un parto vaginal donde sintieron controlar la situación y fueron capaces de elegir una vez que se las puso en conocimiento entre diversas alternativas, las mujeres describen sentimientos de éxito y plenitud. Es como si hubieran escalado una montaña y se encontraran en la cima, triunfantes: "Me invadió la alegría al comprender que mi marido y yo habíamos creado una personita tan perfecta"; "…eufórica, excitada, complacida conmigo misma –y mucho más cerca de mi marido"; "Me sentí una mujer completa, bastante vanidosa y muy complacida"; "Estaba extasiada. Me sentía muy inteligente al haber creado la personita más maravillosa del mundo entero".

A pesar de que puede existir una recaída temporaria desde este pico emocional, en algún momento de la primera semana después del parto –"la tristeza del cuarto día" o "los ataques de llanto"–, rara vez se extiende durante más de 24 horas. La luna de miel con el bebé recién nacido continúa hasta que comienza a llorar inconsolable en algún momento después de las tres semanas. Luego, esta euforia se quiebra y se destroza por completo.

El contraste entre la sensación de logro inmediatamente después del parto y los sentimientos generados cuando el bebé llora y resulta imposible calmarlo es dramático. Es como si uno hubiera estado en la cima de una montaña y ahora fuera arrastrado hasta la base y, con frecuencia, cada vez más abajo hacia un abismo de desesperación. "Fue el peor momento de mi vida", me contó una mujer, "y nunca me había sentido tan completamente sola. Nadie me comprendía. Estaba aislada por completo." "Lo alimento a las diez de la noche, duermo hasta la medianoche y luego camino de un lado a otro sin cesar hasta que vuelvo a alimentarlo a las seis de la mañana, cuando se lo entrego a su padre", relata otra. Una mujer indicó: "A pesar de que nunca le causé un daño físico –me encuentro demasiado débil por la falta de sueño– me siento penosamente tentada a hacerlo. Cada noche es una pesadilla."

Cuando un bebé llora inconsolable, es como si toda la vida de la madre fuera absorbida por un remolino y siente que se pierde a sí misma en el proceso. "Hacia abajo, más abajo –completamente hacia abajo" hasta que no queda nada de ella.

Sólo se oye el sonido del interminable llanto del bebé. Esta sensación de haber perdido la identidad es uno de los aspectos más atemorizantes de tener un bebé que llora.[1]

El perjuicio contra uno mismo puede ser más grave si una mujer tiene un bebé cuando aún es demasiado joven y todavía no descubrió su verdadera identidad, lo que quiere ser o cuáles

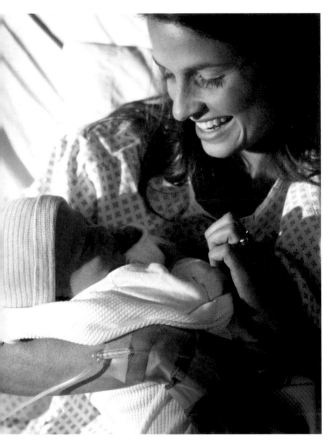

son sus opciones. Puede sentirse atrapada en su rol de madre con un bebé nada gratificante. Muchas madres primerizas criadas en pequeñas familias típicas de la sociedad industrial del norte comenzaron a ejercer la maternidad con poca idea de las realidades de la vida junto a un bebé. Están bajo la presión social de volverse madres y se supone, desde la niñez temprana, que cuando esto ocurra, les traerá plenitud y satisfacción que

no se compara con nada en la vida de una mujer. Para los hombres, la paternidad es accesoria. La masculinidad no se define en función de la paternidad. En el caso de las mujeres, la maternidad, o fertilidad potencial, se considera como un elemento básico de feminidad.

Una mujer de 26 años a la que tuvieron que extirparle el útero cuando tenía 22 años a acusa de una infección pélvica, se hizo famosa en la prensa como una modelo sumamente exitosa y explicó cómo había ocurrido eso: "Pensé, ahora ya no voy a ser capaz de hacer cosas normales como tener un bebé; debo conseguir una buena profesión."[2] Tener hijos aún se considera normal para una mujer. Cualquier otra cosa constituye una aberración y debe justificar su conducta. Bajo presiones sociales como ésta, se empuja a las mujeres a la maternidad, incapaces de efectuar una apreciación realista de lo que ello implica en función de su propia identidad. Con frecuencia significa que, incluso cuando desearan tener un hijo en algún momento de sus vidas, quedan embarazadas mucho antes de estar preparadas. Cuando entrevisté a mujeres de edades más avanzadas con bebés que lloran, descubrí que en general, eran capaces de afrontar emocionalmente mejor la situación que las adolescentes o las mujeres de alrededor de los veinte años.[3] Como eran más confiadas y seguras de sí mismas, el llanto demostró ser un ataque menor contra su identidad. En términos prácticos, sufrían el llanto de sus bebés de forma similar a las madres más jóvenes, y no era menos desagradable, pero seguían siendo ellas mismas. Una mujer que tiene un bebé que llora se siente fuera de control. Las mujeres describen sentirse nerviosas, sobrepasadas y en estado de pánico: "Perdí toda mi confianza… Lloraba casi tanto como el bebé"; "Los perros estaban nerviosos y les gritaba durante todo el día"; "Me sentía a punto de llorar en todo momento porque mis emociones estaban demasiado mezcladas"; "¡No podría dar razones de mis sentimientos ya que eran una confusión total!" Una mujer me contó que ella y su pareja vagaban por la casa durante las noches con el bebé llorando "como gaiteros escoceses dementes".

Las mujeres se angustian al convertirse en algo

que dista mucho de su típico estado racional. Algunas se sienten incluso al borde de la locura.

Una gran cantidad expresa, además, cómo se sienten rechazadas por el bebé: "Llora cada vez que intento abrazarlo"; "Siento como si hubiera fracasado en ganar su amor"; "Me resulta muy complicado amarlo cuando llora tanto. Prácticamente no hay interacción mutua con él." Esto va acompañado de sentimientos abrumadores de culpa. Tal como expresa una mujer: "Siento que debo de ser una madre desagradable. ¿Por qué lloran mis hijos? ¿Hay algo que no estoy haciendo bien? Cuando crezcan me tendré que disculpar con ellos por haber sido tan mala madre." Otras opinan: "Me siento un gran fracaso"; "Pensé que todo el mundo hablaba a mis espaldas diciendo que no estaba preparada para ser madre"; "Siento culpa porque no puedo amamantar ni calmar a mi beba"; "Siento que fui una muy mala madre y que nunca debería haber tenido un bebé"; "Creo que es por mi culpa que ella se sentía tan infeliz y molesta"; "Me siento inútil al no poder consolar a mi bebé".

Las mujeres que no tienen tiempo para mantener la casa limpia y ordenada sienten fracasos deprimentes. Dicen cosas tales como: "No puedo cumplir con las tareas del hogar. Me siento muy avergonzada por el estado en que se encuentra mi casa"; "No puedo ocuparme en absoluto de la casa"; "Me preocupa no tener tiempo para mi marido, para mantener la casa ordenada, y me siento culpable ya que creo que debería ser yo quien lleve a cabo las tareas del hogar y tener la comida preparada para él cuando vuelve a casa del trabajo. En cambio, él se ocupa de las tareas del hogar y termina de preparar la cena mientras me encargo del bebé."

Cualquier mujer con un bebé que llora es propensa a sufrir agotamiento crónico: "Estoy absolutamente agotada todo el tiempo"; "Estos sobrepasada de trabajo, exhausta y con frecuencia me pregunto cómo voy a terminar el día"; "Me acerco para ver a la beba y me quedo dormida sobre el piso de nuestra habitación sin recordar si la vi o no"; "Siento que no tengo nada más para dar". Muchas mujeres saben con certeza que esto también afecta la relación con sus parejas y se sienten atemorizadas por ello: "Cuando la beba

llora demasiado me enojo con mi marido"; "Discutimos mucho"; "El bebé está destrozando mi matrimonio".

El sexo

No es sorprendente que bajo estas circunstancias la mujer no desee tener sexo y que si el hombre insiste sobre el tema, se vuelva algo con lo que la mujer cumple por obligación para complacerlo, o se presente como una violación. Las mujeres opinan: "Tuvimos un año muy malo. No quería otro bebé, ¡por ello el sexo estaba prohibido! Estoy demasiado cansada la mayor parte del tiempo y vivimos situaciones muy estresantes"; "El agotamiento absoluto hace que evitemos intentar mejorar nuestra vida sexual. Hemos hablado sobre sexo pero estamos demasiado cansados como para practicarlo"; "He dejado de tener sexo, ya que siento que necesito cada gota de energía para hacerme cargo del bebé. Necesito afecto y apoyo, no sexo"; "Estaba excedida de peso, demasiado cansada, sin vida. Sentía desgaste físico y emocional y me estaba volviendo loca con los "gu ga" emitidos por el bebé. El contacto físico con mi marido era aborrecible. Siempre estaba demasiado cansada. No obstante, él insistía. Pensaba: "Hagámoslo ya, y ¡por amor de Dios apresúrate y terminemos de una vez con esto!" Hice el amor por obligación, si debo ser honesta, durante casi seis meses después de que nació Henry"; "Solía disfrutar del sexo, pero ahora casi nunca deseo hacer el amor o disfrutarlo cuando lo hacemos".

Cuando finalmente una pareja vuelve a unirse y la mujer se siente renovada, hay otros impedimentos. ¡El bebé comienza a llorar! Muchas mujeres me contaron que sus bebés parecen tener un sexto sentido y saber exactamente cuando se desvía la atención de ellos, de forma que el momento para hacer el amor se ve interrumpido sistemáticamente por los llantos.

Algunas mujeres afirman que no pueden disfrutar de las sensaciones sexuales porque sienten que sus cuerpos están fuera de control durante todo el tiempo en que el bebé atraviesa esta etapa de llanto. "El cuerpo se siente blando, laxo, cansado. La relación con mi marido es terrible. Los bebés (ella tiene gemelos) lloran, yo

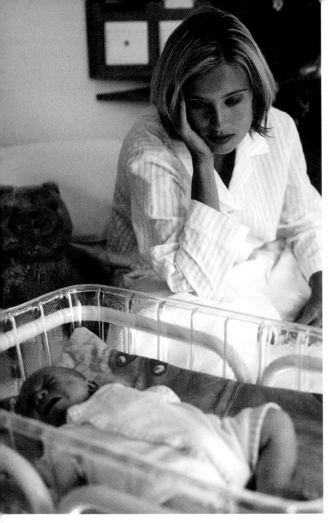

padres como si fueran seres libres e individuales. Pero ahora se sabe la verdad: la mujer asume la responsabilidad frente a su bebé. Un hombre ayuda cuando puede. Tal como veremos en el próximo capítulo, no siempre resulta tan bien como en esta práctica: muchos hombres proporcionan escasa ayuda o no ayudan en absoluto, algunos son un claro estorbo y otros, al igual que el hombre mencionado anteriormente, recurren a la violencia física. Como resultado, se construye una furia interior en la madre sin apoyo que, frente a todo intento y propósito, cuenta con el apoyo masculino, pero que en realidad, lucha sola por enfrentar la situación. Avergonzada por estas emociones intensas y ansiosa de proteger a su bebé, dirige la hostilidad a sí misma. Cuando el odio no se exterioriza, se vuelve depresión.

La depresión

Existe algo llamado depresión posparto… Ah… ¿Escuchó hablar de ello?… Con una mirada de satisfacción, parecía ignorar que había aceptado el término descriptivo como explicación. Las palabras son como un canto de absolución y cubren una gran cantidad de pecados.
Charlotte Painter, Who Made the Lamb.

El 55% de las madres de bebés que lloran, quienes describen cómo se sintieron seis semanas después del parto, dijeron que estaban muy deprimidas. Muchas otras utilizan palabras y frases que también sugerían que se encontraban en un estado de depresión, a pesar de que no mencionaron la palabra "depresión". Afirmaron sentirse "paralizadas", como si todo fuera "irreal", y "cada pequeña acción parecía la tarea de un mamut". Una mujer resumió la experiencia de otras tantas al afirmar: "Me interné dentro de mí misma y no podía comunicarme en absoluto, ni siquiera con mis amigos cercanos. En ese momento, parecían diferentes". Un tema común es la dificultad para sentir alguna unión con el bebé: "Tenía sentimientos negativos hacia mi tan ansiada beba"; "Me sentía sumamente alejada de mi bebé, como si lo hubiera comprado en una tienda. Me preguntaba si el bebé era mío y creía que en el

lloro, mi marido me golpea". Incluso cuando aman a sus parejas, las mujeres sienten que son incapaces de controlar algo, no pueden manejar al bebé, sus emociones, sus propios cuerpos, sus relaciones ni nada de lo que hagan durante las 24 horas. Están consumidas por completo al servicio del bebé y no tienen fuerzas para nada más: "Me siento deprimida y exhausta y tengo la sensación de que el cuerpo no me pertenece.

Estoy fuera de control. Paso de un día a otro sin notarlo. Estoy desgastada y muy tensa en todo momento. El sexo que compartimos es bastante forzado. Todo se siente mecánico y me encuentro evitando tener sexo a propósito".

Las mujeres se sienten apenadas por sus parejas, pero están tan resentidas que, sin importar cuánto las ayuden con el bebé, los hombres siempre pueden escapar de la trampa. La madre no tiene opción. Con el nacimiento del primer bebé, el hombre y la mujer ejercen su rol de hospital lo habían cambiado por otro" y "No quería perjudicar a mi beba, pero no tenía interés alguno en ella". Según las palabras de una mujer: "Siempre me había preparado para lo peor, pero fue peor de lo que esperaba."

El estado de depresión en el que cae una mujer en estos primeros meses luego del parto, algunas veces continúa durante tanto tiempo que se vuelve una parte esencial de su personalidad.

Algunas mujeres deben someterse a una dieta estricta de tranquilizantes indicada por los médicos de la familia que sienten que no pueden hacer otra cosa para ayudarlas. Algunas consultan a psiquiatras y se les prescriben antidepresivos. Muchas otras mujeres sobrellevan la situación como pueden, sin energías, bajo la constante presión de cumplir con las exigencias impuestas por otras personas sobre ellas y sin la oportunidad de satisfacer sus propias necesidades. Se sienten atrapadas por la maternidad y convencidas de que son un fracaso total, no sólo como madres, sino además, como seres humanos. Nadie nota que están deprimidas ya que las vieron siempre deprimidas durante meses. Rara vez encuentran un camino en las estadísticas de enfermedad mental.

Sólo una pequeña proporción de mujeres que sufren depresión después del parto recibe tratamiento psiquiátrico, probablemente no más del 10%.[4] Algunos psicoanalistas y psicólogos afirman que los problemas emocionales posparto son consecuencia del fracaso de la mujer en aceptar su "feminidad", y establecieron una diversidad de escalas con el fin de demostrarlo.[5] Esto equivale, en general, a la observación de que una mujer que está deprimida ya no actúa con eficacia para prestar servicios a su pareja y a la familia. Según las palabras de un psiquiatra, ella es:

Incapaz de tolerar a su marido o su hogar. Ahora se siente desagradable y como una carga, desalineada y demandante. La cocina, la limpieza y demás tareas de esposa o madre ya no son placenteras sino agotadoras —asumidas con sufrimiento y ansiedad… Incapaz de ocuparse de la casa, del marido o del bebé, ella busca, en cambio, que la cuiden, que la alimenten, que la protejan… [6]

No es sorprendente que estas sean las palabras de un hombre –uno que espera "que lo cuide, que lo alimente, que lo proteja" una mujer. Pero incluso cuando no las hubiera escrito un hombre, el argumento coloca la carreta delante del caballo. Sentir que las tareas del hogar son desagradables, demandantes y agotadoras no es un síntoma de enfermedad mental. Las mujeres se angustian emocionalmente ya que están atrapadas en su rol de amas de casa, madres y protectoras. Si se esperara que los hombres hicieran solamente estos trabajos complicados y degradantes, también se sentirían deprimidos. Las psicoanalistas, además, algunas veces efectúan la misma clase de juicios en base a actitudes patriarcales. Una analista, por ejemplo, describió cómo en mujeres "patológicas" "el funcionamiento del ego se veía tan gravemente interrumpido que eran incapaces de cumplir con las tareas del hogar" y "cuidar de su familia". Las mujeres "patológicas" son hostiles hacia ellas mismas y están "orientadas en forma masoquista", derivando la gratificación de una "posición pasiva a sumisa" y del autosacrificio y servicio que requiere la maternidad. Las mujeres sufren enfermedades mentales posparto como consecuencia de trastornos en su feminidad.[7] En un estudio de investigación sobre cuidados posparto, una partera trata como es debido la cuestión al comentar: "Uno se pregunta cuál sería la reacción si se sugiriera que la depresión que se presenta en los hombres luego de un trauma se debiera a alguna falta en su masculinidad."[8]

A pesar de dichas teorías acerca de la feminidad, los profesionales de la salud critican a las mujeres, con frecuencia, por invertir energía emocional en dichos procesos de la vida femenina que ofrecen un cumplimiento potencial –como ser el parto y el amamantamiento– y por apenarse cuando sienten que no lograron atravesar estas experiencias de manera satisfactoria. La mujer que tuvo un trabajo de parto extenso que terminó en una cesárea y que lamenta la pérdida de su parto soñado, y la mujer que es persuadida a emplear una alimentación artificial como consecuencia de dificultades para amamantar, pero que siente que fracasó en una función maternal básica, pueden, ambas, ser rotuladas como "madres innatas" y "raras", incapaces de asumir la realidad. Otro elemento de la depresión posparto para muchas mujeres es esta aflicción por deseos y sueños no cumplidos. Esto tiende a trivializarse, a desestimarse como absurdo, o a tratarse con abierta hostilidad. Se supone que las mujeres deben dedicarse con seriedad a ello y asumir las consecuencias y no esperar o desear nada a cambio de estas importantes experiencias de vida. A largo plazo, parece que no es feminidad lo que se requiere, sino una pasividad total.

Atribuir la depresión después del parto a alteraciones hormonales o a elementos patológicos en la psiquis femenina no es correcto. En cambio, deberíamos contemplar el fracaso de la sociedad en brindar un apoyo social adecuado a las madres. Los estudios de enfermedad mental revelan niveles significativamente más altos en mujeres que en hombres, en particular en mujeres que conviven con hombres.[9] Las mujeres casadas sufren más enfermedades mentales que las solteras. La depresión es en especial alta entre las mujeres de grupos con bajos ingresos en zonas urbanas, que son tres veces más propensas a sufrir depresión que las mujeres que ejercen su profesión.[10]

Independientemente de la situación económica en la que se encuentre, con frecuencia, una madre reciente debe enfrentar sola la situación, sin nada o nadie que la haga sentirse bien consigo misma, incapaz de dormir de manera adecuada durante semanas o meses, y avergonzada de los frecuentes sentimientos violentos que tiene hacia el bebé que la hizo caer en esta trampa, y que llora constantemente y parece recordarle lo tan mala madre que es. Debe de haber miles de mujeres que expresan: "Tengo un marido encantador, una hermosa casa, un adorable bebé y sé que debería sentirme feliz, pero..."

Pocas de nosotras estamos preparadas para el resentimiento, la sensación de insuficiencia, la culpa, el enojo y sentimientos casi asesinos que experimentamos como madres. Existe un descubrimiento encantador, una alegría y, algunas veces, también un éxtasis total que hacen que

valga la pena. Pero el problema es que la imagen de la maternidad está idealizada con tono romántico. Antes de ser arrastradas a la maternidad, aprendemos poco o nada acerca de cómo nos sentiremos cuando nos despierte un bebé que llora por tercera vez entre las 3 y las 5 de la mañana, y lo que significa estar solas en casa con la responsabilidad total de un bebé entre 8 y 10 horas por día.

Esperamos que el bebé duerma pacíficamente luego de alimentarlo o de cambiarlo con amor. Existe un mito que afirma que los bebés duermen la mayor parte del tiempo y que su sueño es profundo e imperturbable. Tal como expresa un autor australiano: "Las personas que duermen como un bebé probablemente no tengan uno". Cita a Lily, que tiene un bebé de un año:

Justo me había quedado dormida (al menos, eso me parecía), cuando se despertó. Una vez más, me acerqué tambaleándome a la cuna. Era una hermosa cuna antigua, de hierro forjado, con pomos de bronce. La habíamos restaurado con amor; la lijamos y pintamos, lustramos los antiguos pomos de bronce hasta hacerlos brillar y buscamos hasta encontrar a un viejo artesano que pudiera hacernos un pomo para reemplazar el que faltaba.

Habíamos hablado y soñado despiertos sobre el bebé que esperábamos mientras suavizábamos cada parte áspera de los antiguos barrotes de hierro. Había tejido pequeñas mantas y chales al crochet de lana virgen y suave para cobijar a nuestro bebé y mantenerlo cómodo. Se veían tan hermosas en la cuna mientras esperábamos que naciera.

Al llegar a la cuna, a mitad de esa noche fría, un pensamiento cruzó mi mente: qué sencillo sería alzar a ese bebé que lloraba y simplemente sacarlo por la ventana. Si sólo abriera la ventana y lo dejara caer sobre el antepecho, el llanto se detendría.

No pensaba en lastimar al bebé. Ni siquiera consideré que caería dos pisos abajo sobre la calle. Quizás saliera volando. Sólo deseaba detener el llanto. Se llevaría consigo ese intolerable ruido al lugar adonde fuera. Y yo podría dormir.

Retiré al bebé de la cuna y lo llevé a nuestra cama. Le ofrecí el pecho, pero no lo deseaba. Miré a su papá que parecía dormido junto a nosotros. Me acerqué y le dije: "Aquí tienes, ocúpate de él, o lo sacaré por la ventana."

El padre no se enojó. No me dijo que era una madre desesperanzada (a pesar de que así me sentía y, además, sumamente cansada). Lo cierto es que quizás ni siquiera oyó lo que dije. Abrió los brazos y se apoyó al bebé contra el pecho desnudo. El llanto se detuvo. Todos pudimos dormir. Cuando me desperté mis pechos estaban a punto de estallar. El sol brillaba. Por un momento, no pude recordar dónde había puesto a mi bebé. Ya no lloraba. Ni siquiera se oían quejidos. El bebé y su padre aún dormían, abrazados.[11]

propios sentimientos y necesidades, cuando colapsan por la tensión, se les dice que deben reponerse y estar agradecidas de tener bebés tan hermosos. Su angustia se trivializa. Existió un cuadernillo para madres de la Asociación Médica Británica que indicaba que si una mujer "lloraba con amargura sin razón aparente", esto "no tenía importancia y no había de qué preocuparse". La depresión posparto no puede desestimarse como el fracaso personal de una mujer para adaptarse o como un problema que desaparecerá si se prescriben simplemente las drogas correctas. A pesar de que los tranquilizantes y antidepresivos pueden resultar útiles, en general, simplemente alivian el dolor, ahogan las emociones y hacen que

El bebé puede parecer un tirano y demandar más de lo que una mujer puede dar. Jane Price, una psicoterapeuta, me contó su propia experiencia: "Creí que los bebés venían con un interruptor y que podía apagarlos a las seis de la tarde. El bebé lloraba y me preguntaba cómo algo tan pequeño podía tener tantas energías. Mi tamaño era diez veces mayor que el suyo, pero él tenía más energía que yo".[12] Nuestra sociedad coloca a la maternidad sobre un pedestal mientras que en la práctica menosprecia y degrada a las madres. Y como a las mujeres les enseñaron a proteger a otros y a negar sus

lo intolerable se convierta en algo que pueda soportarse. La mujer aparenta afrontar la situación, nadie se ve amenazado y el tratamiento evita una crisis que puede ser creativa. Cuando una madre reciente se deprime, es víctima de un sistema social que no logra valorar a las mujeres como madres y que no considera las tareas del hogar o el cuidado del bebé como un "trabajo" verdadero. Es un sistema donde se la aísla de las fuentes de autoestima de las que todos, en general, dependemos y del apoyo que en las sociedades tradicionales proviene de otras mujeres de la familia y del vecindario. Cuando una mujer colapsa ante el estrés, el sistema la rotula como "enferma", le ofrece drogas para ayudarla a continuar y la culpa de manera implícita de su fracaso para adaptarse.

Una verdadera madre

Todos los libros sobre la crianza de niños hablan acerca de cómo ser un padre prefecto y crear a un niño perfecto que sea súper inteligente, amable y afectuoso, seguro, ambicioso en la justa medida, cooperativo, que desarrolle a pleno su potencial, y que sea mérito de los padres.

Antes de que se levante el telón para presenciar esta actuación materna, la madre lee, estudia, medita, comparte y se aprende cuidadosamente el libreto. Elige el parto bajo el agua o en la oscuridad, un parto delicado que hace nacer al bebé como un rito sagrado. Después, la madre lo alza, lo acerca al pecho y, por supuesto, su bebé nunca la abandona, se encuentra piel contra piel y seguro de su amor como madre.

Podrá amamantar durante dos o tres años, llevar a cabo esta tarea de manera adecuada, crear a una nueva criatura radiante, una obra de arte, de amor y paciencia.

En todos los aspectos la madre es coherente, delicada, razonable, liberal, nunca dice que no, nunca rechaza nada, ofrece todo lo que es justo y dulce.

Entonces, ¿qué son estos desagradables sentimientos como gusanos en la lechuga, como un viscoso rastro del ego, como excremento de perro en la suela del zapato? ¿Por qué se le retuercen los intestinos, la quema una ardiente furia, se origina una fuerte ira como espuma sobre mermelada hirviendo y solloza como asfixiada por vómitos? ¿Por qué desea salir corriendo, escaparse de su bebé o retorcerle el cuello?

Se siente agradecida de tener una pareja, un hogar, flores en la ventana. Todo está preparado para el futuro. Pero este odio desbasta la amabilidad, destruye toda esperanza. Se rompe el idilio pastoral que hace que los bebés brillen con confianza y un alto coeficiente intelectual; se rompe su amado Edén con querubines alados en un mundo nuevo y puro. Y usted lo destruye. La culpa la envuelve como una vieja manta fría y el cielo se oscurece. Y las mujeres expresan, cada una desde su prisión, en su propio aislamiento y desesperación: "Debe de ser mi culpa. Nunca debí haber tenido un bebé. No lo merezco… ¿Por qué no puedo ser feliz como otras mujeres?"

La depresión posparto no es un problema personal de la mujer. Es una cuestión política, en última instancia, algo que puede modificarse solamente cuando existe un cambio social.

Aspectos prácticos

La razón por la que escribo de esta forma sobre la crisis que para muchas mujeres se presenta alrededor de las seis semanas no tiene por objeto despertar tristezas y desaliento, sino permitir que toda mujer que atraviesa esta traumática experiencia perciba que no está sola. Hay miles de otras mujeres que también lo sienten, y muchas

más que sobrevivieron a ello en algún momento de sus vidas. Sólo cuando las mujeres nos reunimos para compartir nuestros conocimientos podemos desarrollar la fortaleza y la comprensión necesarias para no sufrir aisladas de todo esto y para recurrir unas a otras en busca de ayuda y apoyo.

Es importante hablar sobre el impacto psicológico generado por un bebé que llora y de la atemorizante fragmentación de la identidad que implica para una mujer, por otra razón: porque la acercan a la necesidad de comprender lo que está atravesando. Una mujer que sufre de depresión puede no ser capaz de darse cuenta de que esta espantosa paralización que siente, como si un muro de vidrio la separara del resto de las personas, es una señal de depresión. Con frecuencia, los amigos y la familia responden a sus necesidades sólo cuando se le atribuye un nombre médico a su situación y se le confiere el estado de una persona enferma. Incluso en ese momento, en general todo lo que se hace es prescribirle drogas para que modifique su estado de ánimo, se le aconseja dejar de amamantar y se le pide a su pareja que la lleve a cenar en alguna ocasión.

En las comunidades tradicionales muy unidas, donde las mujeres comparten el cuidado del bebé y las madres más experimentadas ayudan a la nueva madre a cruzar el puente hacia la maternidad, esta sensación de alienación es extraña. Tener al primer bebé implica ingresar a una sociedad de mujeres con un estado especial y una vida propia vigorosa y multifacética. Incluso en las ciudades, existen redes de apoyo como ésta entre comunidades de inmigrantes y dentro de ciertos grupos religiosos. Las mujeres de la comunidad judía ortodoxa de Londres, por ejemplo, apoyan a aquél que lo necesita de manera efectiva y práctica y establecieron un esquema donde otras mujeres ofrecen un oído colaborador y comprensivo a las madres recientes, ayudan a los niños de edad más avanzada en el momento de comer, llevan y traen a los niños más grandes de la escuela o la guardería, y entregan comidas ya preparadas a domicilio.[13] Cuando las madres llegan, se encuentran con sus bebés en una atmósfera relajada e informal en centros especiales para madres y niños de hasta tres años.

Quizás este tipo de grupos de apoyo sean más fáciles de organizar y funcionen con mayor efectividad cuando las mujeres comparten ideas y valores, de forma que no sólo son extrañas que se reúnen. Pero debería ser posible para cualquier grupo de amigas mujeres, un grupo del vecindario o uno ubicado en el centro de salud de la mujer, para establecer una red de apoyo similar una vez reconocida la necesidad, y puedan desarrollar juntas formas sencillas y confiables de brindar ayuda práctica.

El llanto inconsolable de un bebé no debería desestimarse como el resultado de un tratamiento fallido o defectos de personalidad en la madre. En general, es la consecuencia de un estrés psicológico y está ligado a la impotencia que experimentan las mujeres al vivir en una sociedad adaptada a la fuerza a las necesidades de las madres y los bebés. Cuando las mujeres en nuestra cultura industrial del norte se convierten en madres, en general también se aíslan socialmente y pierden todo el apoyo emocional que podrían recibir de otras mujeres.

Otros factores

Sin embargo, no es solamente una cuestión de aislamiento y soledad. Alrededor del mundo entero, el rol primario de las madres es limpiar la suciedad y desechar los residuos. En muchos países, las mujeres se ven involucradas en tareas con escobas y plumeros, jabón y trapos para fregar, soda cáustica y blanqueadores, secadoras y planchas; transportan agua y madera para el fuego, sacan piojos, ahuyentan a las moscas y protegen la comida de las ratas, ratones y plagas de insectos. Es una batalla constante contra la suciedad y un intento por conservar entre límites la energía de sus hijos, por evitar entrometerse en las vidas de los hombres de forma molesta. En los pueblos carenciados que se extienden como llagas supurantes a través de las colinas que rodean a grandes ciudades de América Latina y del Medio Oriente, en chozas de aldeas con suelos de barro en Asia, en casas precarias construidas con cajas de cartón y viejas carrocerías de automóviles en páramos alrededor de puertos, en

campos de refugiados, incluso en hogares modernos donde hay aspiradoras, lavarropas y lavavajillas –la lucha continúa, día tras día.

Desde una perspectiva antropológica, el llanto de un bebé, al igual que lo producido por los intestinos y la vejiga, los mocos y el vómito, puede considerarse como "un problema fuera de lugar".[14] Las mujeres como esposas y madres pasan la mayor parte de sus vidas lidiando con problemas fuera de lugar en forma de suciedad, heces, orina, sangre y otros productos del cuerpo, manchas de polvo, desórdenes, restos de comida y los residuos que se descartan al preparar las comidas y todo el desparramo de vitalidad de los niños en forma de ruido y movimiento, asegurándose de que se limite a formas culturalmente instauradas.

Las tareas de la mujer se centran en el lugar donde la naturaleza se encuentra con la cultura. Se espera que contengan, canalicen y moldeen la naturaleza para adecuarla a una cultura que sirve a las necesidades de los hombres. Cuando un bebé llora inconsolablemente, es un signo poderoso para todos los demás de que la madre está fracasando en lo que, según le dijeron, era su tarea más básica y de que no puede llevar a cabo de manera satisfactoria las tareas de eliminación de la suciedad y otros problemas fuera de lugar. No se trata solamente de que se subestima el trabajo de la mujer en el hogar o de que sus esperanzas y deseos deben subordinarse sistemáticamente a los requerimientos de los hombres. La agotadora y repetitiva tarea en la que se ven involucradas las mujeres al servicio de sus familias no se notó durante mucho tiempo y fue desvalorizada por cientos de años. Sin embargo, no podría existir cultura alguna sin ella. Las civilizaciones florecieron y se construyeron imperios sobre el trabajo no remunerado de la mujer y sobre nuestras capacidades de nutrición, que se dan por sentadas.

En acción

La depresión

Practique una pequeña autoafirmación.
Mientras lucha durante el día, cuando todo parece
haberle salido mal, piense en sólo una cosa que
haya hecho bien. Reconózcala. Dígase a usted
misma: "¡Lo hice bien!" Puede ser cuestión de solo
media hora de las doce que fueron un desastre,
pero reconocer que durante esos treinta minutos
usted actuó bien le levantará la autoestima y la
ayudará a construir la confianza en sí misma.

Pídale a su pareja o una amiga cercana que le
dé un masaje. Consiga algún aceite o loción de
perfume agradable, caliéntelo, póngase cómoda
sobre una toalla grande o una vieja alfombra
blanda, apoyada sobre almohadas donde las
necesite, y deje que las tensiones se alejen de su
espalda, hombros, nuca y pies con ayuda del
masaje.

Obtenga algún asesoramiento. Los centros de
salud para la mujer y las clínicas también pueden
proporcionar un servicio de asesoramiento o
contactarla con otras personas que ofrezcan
asesoramiento individual o grupal.

Si tiene un médico de la familia que la
comprenda, hable con él o ella sobre cómo se
siente. Incluso media hora puede marcar la
diferencia. Su médico puede brindarle ayuda más
especializada para estos problemas. Puede
preguntárselo si siente que podría ser de ayuda.

Consulte la lista de contactos útiles.
Seguramente encontrará directorios o listas de
organizaciones en su país que quizás puedan
servirle de ayuda.

Siga leyendo. Encontrará otras ideas –aspectos
que otras mujeres descubrieron que las ayudaban–
en el Capítulo 14: La convivencia con un bebé que
llora.

Únase a un grupo de mujeres para buscar apoyo.

Medite y practique la autoafirmación. Concéntrese en
lo que hizo bien.

El padre del bebé que llora

Una pareja que comparte de igual modo el cuidado del bebé, que se levanta a medianoche para atender al bebé que llora, que le cambia los pañales, prepara el baño, que conoce los ciclos de temperatura adecuadas para batitas y sacos tejidos, que nota cuando se están agotando las provisiones esenciales de pañales, jabón, papel higiénico y productos para el bebé y se ocupa de reponerlas, que puede preparar rápidamente una comida deliciosa sin hacer desorden y dejando la cocina inmaculada, que pasaría horas acunando, abrazando y calmando al bebé cuando está molesto –sin solicitarle nada de esto... alguien que no demande elogios o gratitud, sino que dé por sentado que debería hacerlo... una persona sensible, comprensiva y delicada, que valore más las relaciones humanas que los logros... esa es la imagen de un nuevo hombre. Es aquél que pocas madres de bebés que lloran reconocen en sus parejas.

Mi investigación sugiere que los padres ayudan pero en sentido amplio, creen que es la mujer la que debe cuidar al bebé. Dos tercios de los padres de bebés que lloran dan una mano cuando les es posible, como asistentes en lugar de personas a cargo del cuidado principal del bebé. Lo hacen para que la mujer pueda llevar a cabo otras tareas del hogar. Sostienen al bebé o lo alimentan con mamadera mientras ella prepara la comida, por ejemplo. El cuidado más concentrado del bebé –que en realidad debe asumirse– está limitado a esos momentos en que el hombre nota que la mujer no puede más ya que llora o se encuentra al borde del colapso. Incluso en ese momento, algunos hombres nunca se dan cuenta de que una mujer necesita desesperadamente ayuda.

Esto ocurre en todas las clases sociales. Algunas veces se supone que los hombres de clase media comparten el cuidado del bebé más que los hombres de grupos con ingresos bajos. Esto no es cierto en el caso de los padres de bebés que lloran. En realidad, el trabajo de los padres de clase media se desborda ocupando el tiempo en que no trabajan, de forma que los momentos disponibles para el cuidado del bebé están limitados. En especial las mujeres cuyas parejas son profesionales hacen referencia a los compromisos fuera de las horas de trabajo. Estos padres se preocupan con frecuencia por la pérdida de espacio propio provocada por un bebé que llora y las mujeres se sienten ansiosas y culpables cuando el hombre se irrita o no es capaz de dormir lo necesario durante la noche.

La madre de clase media es, además, más propensa a alimentar a pecho al bebé –y durante mayor tiempo.[1] Esto limita también la ayuda proporcionada por los padres de clase media. Las madres que amamantan expresan, con frecuencia, que ya que la forma más obvia de calmarlo es dándole el pecho al bebé, no hay manera de que puedan tomarse un descanso de un bebé que llora constantemente.

En la mayoría de las familias, independientemente de la clase social, cuando una mujer no trabaja fuera de su casa y el bebé llora durante toda la noche, las mujeres se preocupan ya que el hombre debe trabajar por la mañana. Por ello se ocupan del bebé durante noches interminables; así, ignoran el hecho de que ellas también tienen trabajo que hacer por la mañana. Esto refleja la prioridad dada al trabajo remunerado por sobre el no remunerado. El sustento familiar depende, en general, de que una de las partes pueda continuar ganando dinero –por lo general, el hombre. También está relacionado con la presentación de una "cara pública" en el trabajo. La forma en la que se presenta frente a los demás tiene prioridad sobre la mujer, cuyo trabajo probablemente sea en la casa y que puede, si es necesario, andar todo el día en jeans y pulóver. Las mujeres llegan a instancias increíbles para proteger a sus parejas en su rol económico tradicional y para ayudarlos a preservar esta imagen pública del hombre con responsabilidades fuera del hogar.

Algunos hombres desempleados comienzan a volverse padres más activos y lo encuentran divertido. Pero cuando un hombre ronda por la casa la mayor parte del día, una mujer puede sentirse igual, o incluso más preocupada por proteger el ego del hombre, y duda en pedirle que acepte trabajos "femeninos". Una mujer que sufrió infecciones uterinas recurrentes tres meses después del nacimiento del bebé, me contó que se preocupaba por no tener el tiempo suficiente para dedicarle a su marido y por no mantener la casa lo suficientemente ordenada. Su marido desempleado la ayudó durante las primeras dos semanas después de que nació el bebé, pero luego le dijo que se sentía "limitado" y quería volver a ser "normal", y comenzó a ausentarse de su casa para juntarse a beber con amigos.

En general, las mujeres expresan asombro y admiración cuando sus parejas las ayudan en algo con las tareas del hogar o con el bebé. Obviamente no lo esperan. Algunas veces afirman que las demás personas –familiares y amigos– comentan qué maravilloso es como esposo y padre. Parece ser que estos hombres reciben bastantes elogios y gratitud por hacer algo que por lo general, no es típico del sexo masculino y que está por encima del modelo de rol tradicional de la paternidad.

Se anunció mucho al nuevo hombre, pero su llegada parece estar demorada. Muchos padres no pueden tolerar que el bebé llore y tienden a sentir que es responsabilidad de la madre y que es ella quien debería detenerlo. Les preguntan: "¿Por qué no le das de comer?" Hacen sugerencias respecto de qué hacer, lo que la madre ya intentó. Si la situación se complica demasiado, suben el volumen de la televisión. Cuando ya no soportan más el llanto, abandonan la habitación (dando un portazo), o se van de la casa ya que recordaron algún negocio urgente en otro lugar. Algunos escapan para reunirse con un grupo de amigos. Otros van a la casa de su madre.

A pesar de que puede parecer una concepción actual muy negativa, es una de las que surge a partir de las descripciones dadas por las mujeres respecto del comportamiento del hombre en el hogar. Una de cada tres mujeres afirma que su

pareja no hace nada para ayudarla cuando el bebé llora. Y aquellos que se ofrecen a ayudar tienden a optar por irse si el llanto continúa. Con frecuencia, el hombre alza y acuna al bebé cuando empieza a llorar pero le pide a la mujer que se aleje con el niño cuando éste continúa llorando y siente que ya no puede tolerarlo. Uno de cada cuatro hombres se aleja para no escuchar el llanto y cuando éste persiste, uno de cada diez hombres comienza a gritar o se vuelve físicamente violento.

Los hombres afirman con frecuencia que la realidad de la paternidad les llega como un terrible shock. Deberían darse cuenta de que la maternidad también es generalmente un shock. Sin embargo, es cierto que los hombres cuentan con una menor preparación que las mujeres para la paternidad. Tal como me contó un hombre que se hace cargo por completo de su bebé: "No tuve la oportunidad de asistir a clases de preparto "para mujeres". Las "noches de padres" significaron un valiente esfuerzo, pero, en general, me sentí muy excluido del embarazo. Nuestros intentos por compartir la experiencia se vieron limitados por la máquina médica", y expresa haberse sentido "dolido, enojado y perplejo". No solamente los hombres carecen de preparación práctica alguna para la vida después del nacimiento del bebé, sino que tampoco están preparados para los sentimientos conflictivos y, con frecuencia, molestos que pueden tener como padres y se muestran en general renuentes a hablar de sus deseos y temores. Un hombre lo expresó de esta forma:

Cuando comencé a cuidar a mi bebé, me encontré chocando todos los días con los límites de mi crianza como hombre. Nada en mi experiencia de vida, nada que hubiera observado en otros hombres o en mi padre me preparó para asumir este rol… Mi identidad como hombre, toda mi vida había sido organizada alrededor de actividades y eventos fuera de mí y de mi casa. Todo se había relacionado con mi modo de actuar en el mundo que me rodeaba y al hacer esto, esperé que otros me apoyaran emocionalmente. Las relaciones personales, mi vida emocional, lo doméstico y los niños –viví en una cultura que degradaba su importancia y carácter central en la vida de las personas.[2]

Con frecuencia se afirma que se presta atención insuficiente al rol de padre, que los psicólogos y sociólogos no se han ocupado de ello en sus estudios de familia y que no hay suficiente material publicado sobre padres y para ellos.

Descubro que cada vez que doy conferencias sobre convertirse en madre y las experiencias del parto y de amamantar, siempre hay alguien entre el público que considera que no me estoy ocupando de los padres y desea que me concentre en sus necesidades. (En general, se trata de un hombre). Los editores están abiertos a explorar el "otro lado" del rol de padres, hay películas y comedias sobre padres, periódicos y revistas que examinan en detalle cómo se imaginan a actores, cantantes y futbolistas famosos en su rol de padres. Elogian a esos padres excepcionales –por ejemplo, uno cuya esposa es parapléjica, otro que es toda un ama de casa de tiempo completo– que actúan como modelos de rol para todos los padres más comunes.

Si contemplamos más de cerca la forma en que los medios presentan los testimonios de paternidad, resulta claro que estas historias se producen para mujeres, no para hombres. La mayoría del material sobre paternidad se encuentra en las revistas para mujeres y en programas de televisión o radio –cuya mayor audiencia está integrada por mujeres. En los periódicos, aparecen en la página dedicada a la mujer. La historia de gran interés humano de la paternidad se considera principalmente una preocupación femenina. Por ello, a nivel de la cultura popular y los medios masivos de comunicación, hay pocos recursos para preparar a un hombre para los cambios que se producen en su vida cuando llega el bebé.

Podría pensarse que dado que existe un interés tan animado en la paternidad, se debe estar atravesando un proceso de asombroso cambio. Esa es, con certeza, la impresión dada. Nos cuentan que los padres de hoy son muy diferentes de lo que fueron sus padres, que dedican mucho más tiempo a sus hijos y hacen por ellos cosas que sus padres nunca hubieran soñado hacer.

Este es un aspecto de la mitificación de la paternidad moderna. En realidad, los sociólogos y psicólogos revelan que la mayoría de los hombres se comprometen poco con el cuidado del bebé y de la casa.[3] Una encuesta sobre el hombre y las tareas del hogar indicó que el 61% dijo que no había utilizado la aspiradora durante la semana anterior, solamente el 21% hizo algún lavado y cuando lo hizo, sólo trató, en general, de arrojar la ropa dentro del lavarropas, y sólo el 19% planchó. A pesar de que justo la mitad afirmó haber lavado los platos, los hombres usualmente se limitan a las tareas masculinas como pintar y decorar, reparar electrodomésticos o juguetear con el automóvil.[4] Charlie Lewis, un psicólogo que investigó lo que ocurre cuando los hombres se convierten en padres, descubrió que no son tan diferentes a sus padres. Dada la forma de organización de la sociedad occidental, la paternidad se considera un "lujo" superfluo a la "necesidad" de la maternidad. "En realidad, es difícil encontrar pruebas de los "nuevos padres".[5] Concluye que: "La paternidad verdaderamente participativa no será normal hasta

que se efectúen grandes cambios fuera del ámbito familiar –en los acuerdos sobre el cuidado de los niños y en la división sexual de las tareas en el ámbito de trabajo".[6] El marketing del "nuevo hombre" ha sido enérgico, pero en su mayor parte anuncia un personaje puramente ficticio.

Durante el embarazo

Cuando los hombres hablan sobre el nacimiento de sus bebés, es evidente que para muchos de ellos, el embarazo es un tiempo inquietante. Están ansiosos respecto de la responsabilidad que están asumiendo, de los problemas económicos que puedan surgir y del cambio irrevocable en sus vidas al "sentar cabeza". Muchos temen, en secreto, perder a la mujer a causa del bebé o que a ella le pase algo o incluso morir durante el parto.

Un hombre puede estar avergonzado de lo que siente. O puede no tomar conciencia de lo que está ocurriendo en su interior. Los padres se encuentran, con frecuencia, frente a un doble vínculo cultural. Se espera que participen plenamente en el embarazo, el parto y el cuidado del bebé recién nacido pero reciben toda clase de mensajes que les indican que son ajenos a la situación. "Me sentí olvidado", me contó un hombre, "dejado de lado", y agregó, casi con envidia, "¡Ella era tan arrogante con su embarazo!" Tal como explica un psicólogo que es padre:

El doble vínculo es resultado de la inconsistencia entre lo que se les dice a los padres –"por favor, involúcrese"– y las ideas no expresadas de último momento –"con excepción de sus sentimientos negativos". Para estar verdaderamente involucrado, un padre reciente debe tomar contacto con sus sentimientos. Pero al hacerlo, no todos son positivos. Por momentos, se sentirá tan asustado, preocupado, triste y enojado como su esposa.[7] Durante esta transición crucial en la vida de una pareja, se enfatizan los estereotipos de género. La mujer embarazada aún tiende a describirse como pasiva, repleta de miedos expresados a medias, tímida, incapaz de concentrarse o involucrarse en trabajos intelectuales y emocionalmente inestables. Por otro lado, se supone que el hombre es lógico y realista. Es el protector, proporciona seguridad económica y le ofrece un fuerte hombro donde llorar.

Las mujeres, en general, no encajan dentro de este estereotipo. Y lo cierto es que los hombres tampoco.

Después del nacimiento del bebé

Con frecuencia, un padre reciente se siente abrumado por emociones que no comprende. Al principio, puede estar encantado, pero pronto toma conciencia de la pesada carga de responsabilidad y de las limitaciones sobre lo que puede hacer a partir de ese momento y en el futuro. La mayoría de los hombres entrevistados destaca esta carga de responsabilidad y el sentimiento de que se cerraron puertas en sus vidas –que ahora tienen un hijo y tendrán que privarse de ciertas cosas, cosas que nunca van a tener la libertad de hacer. Pueden amontonarse otras emociones confusas, además, que un hombre se siente avergonzado de admitir. Aquél que nunca resolvió la confusión emocional que sintió cuando su madre tuvo otro bebé puede revivir esta experiencia y ser incapaz de controlar la violencia del resentimiento. Un hombre que fue hijo único experimenta ahora el shock de notar que ya no es el único o el más importante. La madre y el bebé son el centro.

Con el nacimiento de un primer hijo, un hombre también se enfrenta a su propia mortalidad. Hasta ese momento, pertenece a la generación joven. Es un niño para sus padres. Ahora, hay un bebé que lo sobrevivirá. Siente que debe alcanzar algo en su vida más que su bebé. Su trabajo puede volverse en especial importante. Esto, combinado con una creciente sensación de responsabilidad económica, conduce a una sensación de urgencia.

La vida se ve como más preciada y frágil. Los hombres expresan conducir con mayor cuidado y no correr riesgos como lo hacían antes de que el bebé naciera. El hombre que antes tenía una vida bastante libre y sencilla, que sentía que podía actuar en forma independiente y optar, siente que ya no puede hacerlo. Lo invade un manto de penumbras. Se espera que sea feliz. Las personas lo felicitan por ser padre. No obstante, se siente inexplicablemente deprimido.

Una encuesta llevada a cabo por la revista *Parents* en Australia descubrió que muchos padres aceptan su parte en el cuidado del bebé durante las primeras semanas, pero al darse cuenta de que la mujer puede hacer todo de mejor manera, se rinden. La mayoría asume mejor el cuidado del bebé ya sea cuando junto con sus parejas, ambos conocen poco sobre bebés, o bien cuando asistieron juntos a cursos sobre el rol de padres y ambos se encuentran bien informados. Muchos hombres se frustran y se sienten "degradados" cuando solamente pueden cambiarle los pañales al bebé. Algunos lo compensan convirtiéndose en especialistas en baño o preparar las mamaderas y encuentran gratificantes estas tareas. Otros nunca desarrollan la confianza para hacer nada por sus bebés y notan la ansiedad de sus parejas respecto de que no pueden hacerlo de manera adecuada. Por ello, dejan que la mujer se haga cargo de todo. El resultado es que la mayoría de los padres limitan su participación a "un poco de juego durante la tarde y a cierta interacción con un bebé recién cambiado y alimentado".[8]

En realidad, la mayoría de los hombres supone que la mujer debe ser la principal persona a cargo del bebé. Es más probable que tengan trabajos fuera de la casa que hagan difícil asumir una responsabilidad continua respecto del cuidado del bebé. Esa es la forma en la que está organizada nuestra sociedad. Toda pareja que desea hacerlo de manera diferente, necesita tener estrategias bien planificadas, que están ampliamente en conflicto con nuestra cultura aceptada sobre la crianza de los niños. Esto surge claramente en los comentarios efectuados por las mujeres en mi propio estudio sobre parejas que intentan ayudar.

Mi marido no tiene demasiada paciencia. En general, me permitía calmar al bebé cuando lloraba, como si creyera que fuera sólo mi bebé y yo debiera tranquilizarlo. No parece darse cuenta de lo agotador que es tener un niño de dos años y medio detrás de uno en forma constante, durante todo el día, hablando sin parar y estar con el bebé despierto en medio. Luego, cuando el primero se va a la cama y todo podría estar tranquilo, el bebé se despierta durante cuatro horas mientras él estuvo trabajando tranquilamente en la oficina. Esto es algo imposible de describir bien para que sea comprendido a menos que se lo haya experimentado.

Mi marido me brindó todo el apoyo que pudo pero no fue suficiente. No sabía qué ayuda o consejo proporcionarme. Por eso, si el bebé atravesaba un momento difícil, él generalmente salía. Es granjero. Dado que trabaja muchas horas, nunca cambia o baña al bebé, ni le da de comer.

Una mujer describió su experiencia con un bebé que lloraba, luego de una cesárea, de la siguiente manera:

No tenía la más mínima preparación sobre la forma en que debía actuar. Mi marido no comprendía por qué no volví a mi estado normal tan pronto como regresé a casa. No tenía nadie que me ayudara porque él volvió a trabajar de inmediato. Mi pareja parece desmoronarse cuando Rally grita. Inevitablemente, terminamos discutiendo. Puedo manejarlo ahora (después de un año) pero cuando ella era más pequeña necesité demasiado apoyo moral.

Otras mujeres expresan: "Mi marido ha sido muy compasivo pero también le resulta muy agotador tener que administrar su propia empresa y llegar a casa para escuchar un bebé que llora y encontrarme exhausta y con el pensamiento de que aún tiene trabajo para hacer con un bebé que llora y lo distrae de sus cifras". Y "Mi marido pasa mucho tiempo en proyectos y sólo me apoya cuando no tiene nada más que hacer."

Cuando un hombre acepta un trabajo en su casa o con el bebé puede creer que es capaz de hacerse cargo. Con frecuencia, se encuentra al mando y las mujeres hacen las cosas que se les pide.

Si la madre siente que tiene una comprensión especial por lo que está atravesando el bebé que llora, o siente que cuenta con capacidades para darle de comer, capacidades que el hombre aún no adquirió, para ella tiene sentido ayudarlo a que aprenda formas eficaces de tratar al bebé. No obstante, si hace sugerencias, él las toma, con frecuencia, como un desafío a su autoridad y experiencia:

Cuando él estaba presente, quería tener control total, no ayudar. Esto hacía sentir infeliz al bebé. Hacía cosas para molestar al bebé, como quitarle la mamadera cuando estaba comiendo bien, lo que, por supuesto, lo inquietaba. No parecía comprender, no le gustaba que le dijeran qué hacer, no disfrutaba de acostar al bebé o verlo dormir. Nunca comprendió que tanto el bebé como yo nos cansábamos. Las cosas se pusieron tan mal que ahora que el bebé tiene ocho meses, encontré el coraje y el apoyo para librarme de mi novio.

Hay otros obstáculos para los hombres que adquieren capacidades para cuidar a los bebés. No están acostumbrados a tratar con los fluidos corporales de otras personas y pueden sentirse rápidamente descompuestos como consecuencia de los pañales sucios. El antropólogo Levi-Strauss indica que existe una vasta diferencia entre lo crudo y lo cocido, y que representan lo natural y lo culturizado.[9] En la mayoría de las sociedades, las mujeres procesan la naturaleza cruda, no domesticada y los hombres sólo ven el producto terminado, lo "cocido". De la misma forma, las mujeres están acostumbradas a soportar la menstruación y la eliminación de tampones y toallas higiénicas manchadas con sangre. En muchas sociedades, son, además, responsables

de la crianza desde pequeñas, cuidando bebés y niños más pequeños y ocupándose de sus desechos. Los hombres están muy lejos de esto. Tal como me contó una mujer: "Mi marido nunca le da de comer al bebé ni lo cambia ya que siente mucha aprensión a cualquier tipo de desorden, incluyendo el provocado por una beba de nueve meses que intenta alimentarse sola". En realidad, los padres mencionan el cambiar los pañales como la tarea que menos les agrada.

En general, un hombre no se encuentra preparado en absoluto para el cambio forzado en su estilo de vida cuando llega un bebé y sufre un shock por la forma en que todo gira alrededor del bebé recién nacido. Llegar a su propia casa por un angosto pasillo abarrotado de obstáculos, los tiempos de sus comidas y su calidad y variedad, encontrar algún espacio libre donde apoyar algo, el agua caliente –incluso la disponibilidad del baño– paz para trabajar, la oportunidad de dormir cuando lo necesita, y su acceso al tiempo y atención de la mujer –todo esto se vuelve problemático. Las madres, además, tampoco están preparadas para el cambio, pero el shock es mayor para los hombres porque están acostumbrados a ser servidos por la mujer y tienden a sentir que la madre debería ser capaz de ocuparse de todo y de administrar bien la casa y tener un bebé feliz, con cierto tiempo para estar juntos. Cuando esto no ocurre, un hombre puede sentir que ha caído en una trampa: "Necesitaba relajarme a mi modo y noté que no podía"; "Había deseado ser independiente. En ese momento, sentí que no había oportunidad. De pronto, me vi atrapado por esa persona por el resto de mi vida"; "Sentí que estos niños me estaban tomando el pelo y nunca iba a poder librarme de ellos".

Algunos padres sienten que la mujer los abandonó. Muchos hombres experimentaron un divorcio, ya sea el de sus padres o el propio luego de un matrimonio anterior, y esto puede conducir a que se sientan especialmente inquietos por ser reemplazados por el bebé, incluso cuando con frecuencia, no toman conciencia de ello. Se sienten dejados de lado y excluidos del vínculo cercano entre la madre y el bebé. Ninguno exterioriza sus sentimientos y si un hombre comienza a

reconocerlos, tiende a sentirse muy avergonzado. Cuando el bebé llora, es casi como si la angustia del bebé expresara clandestinamente sus propios e intensos sentimientos, y esto contribuye a su irritación e incapacidad de afrontar la situación. Quizás esto le ocurre al hombre que, según su esposa, "no puede tolerar que el bebé llore. Por ello, debo ser yo quien lo calme, preferentemente callando al bebé tan pronto como sea posible, ya que lo pone sumamente nervioso. Saber que se irrita hace que el llanto parezca diez veces peor y me hace sentir muy culpable".

Para la mujer, es como tener dos bebés en la casa. Uno es el recién nacido. El otro es su pareja. Una mujer que expresó que su pareja "esperaba que todo continuara como si nada inusual hubiera ocurrido. Incluso esperaba que la cocina y las tareas del hogar fueran llevadas a cabo en forma normal", a pesar de que el bebé lloraba durante horas, se sintió emocionalmente asilada y luego de unos meses de esta situación, recibió tratamiento psiquiátrico por depresión. Otra me contó:

Si tenía que salir sin el bebé, mi marido se molestaba porque pensaba que iba a dejarlo con él. La mayoría de las veces regresaba después de cinco o diez minutos y encontraba al bebé gritando en la cuna y a mi marido mirándose en el espejo. Era un completo inútil. No alzaba al bebé –ni siquiera cuando yo iba al baño– no me ayudaba con la comida y, por supuesto, no hacía las compras. Si le pedía ayuda, me decía que era una inservible ya que no podía organizarme.

El bebé continuó llorando, ella intentó sin éxito aplacar a su pareja y él recurrió con frecuencia a la violencia física contra ella. El llanto continuó hasta varios días después de que lo dejó, cuando de pronto, se detuvo.

Históricamente, y hoy en día en la mayoría de las culturas, los bebés son la responsabilidad de mujeres y niñas –hermanas mayores y niñeras– y los hombres tienen poco que ver con ellas. En occidente, se desarrolló la relación entre los hijos y su padre, en cierto modo, sólo cuando el varón tenía la edad suficiente como para ir a pescar o jugar al tenis con él. En el resto del mundo, los varones se convierten en arrieros o ayudan a los hombres a labrar el campo y, poco a poco, se inician en las actividades económicas adultas a través del trabajo junto a sus padres. Hasta ese momento, son tarea de la mujer. Las niñas trabajan con sus madres y para ellas y, a pesar de que son propiedad del hombre, pueden tener alguna relación personal con él, aunque sea estrecha.

Los registros que tenemos de las actitudes paternas hacia los bebés en occidente sugieren que, durante siglos, fueron considerados, en el mejor de los casos, como los juguetes más adorables para colgar de las rodillas, siempre y cuando se comportaran como es debido. En Europa, los menores de familias adineradas eran puestos al cuidado de nodrizas o madres adoptivas hasta que dejaban de ser bebés. En Gran Bretaña, esto se aplicaba a varones de las clases altas a través del sistema escolar estatal a lo largo de toda la niñez, mientras que a las niñas, bajo la tutela de una institutriz, no se las veía ni escuchaba hasta que adquirían la edad suficiente como para casarse. Así, se institucionalizó una distancia social rígida entre padres e hijos.

Al carecer de familiaridad o comprensión frente a los bebés, no es sorprendente que algunos hombres les tuvieran temor. El filósofo William James, que describió el estado psicológico de un bebé como una "confusión de estruendos y zumbidos", puede haberse sentido en esta condición mental ya que cuando nació su primer hijo partió de inmediato para pasar un verano en el extranjero. Cuando el nacimiento de su segundo bebé fue inminente, se tomó un año sabático en el continente.[10] H. G. Wells hizo un viaje en bicicleta que duró 10 semanas cuando nació su primer hijo, durante el cual escribió cartas ocasionales a su familia pero sin revelar sus planes o paradero. Cuando nació su segundo bebé, Jane lo obligó a volver de una caminata en los Alpes, asegurándole que, a pesar de que ahora era "padre", ella continuaría siendo su "compañera de juegos".

Como consecuencia de contar con una red de escape proporcionada por el trabajo y otros compromisos fuera del hogar, una de la que en general la mujer no goza, los hombres se alejan de los problemas relacionados con un bebé que llora. Además, organizan compromisos sociales con otros hombres que preponderan sobre el cuidado del bebé –incluso cuando están desempleados. Algunas mujeres describen cómo las parejas que no tienen trabajo las dejan solas para hacer la mayoría del trabajo del hogar y ocuparse del bebé, mientras se encuentran con amigos en esquinas o en bares de la zona o se concentran en algún proyecto de remodelación de la casa. Un elemento para conservar el orgullo masculino frente al desempleo consiste en mantener los roles masculinos y femeninos tradicionales respecto de las tareas del hogar y en una negación a efectuar concesiones en caso de que se modifiquen las circunstancias.

Cuando les pregunté a 30 padres involucrados por completo, que leían una revista sobre el rol de padres acerca de sus sentimientos justo después de que sus bebé nacieran, describieron sus emociones positivas principalmente como "logro", "orgullo", "importancia", placer de haber "demostrado mi hombría" y algunas veces, si se trataba de un varón, de tener un heredero. Pero afirmaron sentir también una carga tremenda de responsabilidad, de verse con frecuencia abrumados por el temor a no poder hacerse cargo del bebé y de estar ansiosos por perder su libertad y tener que desempeñar un "papel secundario" para el bebé.

Cuando un bebé llora y un hombre no puede hacer nada al respecto, lo golpea en la raíz de su masculinidad y se siente privado de la sensación de logro y poder que era un elemento vital en la satisfacción de ser padre. Si el bebé continúa llorando durante semanas o meses, lo invaden sentimientos cada vez más negativos.

Para un tercio de los hombres, estas emociones negativas comenzaron con el nacimiento. Expresan haberse sentido "innecesario y solo", "indefenso", "culpable de causarle dolor a mi esposa", "en pánico", y a pesar de que habían hecho planes juntos para el nacimiento, fueron absorbidos por un sistema médico donde "se comenzaron a tomar todas las decisiones por ellos y la tecnología tomó el mando". Excitados y encantados por el nacimiento de sus bebés, estos hombres, al igual que sus parejas, comenzaron a ejercer su rol de padres, según las palabras de uno de ellos, con "un gran sentimiento de impotencia". Otro describió cómo "luego del nacimiento llegó la depresión. Fue terrible. Salí, me reuní con un amigo y fuimos a embriagarnos".

A pesar de que la mayoría de los hombres no se deprimió tanto, algunos indicaron que el tiempo posterior al parto fue un anticlímax:

Todo había sido tan establecido en el parto que lo que siguió, es decir, el bebé, pareció bastante irrelevante. ¿Qué se suponía que debíamos hacer ahora? Definitivamente, estaba demasiado preparado para el parto y nada preparado para la paternidad. Mi esposa y yo nos hubiéramos ido bastante felices a casa sin el bebé. Ninguno de los dos sintió amor espontáneo alguno hacia el bebé… No puedo decir que haya sentido mucho más que lo que hubiera sentido por una mascota indefensa.

La tarea de compartir

Algunos hombres comparten tanto como les es posible respecto del cuidado de un bebé que llora. No sólo ayudan; aceptan su responsabilidad. Las mujeres que tienen parejas como éstas afirman no tener idea de cómo lo harían sin ellas. En beneficio de los hombres que leen estas páginas y a los que les gustaría ser capaces de apoyar mejor a sus parejas, puede ser de gran ayuda escuchar lo que las madres de bebés que lloran tienen para decir sobre los hombres que comparten.

Dedican tiempo: "Como mi marido estaba desempleado, estuvo en casa conmigo las seis semanas posteriores a que regresé del hospital. La única forma en la que puedo describir la versátil relación que involucraba a nuestro hijo y al bebé recién nacido es que en la casa había dos madres. Hoy en día, mi marido sigue actuando de igual modo. Es maravilloso con los dos".

Tienen afinidad por los sentimientos de sus parejas: "Si no hubiera sido por la paciencia, apoyo, amor y comprensión de mi pareja, hubiera saltado desde el puente Chelsea". Este hombre trabaja muchas horas extras ya que necesitan el dinero, pero ella afirma: "Fue maravilloso y a pesar de que regresaba exhausto del trabajo, aún me ayudaba".

Asumen de hecho la responsabilidad de las tareas del hogar y el cuidado del bebé con alegría: "Tanto en el sentido práctico como emocional, él fue la persona que más me ayudó. Nunca se quejó y si era necesario hacer algo, ya sea en la casa, o bien por el bebé, simplemente lo hacía. Estuvo ahí para aliviarme de las presiones y sin él me hubiera deprimido por completo".

Se hacen cargo por completo cuando es necesario: "Él se hace cargo de la situación hasta que me siento capaz de volver a ocuparme"; "A los ocho meses, casi no podía tolerar ver al bebé a la noche y tuve que pedirle a mi marido que me ayudara para no lastimar al bebé. Lo llevaba a caminar para dormirlo y algunas veces compraba el periódico a las 5:30 en alguna tienda de la zona"; "Él me da confianza y pasa cada tarde intentando calmar a nuestro bebé. En varias ocasiones, lo acunó para que pudiera dormir".

Demuestran el amor por sus parejas en forma práctica. Estas mujeres enfatizan que el hombre tiene un doble rol, el de relajar, acariciar y proteger a

la mujer y cuidar al mismo tiempo al bebé. Por ejemplo, una mujer estaba agradecida de que cada vez que su pareja notaba que ella se estaba poniendo tensa con el llanto, alzaba a la beba y jugaba con ella, cantando o caminando por el jardín.

Muchos hombres actuaron de esta forma durante aproximadamente una semana pero no continuaron haciéndolo cuando regresaron al trabajo, o bien, según las palabras de una mujer: "una vez que la novedad se había desvanecido". Una pequeña proporción siguió haciéndolo, aprendió más a medida que avanzaban, desarrolló el rol en la alimentación y compartió el cumplimiento del rol de padres. Otra mujer expresó: "Si no fuera por mi marido, no podría tolerarlo, ni siquiera ahora que la beba tiene nueve meses. Hace todo lo que yo hago. Eso incluye levantarse si se despierta durante la noche, darle de comer, cambiarla, caminar por el parque, jugar. No tengo que pedírselo. Simplemente lo hace". Y este adorable y cuidadoso comportamiento es constante y continúa a medida que el niño crece. En términos de la nutrición y cuidado de sus bebés, dos padres perceptivos lo expresaron de esta forma: "Al principio, intenté comprenderlo todo desde la lógica. Controlaba una lista mental para ver si el bebé tenía todo y no lograba comprender por qué seguía llorando. Después, comencé a intentar diferentes clases de comportamiento, acercándome a mi hija con sentimientos y entonces, comencé a comprenderla"; "De pronto, dejan de existir las reglas. Lo que hoy calma puede no funcionar mañana. Uno vuelve a aprender, se vuelve más flexible y mentalmente más generoso. Se arrojan las ideas inflexibles por la ventana". Este hombre afirma que obtuvo como resultado el cambio de calidad en su comportamiento respecto de sus compañeros de trabajo y amigos y lo llevó a ser más cuidadoso y perceptivo.

Tómese tiempo para hablar de los cambios a efectuar.

Tome nota del plan de acción.

En acción

Mejorar el rol del padre

Hable sobre los cambios. Siéntense juntos y si apenas pueden meter bocado cuando el bebé llora, discutan los cambios que ambos consideran necesarios en la vida diaria. La mejor voluntad del mundo, el amor romántico más delicado, la mayor pasión erótica, no compensan la falta de ayuda con los platos y los pañales sucios y alguien que se levanta alegremente durante la noche para calmar a un bebé que no puede dormir y que pasa toda la noche dándole palmaditas en la cola, acunándolo, cantando, caminando, bañándolo y repitiendo lo mismo, satisfaciendo sin sentido lo que los bebés quieren.

Los hombres son excelentes para hacer planes, construir grandes esquemas y establecer reglas. Lo que la madre necesita ahora es una situación cambiante donde los requerimientos que le hacen mañana bien pueden ser diferentes de los de hoy. Al desarrollar la forma en que ambos quieren que sean las cosas, la mujer puede comenzar diciendo: "Quiero que me ayudes con…" y luego, emplear cierto tiempo expresando con exactitud que es lo que desea de su pareja. El hombre debería simplemente escuchar sin interrumpir.

Desarrollen juntos los aspectos prácticos. Exploren cómo el hombre puede cumplir con las necesidades de su pareja. A pesar de que algunas de las cosas que desea la mujer puedan parecer triviales, la madre de un bebé que llora tiene necesidades desesperadas –y cualquier modo en que el hombre pueda satisfacerlas es como descubrir agua en el desierto.

Desarrolle o adquiera habilidades. Para ser capaz de apoyar efectivamente a su pareja, el hombre deberá adquirir nuevas habilidades o desarrollar aquellas que no consideró importantes. Por ello, otro elemento de la negociación consiste en idear la forma de aumentar sus capacidades. Esto implica un proceso de aprendizaje. No se puede esperar que las perfeccione en una noche. Anote cada una de las habilidades que sea necesario aprender.

Tomen nota de lo que acordaron. Cuando hayan llegado a algún tipo de acuerdo respecto de lo que debería hacerse y de la forma en que debería hacerse, tomen nota de estas cosas. Cada uno conserve una copia. Son parte de un contrato. Luego de un par de semanas, léanla para verificar que se estén cumpliendo. ¡Incluso podrían mejorarlas! O podrían estar preparados para una siguiente etapa en la que se incorpore lo que ya aprendieron.

Adquiera las habilidades necesarias para prestar ayuda.

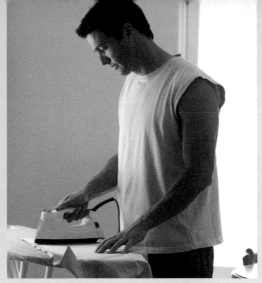

Intente hacer algunas de las tareas más comunes en la casa.

Para cualquier hombre

Al leer sobre cómo algunos hombres nunca ayudan en la casa o con el bebé, puede sentirse bastante conforme con usted mismo. Usted ayuda cuando puede. Se siente satisfecho de asumir una parte justa de las tareas de la casa y sabe cómo tratar al bebé. Usted es diferente.

Quizás así sea.

Piense en lo que ocurrió ayer. Mientras aún esté presente en su mente, preocúpese exactamente por lo que pasó ayer. En papel cuadriculado, divida las 24 horas en segmentos de media hora, indicando el tiempo a lo largo de un eje del gráfico. Luego, designe símbolos para representar el trabajo fuera de casa, las tareas del hogar, las horas de sueño, la comida, los juegos con el bebé, el hacer cosas con el bebé, las compras, la preparación de la comida y demás. Haga una lista de todo esto en la parte inferior del gráfico y luego complétela para poder apreciar de inmediato cómo pasó su tiempo.

¿Qué proporción corresponde a las tareas del hogar y al cuidado del bebé? ¿Está perdiéndose de compartir su rol como padre como consecuencia del trabajo que trajo a su casa y le consume tiempo? ¿Está más inclinado a jugar con el bebé o a ocuparse cuando el bebé duerme o se comporta "bien" al asumir todo el trabajo que implica un bebé? Si cocina, ¿planea además las comidas, hace las compras, lava los patos y limpia luego la cocina? ¿Destina una cantidad desproporcionada de tiempo a la jardinería, al auto o a trabajos que no le dejan tiempo para ocuparse de las tareas comunes, rutinarias y repetitivas en la casa?

Grafique los cambios. En algunos días, haga otro gráfico y vea cómo se modificaron las proporciones. Cambie de días de la semana a un fin de semana, o viceversa. Intente llevar un registro de una semana completa para poder apreciar el patrón general. Su pareja podría hacer lo mismo para comparar los gráficos.

La nuestra es una cultura que obliga y brutaliza a los hombres por medio de la institucionalización del poder masculino sobre las mujeres y los niños y oprime y degrada a la mujer mediante las expresiones sagradas de "maternidad" y "familia". Las mujeres y los niños son víctimas, pero paradójicamente, los hombres también son los que pierden. Esta cultura dominada por el hombre destruye, además, una gran cantidad de cosas que podrían tener un valor real en la vida de los hombres, y tiende a aislarlos de la conciencia de sus propias emociones y de las emociones de otras personas. Al asumir la responsabilidad de un rol de padres compartido, usted tiene la oportunidad de desarrollar dicha conciencia y volverse una persona más íntegra.

Blanco de
consejos

Creo que la gran mayoría de las mujeres aman verdaderamente a sus hijos y los privan de las experiencias esenciales para su felicidad sólo porque no tienen idea de que los están haciendo sufrir. Si las mujeres comprendieran la agonía de un bebé al que se deja llorando en la cuna, su terrible anhelo y las consecuencias del sufrimiento, los efectos de la privación sobre el desarrollo de su personalidad y sobre su potencial para tener una vida satisfactoria, no dudo de que lucharían por no dejarlo solo ni un minuto.
Jean Liedloff, *The Continuum Concept*, Penguin 1986.

El bullicioso grupo de presión… cree que es deber de cada padre quedarse despierto durante toda la noche, listo para salir corriendo cuando el bebé emite el menor ruido. Ésta es una de las más maravillosas teorías sobre el cuidado del bebé que luce bien en los libros, pero que, cuando uno se enfrenta al llanto constante, no resulta tan maravillosa. Las múltiples molestias nocturnas pueden agradarles a algunos padres masoquistas que sientan que deben sufrir para convertirse en buenas personas pero para la mayoría de nosotros, es un pasaje de ida al colapso.
Christopher Green, Babies! *A Parents´ Guide to Surviving (and Enjoying) Baby´s First Year*, Simon & Schuster, New York, 1993.

Cada vez que se acerque a su bebé, pase sólo entre dos y tres minutos con él. Recuerde que está acercándose brevemente para tranquilizarlo y tranquilizarse usted también y no necesariamente para ayudarlo a dejar de llorar y, con certeza, no para ayudarlo a que se quede dormido. El propósito es que aprenda a quedarse dormido solo, sin alzarlo, acunarlo, darle de comer o utilizar una mamadera o un chupete.
Dr. Richard Ferber, *Solve Your Child´s Sleep Problems*, Dorling Kindersley, 1986, London.

Es comprensible que todos los padres odien oír llorar a su bebé; muchos se preocupan de que acostar al bebé en la cuna para que duerma y dejarlo llorar de esta forma, podría perjudicarlo psicológicamente. Me gustaría asegurar que, siempre que haya alimentado bien a su bebé y que haya cumplido con la rutina respecto de los períodos en que debe estar despierto y relajarse, el bebé no sufrirá daño psicológico alguno. A largo plazo, tendrá un bebé feliz y relajado que sepa dormirse solo. Muchos padres que han aplicado el método de libre demanda con el primer bebé y mis rutinas con el segundo bebé, confirmarían sin duda que mis métodos son lejos los mejores y, a largo plazo, los más sencillos.
Gina Ford, *The New Contended Little Baby Book*, Vermilion, London, 1999.

Hay algo que nunca le falta a la madre de un bebé que llora: consejos. Le llegan desde todos lados –de su pareja y otros miembros de la familia, amigos y amistades ocasionales, de alguna mujer al salir del supermercado, de la encargada de los baños, de enfermeras, médicos y asistentes sociales, de libros y programas de radio y televisión y de artículos de revistas.

Gran parte de estos consejos genera conflictos. Frente a dichos consejos, muchas mujeres se sienten reducidas a un caos mental donde ya no son capaces de utilizar su propio sentido común con los bebés. Tal como lo expresó una mujer:

Los doctores, asistentes de servicios de salud a domicilio, familiares y amigos me daban consejos. Alimenté al bebé según era necesario, intenté alimentarlo cada cuatro horas, dejé que llorara, encendí la radio en la habitación, dejé las luces encendidas, acuné al bebé, lo llevé a nuestra cama, no le permití dormir durante el día, lo mantuve

despierto hasta tarde, ¡lo intenté todo! Pero nada funcionó.

En la sala de posparto

Este torrente de asesoramiento gratuito comienza tan pronto como una mujer da a luz y deriva del sistema de juntar madres recientes en el mismo lugar. Es un entorno extraño donde las mujeres yacen recostadas en hileras como pacientes pasivos bajo la dirección de profesionales médicos que son expertos reconocidos en el manejo de la transición posparto. Los consejos provienen, con frecuencia, de enfermeras terriblemente sobrecargadas de trabajo, muchas de las cuales no tienen hijos, y que se preocupan a toda costa de mantener un desenvolvimiento tranquilo en la rutina de la sala. Una mujer, que cambió a alimentación artificial, expresó que el problema comenzó en el hospital:

La beba no succionaba y los inútiles comentarios de la enfermera fueron, dirigiéndose a mí, que cómo esperaba yo que ella lo hiciera frente a un pezón tan pobre que le ofrecía, y dirigiéndose a la beba, que si no se alimentaba, moriría de hambre. Comprendo que estaría demasiado ocupada, pero presiento que ese fue el final de la alimentación a pecho para mí. Comenzaron a dolerme los pechos cada vez más y sé que me ponía tensa cada vez que la beba comenzaba a succionar, sabiendo que me iba a doler.

Las enfermeras en las salas de posparto tienen, con frecuencia, demasiado trabajo. En general, los únicos miembros del personal que tienen tiempo para sentarse con una madre y brindarle apoyo emocional en lugar de consejos son los encargados de la limpieza y auxiliares de enfermería es decir, aquellos con el menor poder de afectar la rutina y la política del lugar y que se encuentran en el escalón más bajo de la jerarquía del personal.

Las investigaciones previas que hice sobre las experiencias de la mujer respecto de los cuidados hospitalarios demostraron que para muchas mujeres,

la vida en una sala de posparto las deja agotadas, confundidas y apaleadas por los conflictivos consejos, en especial, sobre la forma correcta de alimentar a sus bebés. Lejos de ser refugios de paz y seguridad, la mayoría de las salas de posparto son un caos. Las mujeres rara vez obtienen el descanso que necesitan o un espacio privado e íntimo con sus bebés para comenzar a conocerse y sentirse competentes como madres. Están sujetas a la rutina de la sala que les impiden dormir cuando sus bebés duermen, rutina que con frecuencia comienza a las 6:30 de la mañana y que fragmenta el día con hacer las camas, los medicamentos, los controles de presión sanguínea, las rondas de los doctores, las comidas, la fisioterapia, las visitas y demás. A la mañana temprano, a mitad de la mañana y a la tarde, muchas salas de posparto son como estaciones ferroviarias en hora pico. Aquí podemos apreciar cómo una mujer describió una parte de su día en el hospital:

2:30 – 3:10 a.m. Le doy el pecho al bebé
4:30 a.m. aprox. Vuelvo a dormir
5:30 a.m. Le doy el pecho al bebé; me traen una taza de té
6:08 a.m. Se llevan la taza y vacían el cesto de basura
6:31 a.m. Llega el carrito de las medicaciones
6:49 a.m. Me dan un comprimido
7:26 a.m. Se llevan la jarra de agua
7:42 a.m. Desayuno
7:52 a.m. Té
8:10 a.m. Los auxiliares de enfermería preguntan si pueden hacer la cama. Les respondo "no, gracias"
8:13 a.m. Hacen la cama
8:21 a.m. Me preguntan cómo estoy
8:48 a.m. Pesan al bebé
9:05 a.m. Llegan dos enfermeras, se ríen y vuelven a irse
9:49 a.m. Me miden el fondo uterino, me toman la temperatura, etc., mientras le doy el pecho al bebé
10:02 a.m. Café
10:46 a.m. Me ofrecen el periódico, se llevan la taza
11:51 a.m. Correo, y demás.

Ella me contó que las tardes y las noches eran similares con excepción de que se sumaban, además, las visitas y los baños. Mientras se extraía leche preguntó si le permitían dormir durante la noche porque se sentía exhausta pero aún así la despertaron para que alimentara al bebé. Algunas mujeres en ese hospital descubrieron que gozaban de un total de tres horas de sueño por día.

Cuando las mujeres me describieron sus experiencias en el hospital, relataron una y otra vez consejos conflictivos, incluso en los "mejores" hospitales y cuando los directores de maternidad habían hecho hincapié en cartas que me escribieron, que las salas de posparto proporcionaban "una atmósfera feliz y relajada", "un acercamiento flexible al cuidado basado en el apoyo". Éste es un informe complejo típico al que contribuyeron más de 30 mujeres sobre la vida en salas de posparto de un gran hospital escuela de Londres:

Muy activo. Algunas mujeres se sienten "perdidas" e "indefensas". Los bebés van a la nursery la primera noche y la mayoría de las mujeres solicitó tener consigo a los bebés a partir de ese momento, pero algunas afirmaron que esto fue "totalmente desaprobado por el personal de la noche". Muy ruidoso y con complicaciones para dormir de noche. Las mujeres pedían que se les diera de alta pronto para poder dormir. El volumen del aparato de televisión de la sala era alto, estaba encendido casi todo el tiempo y a algunas de nosotras nos molestaba: "Una enorme televisión domina la sala". La sala estaba "congestionada", "entraban corrientes de aire por todos lados", era "incómoda", "ruidosa". "Mi cama estaba en el pasillo que conducía al baño". "Baños sucios". Algunos miembros del personal no están actualizados respecto de investigaciones modernas relacionadas con la alimentación a pecho e "intimidan" a las madres que amamantan a sus bebés con la frecuencia y por el tiempo que desean y las alientan a proporcionarles agua hervida. Les dicen que van a lastimarse los pezones. Las madres falsifican los registros de

alimentación para mantener feliz al personal. "Consejos bien intencionados pero contradictorios". Una constante presión proveniente de personas que ofrecen tazas de té, comidas, analgésicos y controles del bebé/puntos/útero. Mensajes que el personal diurno nunca le hace llegar al nocturno…

La madre necesita estar en muy buena forma para salir ilesa de todo esto. La mayoría de las mujeres dijo que si se cuenta con ayuda en casa, es mejor abandonar el hospital tan pronto como sea posible para poder descansar.

Las enfermeras tienen ideas diferentes acerca de cómo un bebé debería ser colocado al pecho, por cuánto tiempo debería permitírsele tomar, si una toma prolongada lastima los pezones, con qué frecuencia debería alimentarse a los bebés, si las madres deberían alimentar al bebé durante la noche o no, si a los bebés debería dárseles azúcar, agua o leche artificial complementaria y, por sobre todo, hasta qué punto las madres son capaces de tomar sus propias decisiones.

Las mujeres cuentan haber sido reprendidas por "malcriar" a los bebés (alimentarlos cuando lloran), por dejar llorar a los bebés cuando los bañan, por intentar persistentemente amamantarlos cuando resulta complicado, por no desear amamantarlos, por llevar a los bebés a sus camas (en caso de que

los "asfixien"), por llevarlos a la nursery para poder descansar, por no intentar levantar el ánimo o por intentar hacerlo, por acurrucarlos y tocarlos "innecesariamente", por tener un bebé que llora y molesta a otras madres y bebés, por alzarlos cuando "deberían" estar dormidos, por caminar con ellos en brazos (por miedo a que se les caigan), por desvestirlos para que se vean bien, y por dejar que las visitas los sostengan.

Ya que no hay continuidad de cuidado, una madre no sabe, con frecuencia, el estilo de manejo que prefiere una enfermera y qué se espera que ella haga. Una mujer expresó:

Fui bombardeada en una confusión total por las ideas sobre alimentación de cada enfermera. Las instrucciones autocráticas y reglas rígidas están, en general, enmascaradas y se presentan como consejos adaptados a las necesidades individuales:

Me dijeron: "Es un bebé grande, por lo tanto, no tendrá suficiente leche para él; sería mejor que le dé un complemento". A la mujer de la cama de al lado le dijeron: "Es un bebé pequeño, por ello necesita una gran cantidad de alimento; sería mejor que le dé un complemento".

El fraccionamiento del tiempo acoplado a la privación del sueño (ambos, elementos reconocidos como tortura) y el hecho de recibir consejos sobre el cuidado que resultan insensibles a las necesidades y a los deseos individuales, combinados con un ataque furioso de sugerencias contradictorias, hace que muchas madres, que de otro modo son racionales y capaces, se sientan confundidas y desorientadas. No podría idearse otra forma más efectiva de interferir con la relación en desarrollo entre la madre reciente y su bebé y de despojarla de la confianza en sí misma. Es como que, a través de la inculcación ritualizada de dudas y miedo, las mujeres de nuestra cultura se inician en la maternidad en un estado psicológico que presenta obstáculos artificiales para la maternidad misma y, para muchas de ellas, hace que esta etapa en la vida se vuelva particularmente peligrosa.

En casa

Una vez que la mujer abandona el hospital descubre que aún siguen llegando los consejos de todos lados. Si es una madre primeriza, los demás son en especial generosos con los consejos; si su bebé llora inconsolablemente, los consejos se dan sin límite alguno. La mayoría de estas sugerencias no tiene efecto alguno sobre el llanto del bebé.

Cuando le pregunté a las madres de bebés que lloraban si habían encontrado útiles los consejos, el 64% de ellas expresó que ninguno de los que había recibido había tenido éxito en detener el llanto de sus bebés.

A pesar de que las mujeres tienden a aceptar con reservas los consejos de amigos, parientes y conocidos, les es complicado ignorarlos cuando provienen de profesionales relacionados con la salud. Es quizás por esta razón que les resulta en especial molesto cuando sus bebés continúan llorando y deben admitir que los consejos no funcionaron. Entonces, se ofrecen consejos diferentes, con frecuencia de otro profesional, pero el bebé sigue llorando y la madre se confunde y convence cada vez más de que debe de existir algún problema con ella porque no puede manejar al bebé.

Muchas madres le deben bastante al aprecio y preocupación de sus asistentes de servicios de salud a domicilio: "Mi asistente de servicios de salud a domicilio era maravillosa", afirmó una mujer, "y hablar con ella fue lo mejor".

Pero otras son sumamente críticas respecto de los consejos que recibieron de ellos. Este tipo de asistentes recibe los mayores de los elogios, pero además, las mayores de las críticas. Cuando un asistente de servicios de salud a domicilio no da consejos en absoluto e intenta hacer algún comentario positivo sobre el bebé, en general, una madre se siente engañada y cree que el asistente no está tomando en serio el llanto del bebé:

Le dije a la asistente de servicios de salud a domicilio que Emma parecía gritar más y no sólo llorar y ella me respondió: "Bien, eso demuestra que está reaccionando bien al entorno". La asistente afirmó que estaba en mejor posición que otras madres.

Cuando el asistente de servicios de salud a domicilio da consejos, no siempre resultan apropiados y cuando obviamente no funcionan, ofrece otras sugerencias para no dejar a la mujer con las manos vacías. Esto significa que una madre se expone a una enorme avalancha de consejos inconsistentes a los que se agrega, con frecuencia, el de su médico. Algunos de estos consejos pueden ser perjudiciales y en algunas ocasiones, peligrosos. Una mujer me contó que su asistente de servicios de salud a domicilio le dio una muestra de una bebida herbal azucarada. Al bebé le gustó:

Me ayudó, además, a hacerlo eructar. Cuando el bebé comenzó a beber más de eso y casi nada de leche, me envió al médico y él me dio una medicación que constipó al bebé. Luego, suspendí todo y dejé que la naturaleza tomara su curso, y después de un tiempo, el bebé dejó de llorar.

A otra mujer, el asistente de servicios de salud a domicilio le aconsejó no alzar a la beba cuando lloraba. No había notado que se calmaba por períodos de tiempo bastante prolongados cuando la tomaba en brazos sino que, cuando la dejaba llorar, la madre tenía sentimientos hostiles hacia su beba y ésta se encontraba en peligro de ser lastimada físicamente. Tal como lo expresó la madre, con tono de excusa:

La historia de Sharon

Era mi cumpleaños y estaba cubierta de vómito; mi beba y su colchón olían espantoso y, de pronto, caí en una total depresión. El asistente de servicios de salud a domicilio diagnosticó cólicos y me dio un frasco de jarabe Merbentyl (diciclomina) del que debía darle una dosis a mi beba antes de cada comida. [Esta droga no se utiliza comúnmente hoy en día porque algunos bebés a los que se les suministraron altas dosis dejaron de respirar.]

La beba se calmó pero viví la aterradora experiencia de verla debilitada y comatosa luego de la administración de la droga. Estaba tan distante que me aterrorizó la idea de que fuera a morir. Estaba tan asustada. Dejé de utilizar el Merbentyl. En ese momento, mi médico me aconsejó dejar de amamantarla y después de luchar un poco, mi beba finalmente aceptó la mamadera, a pesar de que también continué amamantándola aunque me dijeran que era una actitud irresponsable dado lo que me había aconsejado el doctor. Después, mi médico me prescribió un antidepresivo. Nadie podía ver que estaba deprimida porque no estaba dándole solamente pecho. Por último, llamé por teléfono a un asesor en amamantamiento del National Childbirth Trust quien sugirió que si deseaba amamantar a mi beba podía hacerlo y comencé a darle el pecho con mayor frecuencia. Dentro de los tres días, mi beba estaba satisfecha y alimentada por completo. En ese momento, sentí que podía superarlo, y con ello también se redujeron los llantos y los vómitos. Incluso descubrí que había perdido la anuencia profesional. El asistente de servicios de salud a domicilio parecía ofendido y afirmó que estaba amamantando para mi propia satisfacción y no para la del bebé.

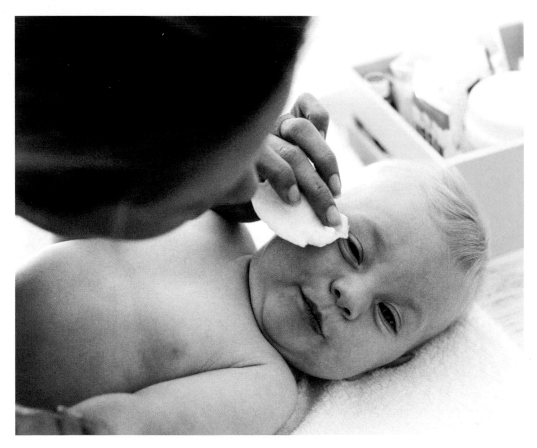

Mi asistente de servicios de salud a domicilio me dijo que la beba parecía llorar principalmente porque buscaba atención. Me sugirió que la dejara llorar. Pero no puedo dejarla tanto tiempo o perderé la paciencia y haré algo que la perjudique, por ello, me siento mejor si la alzo.

Una mujer me contó que cuando su bebé tenía alrededor de 14 semanas de vida y su asistente de servicios de salud a domicilio estaba de licencia, le dio consejos otro asistente que no conocía:

Sin conocerme o conocer la situación o al bebé –y por teléfono– me aconsejó que comenzara a alimentarlo con mamadera de inmediato, ya que obviamente se encontraba hambriento y, por supuesto, yo no producía leche suficiente. Incluso se ofreció a traerme un paquete de leche de fórmula. Rechacé su ofrecimiento, pero lo que me preocupó fue que, si hubiera sido mi primer bebé, quizás habría seguido su consejo y la alimentación a pecho habría fracasado.

Otra mujer expresó:

Un asistente de servicios de salud a domicilio me recomendó que alimentara más al bebé. (Lo alimentaba cada una hora). Otro me dijo que obviamente lo estaba alimentando demasiado. Me sentí muy confundida.

Los médicos de familia son, con frecuencia, responsables de dar malos consejos. Uno le explicó a una madre cuya beba de seis semanas de vida lloraba, que la angustia de la beba se debía a los gases y que debía hacerla ayunar durante 24 horas. Por suerte, no siguió su consejo porque pensó que era cruel.

Los asistentes de servicios de salud a domicilio y los médicos tienen, en general, propósitos opuestos, como si estuvieran compitiendo unos con otros para ofrecer el consejo que finalmente pueda detener el llanto de un bebé. Una mujer que llevó un registro de los consejos que le dieron me contó que su médico y el asistente de servicios de

salud a domicilio le indicaron:

Déjela sola durante 10 minutos.
Llévela al jardín.
Llévela a dar un paseo en el automóvil.
Aliméntela con mayor frecuencia.
Aliméntela con menor frecuencia.
Ofrézcale agua.
No le ofrezca agua.
Ofrézcale una mamadera.
Llévela de un lado a otro en un cochecito.
No la tome en brazos con tanta frecuencia.
Tómela en brazos con mayor frecuencia.
Etc., etc., etc.

Para la madre que amamanta a un bebé que llora el consejo más frecuente de todos, tanto de profesionales como de amigos y conocidos, consiste en cambiar a alimentación artificial. A las madres les resulta muy complicado resistirlo y muchas piensan que su leche debe de ser inadecuada o "mala" para sus bebés. Cuando las mujeres cuyos bebés aumentan de peso en forma normal pero lloran inconsolables, cambian del pecho a la mamadera, los bebés continúan llorando, pero una madre que lo hizo, rara vez tiene la confianza suficiente como para volver a amamantarlo. Se introdujo un alimento de inferior calidad para reemplazar a la leche materna, sin prueba alguna de que la alimentación a pecho sea la causa del llanto, y la madre siente que

de edad más avanzada es reforzada por los fabricantes de alimentos para bebé con el fin de promover las ventas de las leches artificiales para diferentes etapas, sólidos en latas o frascos y cereales en paquete.

El llanto que no comienza hasta después de las 12 semanas se asocia con frecuencia a la incorporación de leche artificial y sólidos. Un bebé tiene más del doble de posibilidades de comenzar a llorar entre los tres y seis meses de vida si la madre lo alimenta con mamadera que si lo alimenta a pecho. De los bebés que estudié, el 32% de bebés alimentados a pecho comenzó a llorar en esta etapa de sus vidas, mientras que el 68% de los alimentados con mamadera comenzó a llorar más tarde.

El 26% de las madres estudiadas nunca amamantaron, el 14% dejó de hacerlo dentro de la semana posterior al parto, el 27% dejó de hacerlo entre la primera y la sexta semana, el 10% entre la sexta semana y los tres meses, menos de un cuarto amamantaba, lo que para muchas de estas madres fue una medida que surgió de la desesperación que sentían respecto del llanto de sus bebés.

La crítica más complicada que debe enfrentar una madre que alimenta a pecho a un bebé que llora consiste en la acusación de que está actuando de forma egoísta si continúa amamantando aunque se le aconseje lo contrario. Pocas mujeres son tan seguras como para poder negar ser egoístas con toda certeza. Alzar a un bebé cuando llora, llevar a un bebé a la cama durante la noche, alimentarlo cada vez que lo desea, ¿es ser completamente autoindulgente?

Los profesionales pueden sugerirle a una madre que no está dispuesta a dejar de amamantar que lo hace como consecuencia de sus propias necesidades emocionales no satisfechas, en lugar de como resultado de un verdadero deseo de hacer lo mejor por su bebé. Cuando una mujer ya se siente intranquila de que quizás su leche no es lo "suficientemente buena" o de que no produce una cantidad suficiente, esto la hace sentirse incluso más tensa y ansiosa y puede interferir con el reflejo de eyección láctea. Si existen pruebas de que la cantidad de leche que produce es inadecuada, necesita ayuda para aumentarla. Acusarla de ser egoísta y testaruda solamente

fracasó. Una madre describió sus sentimientos de esta forma:

Me sentí completamente inútil en eso que ansiaba tanto ser la madre perfecta en todo, pero nada funcionó de esa manera. Como profesora de economía doméstica me resultó muy difícil aceptarlo y me sentí muy culpable al no poder amamantar.

La alimentación y el llanto

A pesar de que algunos estudios demostraron que los bebés alimentados a pecho lloran más que los alimentados con mamadera, esto no es así a partir de las pruebas de las madres que estudié.

El 46% los alimentaba a pecho y el 53% los alimentaba con mamadera. Algunos bebés comenzaron a llorar al cambiar del pecho a la mamadera, en general, también con la incorporación de alimentos sólidos. La madre solía hacerlo como algo normal ya que creía que no tenía suficiente leche o pensaba que continuar amamantándolo era malo para el bebé porque era hora de incorporar alimentos "verdaderos". Esta sensación de que la leche materna es inadecuada desde el punto de vista nutricional para los bebés empeora las cosas.

Una mujer me contó que su beba era sana, despierta y que aumentaba de peso de manera adecuada pero lloraba demasiado y periódicamente tenía reflujo. A pesar de que sabía que no le pasaba nada malo a la beba y que alimentarla a pecho funcionaba de manera formidable, su asistente de servicios de salud a domicilio le diagnosticó cólicos y sugirió una dosis de medicación para la beba antes de cada comida.

Cómo actuar frente a los consejos

Como consecuencia de que es muy probable que una madre reciente reciba consejos y que si su bebé llora demasiado éstos le lleguen de todos lados, es necesario estar preparado y considerar la forma de tratarlos. Usted no deseará sentirse abrumada por todo esto. Por otro lado, quizás tampoco desee ser descortés con las personas que verdaderamente intentan ayudarla.

Muchas mujeres que me contaron sus experiencias habían desarrollado una estrategia, bastante directa, luego de intentar seguir cada consejo y descubrir que muchos de ellos eran inútiles. Tal como me contó una mujer:

Durante las primeras semanas dejé que todos me aconsejaran: "Lo alimentas con demasiada frecuencia", "Lleva al bebé a otra habitación cuando llora y cierra la puerta" o"Estás malcriándolo", "Él ya te tomó el punto. Sabe que lo alzarás cuando llore. Los bebés son astutos". ¡Mentiras! Pero, conservando la calma, dices: "Gracias por el consejo" y luego haces lo que te parece.

Trate de seguir algunos consejos.

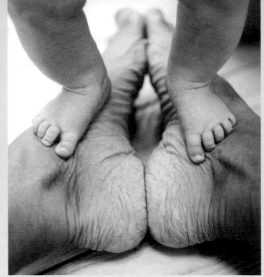

Solo relax.

En acción

Lleve un registro de los consejos que recibe. Una forma de demostrar que toma en serio las sugerencias y que a la vez puede proporcionarle un registro interesante de los consejos recibidos, consiste en anotarlas en un cuaderno. Cuanto más se la vea escribiendo, mejor. Ya que las mujeres expresan que tres cuartos de los consejos que reciben son inútiles, resulta que en algún lugar entre todos estos consejos existe una posibilidad en cuatro de aprender algo que la ayude.

Experimente con algunos de los consejos. A algunas mujeres les alegra recibir consejos, incluso cuando generen conflictos, ya que intentar una táctica diferente para detener el llanto de sus bebés les da una esperanza. Si usted se siente de esta forma, haga una selección cuidadosa de su lista de sugerencias y experimente. Si el plan A no funcionara el lunes o el martes, puede cambiar al plan B el miércoles o el jueves. Anote los resultados, y luego quizás, regrese al plan A modificado durante los dos o tres días siguientes. Cuando haya trabajado con los consejos de esta forma y adaptado combinaciones diferentes de consejos según lo que observe respecto de su bebé, dejará de llorar. Esto ocurrirá probablemente en algún momento entre el tercer y el cuarto mes. Un día llorará terriblemente. Otro día será un bebé relajado y adorable. Usted puede sentirse bastante segura de que fue una casualidad que su bebé haya atravesado esta transmutación mágica y que poco tuvo que ver con lo que usted estaba haciendo ese día, o se sentirá convencida de que algún método de tratar al bebé fue la clave. Pero, saber que existían otras cosas que podía intentar la hizo seguir adelante durante esos espantosos tres meses y medio.

O bien no se preocupe e intente relajarse. Por otro lado, muchas mujeres sienten que intentar una cosa tras otra no ayuda y empeora la situación aún más. Con frecuencia, expresan que cuando dejaron de intentarlo, sus bebés se volvieron más pacíficos. La frenética lucha para calmar a un bebé contribuyó a la desdicha sufrida por el bebé. Cuando una mujer se relaja y acepta a su bebé tal como es, la tensión desaparece y puede comenzar a disfrutar de su hijo. Pero un prerrequisito de ello es contar con alguien más que tenga la misma actitud relajada, que se ocupará de cuidar al bebé por un tiempo durante las 24 horas, incluso aunque sea solamente por un par de horas. Si éste es su plan de acción, asegúrese de que haya otra persona que comprenda que el bebé necesita atención completa durante un cierto período de tiempo cada día o noche. Decida las horas en que dicha persona debería estar "de servicio" para cubrir un momento de llanto pico.

Responda a consejos no bienvenidos ofreciendo a su bebé. Si alguien continúa ofreciéndole consejos que usted no desea, entréguele al bebé.

Delinee un curso de acción con su médico.

Busque ayuda en alguien en quien confíe.

Exprese lo feliz que se siente de que el bebé esté con esa persona ya que le gustaría salir a hacer compras, tomar un baño, hacer una llamada telefónica, ocuparse del jardín, pasear al perro, o lo que sea, y deje a la persona con el bebé. Esta persona le explicará de inmediato que tiene algo que hacer con urgencia en otro lado. Pero, si acepta cuidar al bebé usted tendrá tiempo para respirar, y es posible que la persona tenga éxito en calmar el llanto del bebé, lo que constituirá una bonificación extra.

Acuerde con su pareja el plan de acción. Si tiene pareja, es fundamental acordar cómo manejarse frente a los consejos. Lean juntos esta sección y decidan lo que desean hacer. Por ejemplo, puede necesitar un límite entre su madre o la madre de su pareja y usted. Lo mejor es debatirlo con sinceridad e idear juntos un plan.

Busque un fuerte apoyo emocional. Que a uno le digan que debería dejar de amamantar, en especial si dicha recomendación proviene de un médico, es el consejo más complicado de manejar ya que, si no lo hace, es obvio que continúa ignorándolo. Usted necesita un fuerte apoyo emocional de alguien que esté 100 por ciento de su lado y que, además, la respalde. Podría ser su pareja o alguien más. Un amigo "confiable".

No se moleste en discutir. Si le aconsejan no amamantar, no es necesario que haga una lista de las ventajas. Simplemente exprese que decidió continuar haciéndolo ya que le agrada y a su bebé también. Algunas veces, esto ayuda a convencer al médico si usted puede demostrar que su bebé succiona bien y relajado el pecho, por ello, en lugar de entrar en discusiones teóricas, muéstrele cómo lo amamanta cuando visita al médico.

En forma similar, si decidió alimentarlo con mamadera, no necesita justificarlo. Es menos probable que se sienta bajo la presión de consejos relacionados con la alimentación que la mujer que desea continuar alimentándolo a pecho, pero las personas dispuestas a seguir intentando amamantar pueden hacerle sentir que fracasó. Puede aclarar que, haya sido o no la mejor decisión, usted se siente segura.

Intente ser un poco dogmática. A pesar de que no se sienta confiada en su interior, un poco de dogmatismo es de gran ayuda y resulta muy efectivo para manejar los consejos. Respire profundamente, deje caer los hombros y relájese. Mire a los ojos a quien le ofrezca un consejo, agradézcale por su ayuda, anote las sugerencias y cambie de tema. O, si el bebé está llorando demasiado fuerte como para poder conversar, dígale "adiós" y parta. Adquirir confianza respecto de cómo manejar los consejos puede ayudarla a crecer en seguridad para hacerse cargo, además, de su bebé.

Cómo manejar la violencia

Imagino todas las formas de matarte.
Puedo ahogarte en una bañera.
Puedo asfixiarte con una almohada.
Puedo golpear tu cabeza contra el piso: una vez, con fuerza.
El mes pasado lloré cuando me enteré de la muerte de un bebé.
Este mes, yo llevaré a cabo el asesinato.
Mato –y tiemblo de terror.
¿Por qué esas imágenes? Estoy enfurecida.
Perdí mi vida. Sólo somos "nosotros",
contigo siempre en primer lugar.
Phyllis Chesler, *With Child.*

Cuando se tiene un bebé que llora se siente como si el mundo entero girase alrededor de ese llanto. Invade por completo su vida y uno se siente destruido como persona. En lugar de ser capaz de "volver a la normalidad" después del parto, ahora uno existe sólo con relación al bebé. Es importante permitirse concentrarse en sus propios sentimientos. Es probable que antes de tener al bebé haya esperado que todo fuera positivo. Con frecuencia, otras personas dan por sentado que el bebé es tan hermoso que uno debe sentirse de maravilla. Parece mal, desagradable y desagradecido decir: "En realidad, me siento pésimo. Hay momentos en los que odio al bebé y podría retorcerle el cuello. No puedo seguir así. Algo tiene que cambiar". No sólo puede resultar imposible admitirlo frente a otras personas, sino que también es complicado aceptarlo uno mismo.

Para muchas de nosotras, estos sentimientos violentos están tan peligrosamente listos para hacer erupción, y no sentimos tan avergonzadas de ellos, que es difícil ser honestas respecto de los mismos incluso cuando estamos con otras mujeres que atraviesan la misma experiencia. En cualquier grupo de madres de niños menores de dos años, parece reinar la autocontención amable y pública y las máscaras sociales se encuentran cuidadosamente colocadas. "¡Ah, sí, es un pequeño monstruo!", afirma una madre entre risas. Todas acuerdan tácitamente hacer bromas sobre ello.

En su testimonio autobiográfico del parto y la nueva maternidad, Jane Lazarre describe su búsqueda entre otras madres de coconspiradoras que también tengan bebés que lloran y que, al igual que ella, sientan que son malas madres. Se encuentran con sus bebés y surgen las preguntas esperadas:

"¿Cómo está tu bebé? ¿Duerme de noche?"
"Sí, ah sí", (dijo ella) y "No, todavía no" (yo debí informar), y luego, "¿Llora mucho?"

"No, parece un bebé muy relajado" (afirmó orgullosa)… "¿Cómo está tu bebé; duerme de noche; no son maravillosos?…"
"No", le respondí brevemente y con tono entrecortado. "No, no duerme durante la noche; no, no es maravilloso. Algunas veces desearía no haber tenido nunca un bebé".
Tuve que dar marcha atrás en cierta forma por el modo en que me miró, como rebelde y cobarde que era.
"Ay, amo a mi bebé y me agrada todo lo que me está sucediendo".
Se relajó. Enojada por haber cedido, volví a atacar.
"Pero algunas veces lo mataría".
La otra mujer no puede tolerarlo –o, quizás, no puede comprenderlo– y rápidamente cambia de tema. "Hace frío", agregó.[1]
Salir y encontrarse con otras madres puede hacerla sentir humana una vez más pero participar en grupos brinda, en general, una ayuda limitada para llegar a aceptar sus emociones.

enojo que sintió hacia su bebé de siete meses de vida que gritaba durante cinco horas seguidas:

No podía sobrellevarlo… sólo tienes el deseo de encerrar a estos niños. Ahí es cuando tu enojo se convierte en violencia. Fácilmente podría haber alzado y arrojado al bebé contra la pared. Estuve a punto de hacerlo. Pero algo dentro de mí, me hizo tomar conciencia y supe que no era correcto. Grité y amenacé con hacerlo, pero en realidad no lo arrojé. Lo peor que hice fue sentarlo en la silla para auto, en el baño, y cerrar la puerta.

La NSPCC la ayudó a sobrellevarlo. La sociedad ve la urgente necesidad de llegar a los padres exhaustos y frustrados por un bebé que llora.

Lo normal es desear escapar de un bebé cuyo llanto es inconsolable, sentirse enojado también cuando continúa llorando y llorando, sin importar lo que uno haga, y que existan momentos en que se llegue a odiar al bebé por someterlo a esta constante tortura. Los tribunales algunas veces lo reconocen. Un padre que mató a su hijo de 17 días porque lloraba inconsolablemente fue condenado por asesinato, pero al apelar, se anuló la condena y se reemplazó la carátula por la de homicidio culposo. Los jueces afirmaron que no había pruebas de que no fuera un "padre amoroso y afectuoso", y que "la provocación fue tal que cualquier persona responsable perdería el control de sí misma".[3]

La mayoría de las madres dejaron a sus bebés en la cuna a la fuerza cuando ya no podían tolerar el llanto, les gritaron a sus hijos o hicieron alguna otra cosa para atemorizarlos y asustarlos. Con frecuencia, no estamos dispuestos a admitir estas cosas ya que nos sentimos horrorizados por habernos comportado así. La imagen de una madre es la del amor, la generosidad, la delicadeza y el autosacrificio incondicional. Es un ideal imposible y romántico. ¡Con razón uno se siente fracasar!

Cuando las mujeres me hablan de sus sentimientos, muchas dicen cosas como: "Estoy al límite de hacer cualquier cosa para detener el llanto" y "Ahora comprendo lo sencillo que es lastimar a un bebé".

En realidad, en general es el shock de descubrir lo cerca que se está de abusar de un

La mayoría de las mujeres que me cuentan sus experiencias, descubren que un buen amigo o asistente de servicios de salud a domicilio, un médico o asesor confiable a quien pueden mostrarle sus almas al desnudo, brinda la mayor ayuda mientras buscan la salida a través del túnel.

Toda mujer con un bebé que llora sin consuelo sabe lo que es estar muy cerca del límite. Cuando aparecen informes en los medios sobre padres que lastimaron a un hijo, siempre hay alguien que dice: "No puedo creer cómo alguien podría lastimar a un bebé". Pero alguien que tiene un bebé que llora inconsolablemente puede comprender cómo es posible. Una de cada 10 mujeres que me contaron sus experiencias confesó haber abofeteado o sacudido a su bebé con violencia o asirlo con demasiada fuerza. Cuando Cry-sis, un grupo de apoyo británico para padres de bebés que lloran, analizó 61 testimonios de mujeres que buscaban ayuda, descubrió que más de la mitad de las madres admitió haber estado bastante cerca de lastimar al bebé.[2]

Cualquier madre o padre de un bebé que llora constantemente corre el riesgo de ser violento con el niño. Aquellos que abofetean, golpean o arrojan a un bebé al piso no son monstruos. Son seres humanos al límite de su paciencia. Traspasaron el punto de tolerancia y perdieron el control. El niño es la víctima, pero ellos, además, también son víctimas de una sociedad que no logra apoyar a los padres para ayudarlos a controlar, de manera adecuada, el estrés del rol de padres y a tomar precauciones para el cuidado del bebé cuando se necesita con desesperación.

En el 2005, la NSPCC lanzó una campaña para ayudar a padres de bebés que lloran. Charlotte Buchan, madre soltera con dos hijos, que vivía en una pequeña pensión al este de Londres y lejos de amigos y familiares, habló del niño lo que nos detiene y libera un torrente de vergüenza y remordimiento.

Cuando una mujer supera su renuencia a hablar de estos sentimientos violentos, rara vez encuentra a alguien que pueda aceptar por completo sus emociones sin juzgarla y le ofrezca oportunidades prácticas para una acción constructiva. En cambio, la atención suele dirigirse al terror que implica la violencia contra el bebé. Hay cosas que pueden hacerse para evitar la posibilidad de provocar un daño físico a costa de separar completamente a la madre del bebé y tratarla como una delincuente.

Una mujer que afirmó que un día su bebé lloraba continuamente, deteniéndose sólo por intervalos de 20 minutos, me contó:

Hacía muchísimo calor. No quería comer ni beber. Sólo gritaba. Pensé que quizás era a causa del calor. La habitación más fresca de la casa era el baño, entonces me senté allí con mi beba sobre la falda para intentar darle de comer. Me llevó dos horas que succionara sólo un poco y luego vomitó todo. Esa fue la gota que rebalsó el vaso. Caminé hasta mi habitación, la recosté sobre la cama –ella gritaba– y me sentía desesperada, confundida. No sé cuánto tiempo estuve allí, pero en fracción de segundos la agarré y la sacudí. Me sentía molesta. No podía pensar. Pero algo me hizo bajar apresuradamente las escaleras, poner a la beba en el cochecito y llamar a mi asistente de servicios de salud a domicilio. Me sentí devastada por lo que ocurrió después. Vino a mi casa como la Gestapo, se acercó directamente a la beba y la examinó. Estaba bien y dormida, mejor de lo que había estado durante todo el día. Llamó al médico y le pidió que viniera de inmediato, y me dijo que sería necesario llevar a la beba al hospital. Con tono frío y cuidadoso me explicó que era probable que el hospital asumiera el cuidado de mi hija. Lo único que pude hacer fue llorar. Mi hija estaba bien, yo era quien necesitaba apoyo. Llegó el médico, afirmó que todo estaba bien, y me dio un sermón sobre la gravedad de sacudir a un bebé y me dijo que había llamado a una ambulancia para que llevara a mi beba al hospital. Ni siquiera pude llamar por teléfono a mi marido, no había tiempo. Cuando llegué al hospital, me arrebataron a mi hija y me llevaron a otra habitación. Era como ser interrogada; peor que una pesadilla. Sin que mi marido ni yo lo supiéramos, se dictó una orden de protección durante 28 días en favor de la beba y me dijeron que si intentaba sacarla del hospital, podía terminar en la cárcel. Estábamos devastados. No comprendía lo que me estaban diciendo.

Luego, el tribunal dictó una orden de supervisión durante tres años. Más tarde se descubrió, tres semanas después de su ingreso al hospital, que la beba sufría intolerancia a la lactosa. Una vez que se le administró leche de soja, dejó de llorar.

Los informes de los medios sobre violencia contra menores, a pesar de resultar esenciales para advertirle el problema al público, hicieron que los asistentes sociales, asistentes de servicios de salud a domicilio y demás personas a cargo del bebé tomaran conciencia con exactitud de que algunos casos podían pasar inadvertidos y se podía fracasar en salvar a un niño en riesgo de abuso. Sin embargo, carecen con frecuencia de recursos para ofrecer la ayuda necesaria a los padres y para proporcionar un entorno seguro y productivo.

Un médico que toma conciencia de lo que está ocurriendo puede decidir tratar a una mujer con tranquilizantes. La teoría detrás de esto parece ser que si la mujer puede calmarse, el riesgo de abuso al menos desaparecerá. En realidad, bajo la influencia de los tranquilizantes, puede ocurrir lo contrario, ya que las fuertes drogas que modifican el estado de ánimo pueden eliminar las inhibiciones y evitar que la mujer actúe cuando siente hostilidad hacia el bebé. Muchas mujeres afirman que cuando no pueden soportar más al bebé, se van a otra habitación o salen corriendo hacia la calle. Algunas se encierran en el baño o van a la casa de otra persona para proteger al bebé.

Notan lo cerca que están de la violencia y crean válvulas de seguridad para ellas mismas.

Una mujer que está bajo el intenso efecto de tranquilizantes puede ser incapaz de hacerlo y ni siquiera tener conciencia de las consecuencias de sus acciones o del grado de desarrollo de su enojo, y simplemente sigue adelante con ello. Su furia interior se ve reducida pero al mismo tiempo, se debilita el control sobre sí misma.

Mujeres de todas las clases sociales me describieron las emociones violentas que sienten cuando sus bebés lloran incesantemente y cómo les gritan a los bebés para callarlos, golpeando los puños contra la mesa, rompiendo platos, arrojando algo en la habitación o gritándole a algún otro miembro de la familia. Pero, para muchas de ellas, existe una ruta de escape, aunque sea temporaria. Declaran que se alejan donde no puedan oír al bebé o se evaden tomando un baño caliente mientras el bebé "sigue llorando sin cesar". Elaine, por ejemplo, declara: "Cuando me siento enojada muerdo un almohadón o pateo una silla para liberar tensiones ya que nunca me perdonaría lastimarlos". Otras mujeres afirman que arrojan cosas o rompen vajilla, cualquier cosa en lugar de lastimar a sus bebés.

Algunas mujeres dejan al bebé al cuidado de otra persona mientras salen o, como los bebés en general se duermen con el movimiento del automóvil, los sientan detrás y los llevan a pasear.

Muchas llaman por teléfono a alguien comprensivo, a un pariente, amigo o algún miembro de un grupo de apoyo. Para una mujer que recibe un beneficio social o tiene un ingreso bajo, que vive sin teléfono, sin automóvil, sin jardín y que quizás se encuentre aislada socialmente por completo, una evasión de este tipo es imposible.

A pesar de que las mujeres de mayor edad que me contaron sus experiencias sintieron enojo y desesperación, tendieron a expresar una mayor compasión por sus bebés que las madres muy jóvenes. Las menores de 20 años fueron más propensas a afirmar que "no existía razón" para que el bebé llorara y que estaba "molestando" o simplemente, demandando atención. Esto confirma las investigaciones previas que demuestran que las madres de bebés maltratados tienden a ser más jóvenes que otras madres en el momento del nacimiento del primer hijo, a ser solteras y a no vivir con el padre biológico del bebé. Muchas de estas mujeres fueron víctimas de la violencia cuando eran niñas, ejercida, con frecuencia, por sus padres, pero algunas veces, por sus madres.[4]

Una mujer puede sentir hostilidad hacia su bebé desde el principio como consecuencia de no haber internalizado la experiencia del parto. Algunas mujeres son en especial vulnerables ya que se les privó de amor durante su propia niñez. Tener un bebé dispara el enojo que sintieron hacia sus madres y una sensación de profunda privación personal. Algunas sienten como si quisieran regresar al interior de sus madres y son incapaces de brindarse al bebé porque su necesidad de seguridad y amor es demasiado intensa. Sin importar cuánto intenten amar y cuidar a sus bebés, el llanto puede ser la gota que rebalse el vaso. Desean salir corriendo y esconderse o arrojar al bebé por la ventana.

Este enojo está asociado, en general, a la sensación de que el bebé no les "pertenece" verdaderamente, y de que es un invasor o rechaza a su madre. Una mujer que vivió el funeral de su padre el día que comenzó con el trabajo de parto y que sufrió una psicosis posparto y estuvo bajo el efecto de fuertes sedantes en un hospital psiquiátrico luego del parto, ni siquiera vio a su bebé durante los primeros siete días. Ella me contó: "Me sentí aislada de mi bebé, como si lo hubiera comprado en una tienda, y me preguntaba si era mío o no y si lo confundirían con otro en el hospital.

No parecía agradarle en absoluto a mi bebé. Lloraba cada vez que intentaba acurrucarlo. Sentí que había fracasado en ganar su amor".

Un sentimiento de alienación respecto del bebé es lo que psicólogos y pediatras quieren decir cuando hablan de "fracaso para crear el vínculo". No es solamente que aún no se siente amor hacia el bebé –lo que puede tomar semanas– sino que también puede tratarse de un pequeño marciano, un visitante extraterrestre con el que no se tiene nada en común. No obstante, se requiere que la madre se haga cargo de su cuidado. Cuando esta extraña criatura llora y no es posible detener el llanto, la carga soportada por una mujer demuestra ser demasiado pesada. Su humor se modifica y ataca al bebé como si fuera una mascota que aún no fue domesticada. En ese momento, incluso puede llegar a creer que eso es "disciplina" o "castigo", en lugar de abuso. Si el bebé es pasivo e inerte como un muñeco, ella puede ser capaz de sobrellevarlo. Tal como es, siente como si los gritos del bebé la despellejaran viva.

En mi estudio, descubrí que las mujeres cuya emoción dominante hacia sus bebés es el enojo tienden a deprimirse menos que otras madres de bebés que lloran. Cuando la mayoría de las mujeres pierden el control de sí mismas con sus bebés, después se sienten culpables y deprimidas. Pero las mujeres enojadas dirigen el enojo hacia sus bebés y, con frecuencia, se sienten justificadas por perder el humor y golpearlos. Estas madres describen a sus bebés como con "un humor terrible", "demandantes" y "queriendo siempre llamar la atención". Los abofetean porque "se portan mal".

En cambio, para la mayoría de las mujeres el enojo se mezcla con la compasión: "La odiaba, pero al mismo tiempo sentía lástima por ella". A cualquier arrebato le sigue inmediatamente el horror de lo que hicieron o estuvieron cerca de hacer: "El bebé estaba recostado llorando. En ese momento sentí que ya no podía tolerarlo e intenté asfixiarlo, pero el hecho de que lo amaba y de saber que era sólo un bebé, me detuvo".

Roberta Isrealoff, en *Coming to terms*, su diario de las complejas emociones que experimentó durante el embarazo y luego del nacimiento del bebé, describe cómo, a mitad de la noche, mientras intentaba calmar a su bebé que lloraba,

de pronto, abrumada por el odio hacia él, tomó conciencia de emociones similares a las que había sentido cuando era una niña frente el nacimiento de su hermana menor, y notó que aún no había superado esos sentimientos violentos. Había intentando todo lo que sabía para hacer dormir al bebé pero éste lloraba y lloraba hasta que comenzó a tener hipo:

> *"Te voy a estrangular", pensé, a pesar de que lo único que hice fue alzarlo, sostenerlo lejos de mí y sacudirlo... Pero en el instante en que lo alejé de mi cuerpo, me invadieron una vergüenza y un remordimiento más intensos de los que alguna vez había sentido... Sus gritos entraron por mis oídos como serpientes, recordándome los gritos de mi hermana cuando era un bebé... No sólo estaba enojada con Ben sino también con esa etapa anterior de mi vida cuando mi hermana menor había surgido de la nada y lloraba y lloraba.*

Algunas veces, es durante la noche cuando afloran estos razonamientos repentinos de la situación. La madre nota que no es sólo con su bebé con el que se siente tan enojada, sino que los gritos han disparado emociones violentas que experimentó por primera vez cuando era una niña: furia hacia una hermana que la había reemplazado y que la había privado de un estado de comodidad, y que la había dejado angustiada cuando se sintió abandonada por su madre. Es posible que un padre que lo comprende –que pueda explicarlo con palabras– tienda menos a lastimar a un hijo que uno al que lo superan emociones no comprendidas y que siente sólo una furia ciega e incomprensible.

Algunas mujeres que atacan a sus bebés también sufren abusos físicos de sus parejas que se vuelven más violentas cuando el bebé llora. Cuando una mujer se da cuenta de que el hombre está perdiendo la paciencia, se siente desesperada por encerrar al bebé. Con frecuencia, no existe forma de esconder el llanto del bebé o de mantenerlo alejado del hombre en las condiciones en las que viven.

Algunas veces, el bebé se convierte en el blanco de agresión del hombre porque le pertenece a la madre y lastimar al bebé es lastimarla a ella. En otros momentos, el hombre trata al bebé y a la mujer como objetos de su propiedad, con lo cual siente derecho a hacer lo que quiera.

Algunas veces, el límite llega cuando un bebé llora durante la noche. La mayoría de los bebés que lloran concentran su llanto durante el día y se encuentran en especial inquietos durante la tarde, pero se relajan antes de la medianoche, despertándose durante la noche sólo para ser alimentados. Algunos, sin embargo, también lloran la mayor parte de la noche. Así, a los padres les resulta mucho más complicado sobrellevar el día. Se crispan los nervios y con una continua privación del sueño, existen menos controles racionales sobre el comportamiento. A algunas mujeres las salva tener parejas que compartan la tortura nocturna: "Nada parecía aliviar el llanto. Todo nuestro mundo intentaba calmar los gritos de la criatura. Yo lloraba casi tanto como el bebé". Otras mujeres tienen que tolerar solas al bebé durante la noche ya que el hombre se pone de mal humor y puede volverse violento si perturban su sueño.

Por otro lado, algunas indican que la falta continua de sueño hace que ellas y sus parejas se comporten como zombis y no tengan la energía para atacar al bebé. Sólo siguen haciendo cosas para intentar detener el llanto como si fueran máquinas conectadas en forma automática. Golpear o sacudir al bebé está fuera de discusión. Simplemente no tienen la fuerza para hacerlo.

Si ya existen otros hijos, un bebé que llora despierta a los demás durante la noche. Una mujer me contó cómo sus hijos más grandes solían aterrizar en su cama, junto con el bebé, cada noche. Le resultaba imposible dormir. Tenía fantasías de diferentes formas en las que podría matarlos a todos y obtener un poco de paz, al fin. En ese momento creía que era la única mujer en el mundo que tenía esos "pensamientos perversos". Más tarde, se encontró con otra mujer que estaba bajo una tensión similar y buscaron la forma de salir juntas periódicamente y "contarse los secretos". Ser capaz de ser honesta sobre sus sentimientos le permitió desarrollar nuevas estrategias para sobrellevar la situación: se unió a un grupo de teatro del colegio con sus hijos mayores y se extraía leche para poder alternar las noches de cuidado con su pareja.

Con un bebé recién nacido, uno espera que sus hijos más grandes sean sensatos, bastante independientes y más maduros de lo que son. En una familia donde hay poca diferencia de edad entre los hijos y donde hay un bebé que llora, uno de los otros puede sufrir el enojo de la madre. Lo que comienza como una bofeteada disciplinaria se convierte en violencia. Incluso cuando haya solamente dos hijos, soportar a un bebé que llora es muy diferente a soportar a un bebé que llora y a un niño de dos años con ataques de rabia. La furia que siente una mujer hacia el bebé que llora constantemente puede ser descargada contra el hijo mayor que se comporta mal. Muchos hijos mayores actúan como bebés luego del nacimiento de un hermano para obtener el amor que le dan al bebé recién nacido. Es común que un niño que ya dejó los pañales comience a hacer desastres y necesite volver a utilizarlos durante un tiempo, o que juegue con la comida, se vuelva "quejoso" o que desarrolle problemas para dormir.

Esto es lo que le ocurrió a una mujer que describió su experiencia después del nacimiento de su segundo bebé, que era "fatal y demandante" y lloraba mucho; su hija mayor también se volvió muy complicada. Vivió un día terrible cuando su hija mayor tuvo un ataque de rabia en el supermercado, lo que hizo que el bebé también comenzara a llorar, y con las manos alrededor del cuello de la niña comenzó a gritarle, "¡Cállate o te mataré!" Las demás personas que estaban comprando no lo notaron, con excepción de una anciana que le dijo a otra: "Ese es el problema de las madres jóvenes. ¡Malcrían a sus hijos!" La madre sufrió infecciones recurrentes y dolores de cabeza constantes. El médico le prescribió analgésicos y antibióticos, y no se dio cuenta de lo desesperada que estaba. Por suerte, se encontró con alguien que le dedicó tiempo para conversar y le formuló la pregunta importante: "¿Qué es lo que deseas?" y escuchó sus respuestas. Luego hubo tiempos difíciles, pero ella comenzó el largo y doloroso proceso de construir su propia autoestima. Se unió a diversos grupos de madres de niños de hasta tres años y se ofreció como voluntaria de Padres Anónimos, un grupo de apoyo para padres con sentimientos violentos hacia sus hijos.

Busque a alguien que pueda cuidar por un rato al bebé.

Pídale a su pareja que cuide al bebé o contrate a alguien.

En acción

Los sentimientos violentos

Reconozca su enojo. Éste es el primer paso para ser capaz de hacer algo al respecto. Una vez que logre admitir "Hay veces que odio a mi bebé" podrá apreciar cuáles son los peligros y los momentos en que se siente más desesperada y podrá desarrollar una estrategia para manejarlos o evitarlos. Usted misma conoce las señales emocionales que indican que debe alejarse; quizás salir y cerrar la puerta al bebé que llora porque está cerca del límite.

Descargue su enojo. Redirija su furia a algo inanimado. Puede golpear almohadas con una percha y gritar. Si está preocupada por lo que puedan pensar los demás si la escuchan, primero encienda la radio o la televisión y suba el volumen.

Utilice su enojo de manera constructiva. Encare alguna tarea en la casa o en el jardín que involucre dar golpes, hacer ruido o romper algo. Cavar, hacer pan o fregar podrían ser formas de exteriorizar su furia. Sin embargo, el problema es que muchas mujeres están tan exhaustas a causa de sus bebés que pueden no contar con la energía necesaria para hacer estas cosas. El enojo permanece como un veneno dentro de ellas. Cuando comienzan a quebrarse por la tensión, hace erupción como lava hirviendo. Ahí es cuando necesitan a alguien que las ayude.

Encomiende a su bebé a otras personas. Si siente que está por explotar, entréguele el bebé a alguna otra persona antes de que esto ocurra. Podría ser su pareja, una amiga comprensiva o alguien a quién contrate para ello. Tener una persona como ésta es una prioridad.

Piense en qué momentos del día se siente sometida al mayor estrés. Analice si es posible disponer de algún tiempo lejos del bebé en forma periódica durante ese momento. Para muchas mujeres es la tarde, cuando están cansadas y el bebé tiende a llorar. Éste, por supuesto, es el momento más complicado para llamar a alguien que pueda ayudarla y muchas mujeres no tienen a nadie más que sea fiable y a quien puedan confiarle al bebé. Pero piense en alguna mujer mayor cuyos hijos hayan crecido y viva sola, que viva cerca de su casa, quizás. Si está en su casa durante todo el día, probablemente se sienta sola y le agrade cuidar a un bebé por un par de horas cada tarde. Usted puede encontrar a alguien así con ayuda de la iglesia a la que concurre, de su médico, asistente de servicios de salud a domicilio o de algún vecino. Conózcala primero, por supuesto, y asegúrese de que pueda confiar en ella y que ella y el bebé compartan una buena relación.

Dedique tiempo a usted misma.

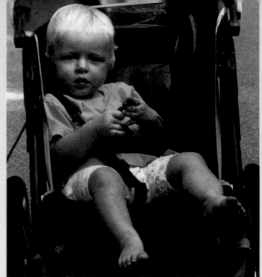

Saque a pasear a su bebé todos los días.

Identifique y haga uso de los momentos de calma. Confecciónese un gráfico basado en un horario de varios días que muestre los momentos en que el bebé es menos propenso a llorar y encontrarse inquieto. Aunque sólo halle espacios de media hora entre llanto y llanto, utilícelos para crear un pequeño lugar personal en que pueda relajarse. Planifique cosas que desee hacer, no las que siente que deba hacer. Tome un baño, vaya a la peluquería, relájese y escuche música o toque algún instrumento, lea, dibuje o pinte, o bien arme un rompecabezas; cualquier cosa menos cuidar al bebé. Éstos son sus espacios de relajación.

Experimente técnicas de relajación. Encuentre algún momento del día para relajarse. Duerma cuando su bebé duerme, sin importar lo extraños que sean los momentos en que pueda hacerlo. El problema es que puede sentirse paralizada y demasiado cansada como para conciliar un sueño profundo. Una se queda dormida en una posición incómoda, sentada con la ropa puesta y se despierta sobresaltada, preguntándose dónde está y qué ocurrió. O existen interrupciones: alguien golpea la puerta, suena el teléfono o un programa de televisión se vuelve, de pronto, ruidoso. Crear un pequeño oasis de paz donde poder refugiarse es de gran ayuda. Coloque una nota en la puerta que diga "La mamá y su bebé están descansando" y desconecte el teléfono. Elija algún lugar donde haya menos probabilidades de que la interrumpan y donde pueda cerrar las cortinas, elevar los pies y relajarse sobre almohadas.

Utilice ahora las técnicas de relajación que aprendió en las clases de parto. Exhale, deje caer los hombros y relájese y, luego, inhale lentamente por la nariz y exhale por la boca, escuchando el ritmo de su respiración. Cuando comience a hacerlo, notará que es imposible continuar ya que se le llenarán los ojos de lágrimas. Si desea llorar, hágalo. Llore bastante. Luego se sentirá mucho mejor.

Relaje conscientemente una parte del cuerpo tras otra. Utilice la respiración como ayuda de forma que cada vez que exhale, logre relajarse profundamente. Imagine cómo fluye el enojo desde el centro de su ser hacia la superficie de su cuerpo y cómo se aleja después de cada exhalación completa. Imagine una gran extensión de cielo con nubes esponjosas y suaves. Si aún siente enojo, exteriorícelo, colóquelo sobre una nube y contemple cómo se aleja volando. Utilice tantas nubes como sea necesario para liberarse de todo el enojo y el odio. Una vez que haya eliminado por completo los sentimientos negativos con cada inhalación, cárguese de paz y energía renovada. Aunque sólo pueda hacerlo durante alrededor de diez minutos, esto le permitirá crear un cierto espacio desde donde volver repuesta y llena de nuevas energías.

Salga de su casa todos lo días. Salga todos los días con el bebé aunque el tiempo no sea bueno. Pasee por la zona comercial o la plaza de su barrio o bien, vaya a tomar un café con una amiga. Esto le permite romper la intensa relación

Recupere horas de sueño cuando le sea posible.

Disfrute del ejercicio físico.

entre usted y el bebé que llora y los protege a ambos, ya que es muy poco probable que afloren sentimientos violentos si se encuentra rodeada de otras personas.

Contrate a una niñera. Al menos una vez por semana, contrate a una niñera para poder ya sea salir o bien relajarse en casa. Si puede afrontar los gastos, sería una buena idea ir a comer a algún lado. Pero no es obligación que salga cuando llegue la niñera. Explíquele que quizás se quede en su casa pero necesita un descanso del bebé. Una cosa que podría hacer, por ejemplo, es comer en la cama.

Contáctese con otras madres de bebés. Encuentre u organice un grupo de madres con bebés que se reúna en casas, en la clínica, en el salón de la iglesia, en un centro comunitario, en la Asociación Cristiana de Jóvenes o en algún otro lugar adecuado, una vez por semana.
Compre o pida prestado un equipo de música para usted. Escuche música y baile con su bebé en los brazos, lo que los calmará a ambos. O bien, utilice la música como pantalla; colóquese los audífonos para atenuar el sonido del llanto y concéntrese en algo placentero mientras se ocupa de su bebé. Esto no la aislará del bebé, pero una cascada de sonido silenciará el llanto y le permitirá sentirse más relajada.

Haga ejercicio físico. Si es posible, tome un descanso semanal del bebé y practique alguna actividad física vigorosa. Nade, juegue al tenis, al squash o al badminton o bien, vaya a correr o a andar en bicicleta. En última instancia, haga una caminata rápida de diez minutos. Podrá encontrar alguna clase de gimnasia para madres y bebés en el barrio.

Pida asesoramiento. Comparta sus sentimientos con alguien que la comprenda. Puede buscar la ayuda de algún médico o asistente de servicios de salud a domicilio. Un médico de la familia comprensivo le sugerirá, en general, media hora por semana para que hable sobre usted y sus problemas en una atmósfera donde no se sienta juzgada. O si existen problemas con su pareja, un asesoramiento especializado la ayudará. Puede ser un salvavidas. Además, el asistente de servicios de salud a domicilio puede visitarla con mayor frecuencia para charlar. Incluso podría ayudarla en su casa —¡lo que en realidad puede marcar una diferencia! Padres Anónimos es una organización que se especializa en ayudar a padres que se sienten al límite de la violencia contra el bebé. Hay centros de visita donde puede conocer a alguien a quien llamar por teléfono cuando tenga algún problema. Con seguridad existe alguna sede Samaritana en la zona donde vive que también le ofrecerá apoyo y asesoramiento.

Como último recurso, si siente que ya no puede tolerar más la situación, recueste al bebé en algún lugar seguro y simplemente salga de la habitación y cierre la puerta.

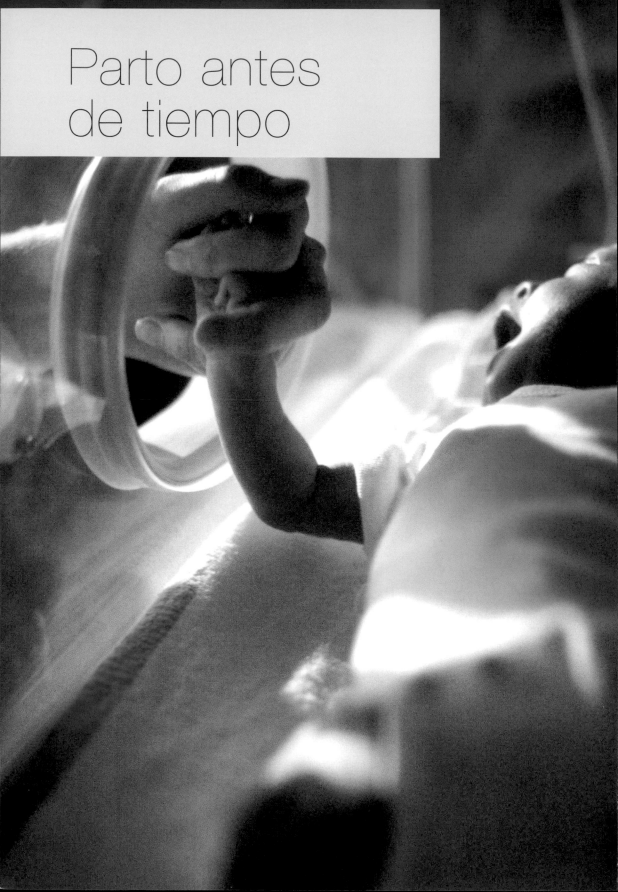

Parto antes
de tiempo

Nació siete semanas antes de lo previsto y sufrió un trastorno respiratorio, ataques de apnea, ictericia, septicemia y neumonía. Pasamos de la euforia a la depresión, nos alegramos cuando salió del respirador y pasó a un halo con oxígeno, pero volvimos a entristecernos cuando desarrolló infecciones que provocaron otros problemas respiratorios...

En el hospital, sólo lo veía en los momentos en que lo alimentaba. Nos permitían bajar a la sala de terapia intensiva en cualquier momento, pero no me gustaba molestarlos y, de todas formas, él dormía la mayor parte del tiempo. Cuando lo traje a casa, no sentía el instinto maternal en absoluto.

Declaraciones de madres sobre sus bebés

Algunos bebés prematuros lloran demasiado, mientras que otros son muy plácidos. Cuidarlos puede ser complicado incluso si no lloran ya que tienen un lapso de atención limitada, no pueden sostener erguida la cabeza para efectuar contacto visual y no resulta posible tener las gratificantes "conversaciones" que hacen del cuidado de los bebés algo entretenido. Necesitan un alto grado de estimulación antes de que noten la presencia de la madre y poseen ciertas formas de examinarla que ponen en riesgo que se los sobreestimule quedándose dormidos, llorando irritados o, si la madre logró comenzar una conversación mirándose a los ojos, desviando la mirada como si se aburrieran terriblemente con ella.

Tiffany Field, una especialista en desarrollo infantil que estudia las formas en que los bebés recién nacidos interactúan con las personas que los cuidan, expresa que una madre de un bebé prematuro debe avanzar por una línea delgada: "Puede no proporcionarle la suficiente estimulación para obtener la respuesta del niño o puede estimularlo demasiado. La madre debe ser altamente sensible a las señales del bebé".[1]

En mi estudio descubrí que la mayoría de los bebés prematuros no lloraba más que los bebés nacidos a término. No obstante, existen pruebas de que un bebé que es prematuro porque su madre tenía una presión sanguínea demasiado alta o preeclampsia –de forma que el trabajo de parto fue inducido– tiende a llorar más de lo normal. Lo mismo puede ocurrir si un bebé prematuro sufrió problemas respiratorios luego del parto.[2] Es como si los bebés que atravesaron previamente un camino en particular complicado, durante el parto o inmediatamente después del mismo, también estuvieran entre los que tienen dificultades para adaptarse y lloran más de lo normal. Los problemas para dormir pueden continuar por un largo tiempo, algunas veces, avanzado el segundo año de vida.[3]

Incluso los bebés que nacieron antes de tiempo, tuvieron un parto sencillo y comenzaron a respirar directamente, pueden necesitar un largo tiempo para acostumbrarse a los ritmos del día y la noche. Aún se encuentran acostumbrados al tiempo en el útero y pueden continuar de esta forma al menos hasta el momento en que debían nacer. A pesar de que no lloran más que otros bebés, lo hacen en momentos muy inconvenientes.

Existen otras razones por las cuales los bebés prematuros pueden ser inquietos y presentar dificultades de adaptación, incluso cuando no lloren durante períodos prolongados. Con frecuencia, pasaron días o semanas en la nursery de cuidados intensivos, separados del calor del cuerpo de sus madres, asilados en una cuna de plástico o en una incubadora, bajo luces fluorescentes intensas que en general permanecen encendidas día y noche, con máquinas resonando en sus oídos y rodeados de otros bebés molestos que lloran. Casi con seguridad sufrieron una cantidad de exámenes y tratamientos dolorosos que los hicieron inquietarse e irritarse.

Un estudio de las experiencias de los bebés en una sala de terapia intensiva reveló que los bebés habían sido sometidos, en promedio, a 144 circunstancias desagradables a la semana de vida, en comparación con 38 si habían recibido los cuidados de rutina en la nursery común.[4] Entre estas circunstancias se encuentran el despeje de las vías respiratorias por succión, la ventilación artificial, las sondas y catéteres colocados para intubación y succión endotraqueal o nasotraqueal, punciones lumbares, drenajes torácicos, inmovilizarlos y cubrirles los ojos para protegerlos de las luces de fototerapia, retirarles cintas adhesivas, máscaras en el rostro, la colocación y la extracción de catéteres de ombligo, gotas para los ojos que arden, rayos X, inyecciones y cortes en los talones para análisis de sangre.

Los investigadores no observaron lo que ocurrió cuando a los bebés los cuidaban sus madres todo el tiempo. Intuyo que pocos bebés que permanecen con sus madres hayan vivido más de dos o tres experiencias desagradables de este tipo. Expresan:

Al crecer, uno puede esperar que a dicha experiencia desagradable y prolongada le sigan desórdenes emocionales y de comportamiento. Quizás algunas de las dificultades que las madres experimentan con sus bebés al llevarlos a casa desde la sala de terapia intensiva, representan "un comportamiento neurótico" del bebé provocado por sus experiencias posnatales traumáticas.[5]

Independientemente de considerar o no al bebé como "neurótico", es razonable pensar que cuando todos los sentidos de un bebé fueron atacados por este tipo de tratamientos –incluso cuando hayan sido necesarios, para salvarle la vida– y cuando el bebé sufrió mucho dolor, puede tomarle algún tiempo adaptarse y sentirse seguro. Todos los bebés necesitan estar con sus madres o con alguna otra persona con quien puedan crear un vínculo íntimo, pero los bebés que atravesaron experiencias horribles como éstas, necesitan especialmente una cercanía afectuosa y saber que están a salvo. Cuando lloran, quizás sea, en parte, porque son separados de esta persona que puede hacerles sentir que el mundo es un lugar seguro.

No obstante, cuando un bebé es prematuro, una mujer sufre un gran estrés. Es mucho más difícil cuidar a un pequeño bebé prematuro que parece una rana roja despatarrada que a un bebé regordete y sensible nacido a término, que les agrada a todos. Cuando los expertos asumieron su rol y la madre siente que son responsables de

que el bebé se encuentre con vida ahora –y enormemente agradecida con ellos– puede resultar muy complicado actuar con confianza respecto del cuidado del bebé. Incluso cuando sea bienvenida en la sala de terapia intensiva en cualquier momento, durante las 24 horas del día –teniendo en cuenta que no todas las nurseries adoptan este sistema– es difícil sentirse segura al manipular al bebé cuando tiene sondas, cables y catéteres y todo lo que la madre puede hacer es introducir los brazos por las aberturas de la incubadora. Este estrés puede ser tan grande que es comprensible que algunas madres intenten evadirse emocionalmente y que se desarrollen problemas en la relación madre-bebé. Se demostró que existe un aumento de "trastornos en la maternidad", incluyendo abandono, el "síndrome del niño vulnerable", fracaso para desarrollarse y casos de lesiones cuando los bebés tienen un bajo peso de nacimiento.[6] Las generalizaciones como ésta no tienden a ser beneficiosas a menos que comprendamos con exactitud lo que provoca la sensación de malestar que siente una mujer hacia su bebé, que reconozcamos todas las cosas que invaden e interfieren con su relación e intentemos cambiarlas. No es necesario ir más allá de la sala de terapia intensiva para advertir que tanto la madre como el bebé sufrieron una experiencia difícil al momento en que el bebé abandonó el hospital y que esto puede afectarlos con posterioridad a ambos durante meses, incluso, algunas veces, durante años.

Retardo del crecimiento intrauterino

Algunas veces el bebé que llora inconsolable es un bebé que no fue alimentado de manera adecuada en el útero, ya que la placenta no funcionó completamente durante las últimas semanas de embarazo. Uno de cada tres bebés con bajo peso de nacimiento es pequeño como consecuencia de no haber crecido bien en el útero y no a causa de haber nacido antes de tiempo. Cuando se diagnostica un retardo del crecimiento fetal, los médicos se preocupan mucho. Le ordenan a la madre que se alimente mejor y que descanse más. Pueden internarla para que haga

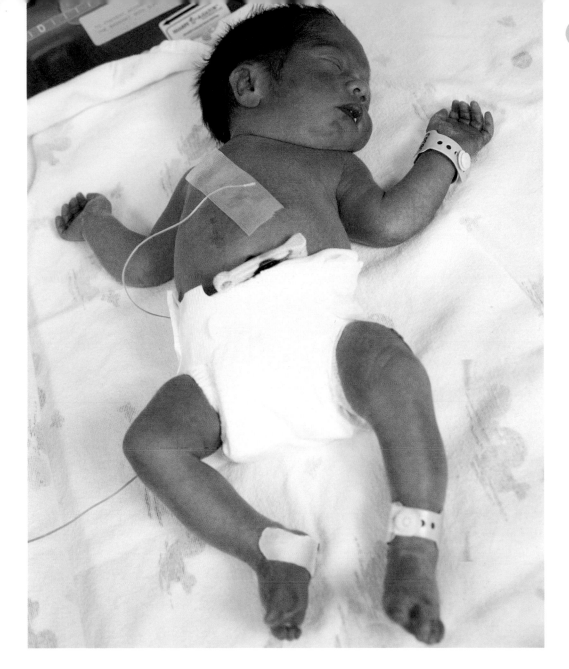

reposo absoluto e inducir el trabajo de parto ya que el bebé es "pequeño para la edad gestacional" y existen pruebas de mal funcionamiento de la placenta.

Muchas mujeres se sienten culpables cuando un bebé no crece de manera adecuada en el útero.

La placenta es un órgano complejo que actúa como un sistema de apoyo vital, pulmones y mecanismo de alimentación para el bebé. Todos los nutrientes en el torrente sanguíneo de la madre se filtran a través de sus delgadas membranas hacia el torrente sanguíneo del bebé. No siempre

se llega a comprender por qué la placenta no funciona tan bien como debería, pero suele ocurrir cuando la presión sanguínea de una mujer es muy alta y cuando desarrolla síntomas de preeclampsia –proteínas en la orina, retención de líquidos y gran aumento repentino de peso. Al igual que cualquier otro órgano físico, la placenta tiene, además, un período de vida. En general, funciona de manera adecuada entre 40 y 42 semanas. Algunas placentas envejecen más rápidamente que otras y no se conoce la razón de esto. Una buena nutrición durante el embarazo ayuda a que la placenta funcione de manera adecuada. Pero, algunas veces, una placenta que no se formó bien a principios del embarazo no logra nutrir adecuadamente al bebé. Ni el eterno "alimentarse por dos" ni el ingerir proteínas adicionales pueden compensarlo.

El bebé recién nacido con IUGR (retardo del crecimiento intrauterino) parece acongojado y tiene una piel seca y escamada y tiende a sufrir una leve ictericia. Si se alza al bebé y se le habla, se ve incluso más acongojado, y cuando se lo acurruca o acaricia, es probable que no se acomode como otros bebés sino que se ponga tenso. Durante los días posteriores inmediatos al nacimiento parece querer estar solo, no demanda atención si no se lo molesta y puede ser necesario despertarlo para alimentarlo. Si la madre juega con el bebé durante o después de alimentarlo, sufre reflujos y parece exhausto tras los esfuerzos por responderle y tolerar a las demás personas a su alrededor. Durante aproximadamente las siguientes tres

semanas estos bebés succionan bien, aumentan de peso con rapidez y se nutren bien, pero continúan un poco ansiosos y cuando se los alza y se juega con ellos parecen incluso más tensos. Cuando tienen alrededor de tres semanas de vida, comienzan a llorar. De estar tranquilos y dormir mucho, pasan a extensos períodos de llanto

–algunas veces, durante ocho horas por día, en general, comenzando a principios de la tarde. Se sobresaltan con facilidad y pareciera que saltan hasta el techo cuando se golpea una puerta, el perro ladra o se enciende una luz de manera repentina. Si bien los bebés "que sufren cólicos" en general dejan de llorar alrededor de los tres meses, estos bebés pueden continuar hasta los cinco meses. Y mucho después de este período, son bebés intensamente activos e hipersensibles, fácilmente estimulados a sentir angustia. Un pediatra explica la función de esta clase de llanto como el bloqueo a estímulos posteriores y a la descarga de molestias a causa de un sistema nervioso "inmaduro" altamente sensible.[7]

Impotencia

Al conversar con mujeres que tenían bebés prematuros o con bajo peso al nacer, tomé conocimiento de que cuando un bebé recibe cuidados intensivos, aquellas que aún conservan algún sentimiento de control sobre lo que está ocurriendo y son consultadas por el personal médico respecto de cualquier tratamiento y comparten la toma de decisiones, que son bienvenidas en todo momento y capaces de ayudar a cuidar a sus bebés, son menos propensas a tener bebés que lloran inconsolables varias semanas después. Para muchas mujeres cuyos bebés recibieron cuidados intensivos, existió un sentimiento abrumador de impotencia. Otras personas habían asumido la responsabilidad de sus bebés. Eran expertos y la madre se sintió indefensa, ignorante y, en el mejor de los casos, una alumna torpe. Cuando analicé en detalle cómo las mujeres describían sus sentimientos cuando sus bebés recibían cuidados intensivos, descubrí que tres cuartos de ellas mencionaban una sensación de impotencia. Casi todas estas

mujeres tenían bebés que lloraban en exceso.

Una mujer a la que habían administrado fuertes tranquilizantes antes del parto y que tuvo una cesárea expresó: "Estaba deprimida y preocupada por el bebé. Los pediatras seguían examinándolo pero no me decían nada, lo que aumentó mi preocupación". Al principio, su bebé dormía mucho y tenía problemas de alimentación, probablemente provocados por la alta dosis de tranquilizantes que había recibido del torrente sanguíneo de su madre, pero comenzó a llorar inconsolable cuando tenía dos semanas de vida, durante el día, por períodos de hasta dos horas cada vez.

La madre afirmó: "Me sentía muy aislada, culpable y ansiosa, ya que no podía hacer nada para detener el llanto. Mi médico me dijo que estaba demasiado ansiosa y que yo era la causa del problema. Yo era una persona muy confiada y capaz. Simplemente no podía sobrellevarlo a pesar de que debería haber sido capaz de hacerlo".

Otra mujer cuya beba fue internada en dos oportunidades en la sala de terapia intensiva donde la alimentaban a través de sondas, sufrió ictericia y estaba somnolienta, expresó: "Sentí que era mi culpa. Me sentí fracasada cuando dejé de amamantarla. Sentí que el bebé le pertenecía al hospital en lugar de a mí".

Un bebé que había aspirado meconio durante el parto fue "llevado de inmediato a terapia intensiva" por el pediatra. "Estábamos sumamente aterrorizados de que tuviera algún problema ya que nadie nos había explicado lo que iban a hacer".

Otro bebé, nacido cinco semanas antes de lo previsto, también fue llevado directamente a terapia intensiva: "Nadie se molestó en explicarnos lo que esto significaba para el bebé y cuánto tiempo necesitaría para adaptarse al mundo".

Una mujer pensó en suicidarse: "Estaba muy, muy deprimida. Consideré seriamente saltar desde el balcón de mi habitación (en el sexto piso). Mi hija estaba en una incubadora. Sentí que era mi culpa. Cada vez que las enfermeras cambiaban de turno, recibía nueva información, que contradecía la anterior".

Una y otra vez las mujeres afirmaron que no podían descubrir lo que estaba ocurriendo: "Me ignoraban por completo; a mi pareja la ahuyentaron a casa y mi bebé fue llevado a la sala de terapia intensiva". Luego, al no poder obtener información alguna: "Salí de la habitación para encontrar a mi bebé ya que nadie se molestaba en contarme nada". Su pareja se sentía muy avergonzada por esto y continuaba diciéndole: "Están haciendo lo mejor que pueden, amor". Ella se deprimió principalmente porque no le permitían amamantar al bebé como lo deseaba: "Cuando le quité la sonda de la nariz, se alimentó de manera formidable, pero como no podía alimentarse con mamadera, insistieron en colocar la sonda otra vez. Esto lo hizo sentirse incómodo contra el pecho, lo que provocó que los médicos y el personal dijeran que debía tomar la mamadera antes de que pudieran retirar la sonda". Esta mujer tenía cuatro hijos, dos de los cuales habían llorado en exceso cuando eran bebés. Ambos habían recibido cuidados intensivos y ella dice que la alimentación a pecho fue limitada ya que, en ambas ocasiones, el personal médico le dijo que "No tenía sentido amamantar hasta que bajara mi leche".

Algunas mujeres ni siquiera saben por qué sus bebés recibieron cuidados intensivos. Una de estas mujeres, afirma que nunca se lo dijeron y que no le agradaba preguntar porque todos estaban muy ocupados. Tuvo un bebé que luego comenzó a llorar en exceso día y noche, y fue internado porque no se desarrollaba. Cuando otras personas asumen por completo su rol, las mujeres sienten, con frecuencia, que el bebé no les pertenece. Una mujer que fue sometida a una cesárea a las 33 semanas a causa de preeclampsia dijo que su bebé fue "llevado de inmediato a terapia intensiva" y no pudo verlo hasta 30 horas después. El bebé estuvo en una incubadora con un monitor cardíaco: "Fue duro creer que era nuestro bebé. No habíamos elegido su nombre. Era como si lo hubiera perdido en cierta forma ya que ya no podía sentirlo pateándome". Se deprimió muchísimo: "La razón principal fue que no teníamos idea de cuánto tiempo Darren permanecería en el hospital. El personal médico no nos decía nada".

Incluso cuando un bebé no es llevado a una nursery de terapia intensiva, si no se mantiene informada a la madre y ella no puede compartir las decisiones tomadas respecto de su bebé, con frecuencia siente una sensación de impotencia similar a la de una mujer que tuvo un parto perfectamente normal, pero con una segunda etapa rápida. El bebé lloró intensamente en el parto y continuó haciéndolo. El médico habló sobre el llanto, agregando que había sido un "parto traumático". La madre me contó: "Pensé que el bebé no era normal. Creí que tenía daños cerebrales y que no querían decírmelo", y se deprimió.

Es el sentimiento de impotencia –respecto de cosas que no le dicen, del bebé que no la necesita porque otras personas pueden cuidarlo mejor, de estar fuera de contacto con la pequeña criatura que es producto de su cuerpo– el que contribuye a la pérdida de confianza que, según muchas mujeres describen, precede al llanto inconsolable del bebé. Cuando un bebé comienza a llorar, el llanto contribuye a los sentimientos de desprotección y confirma su sensación de ser inadecuada.

Mamás canguro

En general, un bebé muy pequeño se siente más complacido si se lo acurruca contra el cuerpo día y noche. En el hospital San Juan de Dios de Bogotá, Colombia, la sala de terapia intensiva estaba siempre superpoblada. Se encontraba desbordada de bebés con muy bajo peso al nacer, muchos de los cuales tenían pocas posibilidades de sobrevivir, y había bastantes infecciones cruzadas. Pero en 1979 se inició un programa de atención domiciliaria y una vez que los bebés estaban fuera de peligro se los cuidaba en su casa, aferrados al pecho de la madre como bebés canguro en su bolsa.[8] Se descubrió que un tercio de los bebés internados en la sala de terapia intensiva podría regresar a casa de este modo, de manera de liberar recursos para un mejor cuidado de otros bebés que eran demasiado débiles como para ser incluidos en el programa. Antes de introducir esta forma de cuidado, todos los bebés que pesaban menos de 1 kg morían. Durante un período de dos años después de poner en marcha el programa, algunos bebés aún murieron al momento del parto o inmediatamente después, pero de los que vivieron, el 72% que pesaba entre 500 gr y 1 kg, sobrevivió. Si bien antes el índice de supervivencia de los bebés que pesaban entre 1 kg y 1,500 kg

era sólo del 27%, ahora el 89% sobrevive.

Además, ocurrió otra cosa. Los padres que vivían en una terrible pobreza, algunas veces abandonaban a sus bebés enfermos y con bajo peso de nacimiento ya que sentían que no podían criarlos y no había esperanza. Antes de que existiera el "método canguro", 34 bebés fueron abandonados en un período de dos años; a partir de ese momento, sólo 10 bebés fueron abandonados en el mismo lapso de tiempo. Las condiciones son muy diferentes en hospitales de países más ricos y desarrollados. Muchos más bebés con bajo peso de nacimiento sobreviven como consecuencia de instalaciones de cuidados intensivos altamente sofisticadas. Pero el "método canguro" puede tener otras ventajas.

Puede resultar difícil enamorarse de un bebé lastimoso y huesudo que la ignore o se moleste cuando la madre intenta mirarlo a los ojos. Tener al bebé literalmente en contacto con una misma y anidado contra su cuerpo no sólo contribuye a que la madre sienta que el bebé en realidad le pertenece, y no al hospital, sino que también facilita el conocer y comprender al bebé. Esto puede anunciar una revolución en el cuidado de bebés muy pequeños que no es menos importante que la introducción de tecnología sofisticada.

Independientemente de lo que haya ocurrido mientras la madre estuvo internada, sin importar cuántos expertos se hayan ocupado, tener a un bebé anidado cerca de esta forma, le permite sentir que tiene pleno control de la situación y que su bebé y ella han comenzado juntos una relación íntima y delicada. No tendrá que esperar que el bebé llore para saber cuándo quiere que lo alimenten, que le hablen o le canten, que le den palmaditas en la cola o que le acaricien la espalda. En cambio, la madre notará a partir de pequeños movimientos que hace el bebé, que está esperando una reafirmación de seguridad. El bebé gozará de esta intimidad, una amorosa continuación de la vida dentro del útero, y disfrutará que su cuerpo lo acune en forma natural mientras la madre se mueve y cambia de posición, lo reconfortarán su olor, su calidez y su voz. Mientras alimente a su bebé de esta forma, podrá descubrir que, misteriosamente, el bebé también la está alimentando.

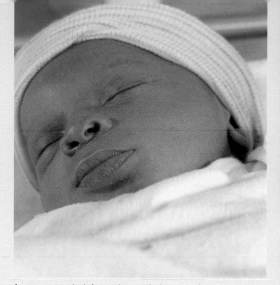

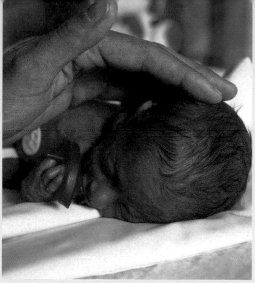

Arropar a un bebé puede ayudarlo a sentirse seguro.

Dele lentas palmaditas suaves para calmarlo.

En acción

Un bebé con necesidades especiales

Proporciónele un entorno seguro. Toda madre que tuvo un bebé como éste le contará que él necesita paz y que se lo trate con tranquilidad, firmeza, lentitud y delicadeza y que todo, tanto en el entorno como en el comportamiento de las personas a su alrededor, sea silencioso y moderado. Estos bebés disfrutan que les cambien los pañales y, al igual que otros bebés, que los lleven en una mochila portabebés contra el cuerpo. Con frecuencia, se sienten mucho más complacidos cuando tienen un chupete. Parece tener el efecto de bloquear otros estímulos. A pesar de que la mayoría de los bebés tolera bien el ruido de otros niños y disfruta de ser parte del ajetreo de la vida con hermanos, estos bebés no. Cuando crecen, lo complace durante períodos cortos pero pronto se sobreestimulan y lloran. Es sencillo sobreestimular a un bebé SGA (pequeño para su edad gestacional), intentando una cosa tras otra para detener el llanto. Esto hace que el bebé se tense cada vez más y a pesar de que cuando se sobresalta deja de llorar por algunos instantes como consecuencia del fuerte shock, comienza una vez más incluso con mayor intensidad que antes. Si usted reconoce esta descripción como un retrato de su bebé, intente el enfoque moderado y silencioso. Atenúe sus reacciones. Manipule con lentitud al bebé, con movimientos premeditados, como los de una persona mayor. Observe a su abuela o a alguna mujer mayor con el bebé. Descubrirá que el bebé se calma cuando se encuentra con una persona mayor y segura. Si así fuera, ésta es una clave importante de cómo debe manipular a su bebé. Brazelton expresa: "Cuando los padres se preocupan demasiado, corren el riesgo de quedar atrapados en hacer demasiado, en ignorar los comportamientos y reacciones del bebé que pueden ayudarlos a explicar lo que intenta decir su llanto".[9]

Intente arroparlo. El bebé puede sentirse más feliz cuando es abrigado con firmeza. Recuéstelo sobre un gran chal o manta elastizada y suave. Doble un extremo por encima del hombro del bebé y hacia delante, alrededor del codo del otro lado, y ajústelo bien por debajo de las rodillas. Después, tome el otro extremo y dóblelo por encima de la parte anterior de su cuerpo, colocándolo en forma tirante para cubrirlo por completo con firmeza y ajústelo, ya sea debajo de su cuerpo o debajo del colchón de la cuna o moisés.

Conéctese con su bebé. Adáptese a su ritmo copiando simplemente, algunas veces, lo que haga. Si el bebé bosteza, por ejemplo, haga lo mismo. Si emite suaves lloriqueos molestos, hágalo también usted. Si llora, intente imitar su llanto. Cuando pestañee, pestañee usted también.

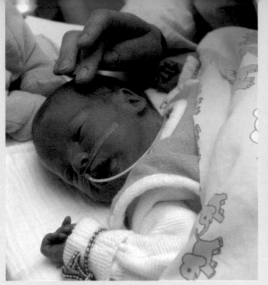

Las caricias delicadas pueden ayudar a su bebé a desarrollarse bien.

Intente "conectarse" con su bebé desde el principio.

Descubrirá que esto la ayudará a volverse más sensible a lo que su bebé intenta decirle. Puede convertirse, además, en un hermoso juego entre ustedes, un juego donde el bebé controla el ritmo. Cuando el bebé desvía la mirada, es señal de que debe detenerse. Ya recibió suficiente estimulación por el momento. Quizás se quede dormido o, luego de una pausa, se vuelva hacia usted para volver a comenzar el juego. Preste atención a las pistas dejadas por el bebé.

Dele palmaditas suaves. Los golpecitos suaves y delicados son una forma de calmar y producirle placer al bebé. Los golpecitos y palmaditas proporcionan estimulación y pueden comunicarle que el mundo es un lugar bueno y amistoso. En las nurseries de cuidados intensivos, los bebés muy pequeños y enfermos "se olvidan", con frecuencia, de cómo respirar ya que se los desestimula. Las enfermeras les dan golpecitos en la planta de los pies con los dedos cuando suena la alarma para estimularlos a comenzar a respirar nuevamente. Es triste que la única forma de despertar a un bebé para que regrese al ritmo de vida sea golpeándole los pies. Existen otras formas, más afectuosas, de estimularlo. Las investigaciones relacionadas con dar palmaditas, acurrucar y acunar a bebés con bajo peso al nacer comenzaron en la década del 60 y demostraron que el aumento de caricias tenía un efecto positivo. Estos estudios probaron que los bebés que reciben más caricias lloran menos, aumentan

de peso con mayor rapidez, tienen un mejor desarrollo motriz y presentan un comportamiento más avanzado.[10]

Eva Reich desarrolló un método para ayudar a bebés enfermos y con bajo peso al nacer mientras trabajaba en un hospital de Harlem, Nueva York. Surgió de la "terapia de orgón" que aprendió de su padre, el psicoanalista Wilheim Reich. Con golpes similares al aleteo de una mariposa desde la cabeza del bebé hasta la panza, descubrió, además, un método para ayudar a relajarse a un bebé que sufre cólicos y afirmó que las caricias pueden "volver a conectar los segmentos de nuestra energía vital". Dado que la tensión se libera siempre desde el centro hacia afuera, los movimientos deberían efectuarse desde el centro del cuerpo y fluir hacia lo periférico.

Un método de masaje, mientras se acuna y acurruca al bebé, denominado técnica de estimulación sensomotriz o, con palabras más simples, caricias de amor, fue desarrollado por Ruth Rice.[11] Recueste al bebé boca arriba y utilice golpecitos desde la parte superior de la cabeza hacia abajo y sobre el costado de la cabeza hacia la oreja, y desde las cejas hasta las orejas. Después, rodee los ojos y aplique golpecitos a los costados de la nariz y hacia las mejillas. Luego, haga lo mismo con el mentón y el cuello. Rodee un brazo a la vez, dé golpecitos sobre el brazo hacia abajo y sobre la mano, y luego, hacia abajo a los costados del pecho y la panza. Rodee el muslo y aplique golpecitos hacia abajo y a lo largo

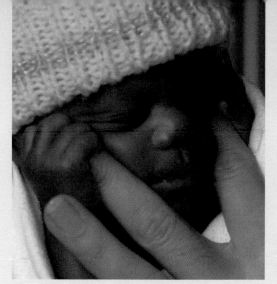

Masajee con delicadeza la cara del bebé.

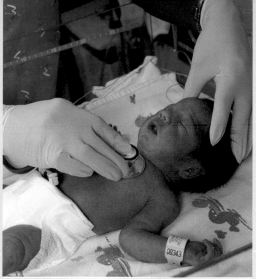

Saber que su bebé se encuentra bien cuidado puede ayudarla a disipar preocupaciones.

del pie, y repita el movimiento sobre la otra pierna. Con el bebé boca arriba, dé golpecitos desde la frente, por encima de la cabeza, y después, a los costados de la columna vertebral desde arriba hasta abajo. Con la yema de los dedos, haga pequeños movimientos circulares a los costados de la columna vertebral. Luego, levántelo con firmeza, acúnelo y cántele.

Un bebé pequeño puede ser sobreestimulado y angustiarse con un masaje enérgico pero Elvedina Adamson-Macedo, una psicóloga del desarrollo de origen brasilero que investigó los efectos de los golpecitos en bebés prematuros, desarrolló una especie de caricias que denomina TIC TAC –sigla del inglés "touching and caressing, tender and caring" que significa "tocar y acariciar con delicadeza y cariño"– que pueden efectuarse mientras el bebé aún está en una incubadora. Es diferente del masaje ya que no implica fricciones o aplicación de presión sobre los músculos. En cambio, estimula las terminaciones nerviosas en la piel a través de golpecitos muy leves que utiliza, algunas veces, sólo la yema de los dedos.

Experimente el método canguro. Necesitará ropa suelta abierta en la parte de adelante. Utilice una mochila portabebés en contacto con su piel, bajo la ropa, y coloque al bebé desnudo con el pañal, de forma que quede sujeto entre sus pechos. Puede usar un corpiño o no, según le resulte más cómodo, o un corpiño para amamantar dejando las tazas abiertas para que el bebé pueda alcanzar el pezón con facilidad. Dado que es probable que pierda un poco de leche, las remeras de algodón son las más prácticas, ya que pueden lavarse y secarse con rapidez. Su bebé se sentirá cómodo contra un pecho velludo, por ello, esto es algo que un padre también puede hacer. Su bebé se mantiene abrigado con el calor de su cuerpo. El espacio entre sus pechos es especialmente cálido. Cuando se amamanta, al notar que su bebé se mueve y prepara para comer, sus pechos se volverán incluso más cálidos. Si el clima es frío, vístase con ropa más abrigada y el bebé puede usar también una pequeña gorra. Dado que la cabeza del bebé es el órgano más grande de su cuerpo, la mayor pérdida de calor se produce desde allí. Los bebés prematuros necesitan calor todo el tiempo. Si toman frío, pierden la energía que necesitan para alimentarse.

Está aburrido
y se siente solo

La enfermera no debe permitir que el niño adquiera malos hábitos
–por ejemplo, beber mucha agua, usar el chupete
o succionarse el dedo, dormir con la madre u otra persona,
ser alzado cuando llora, ser sostenido,
hamacado o paseado, etc. Si se entrena al niño de manera apropiada
puede aprender a dormir casi toda la noche, a dormir entre un amamantamiento
y otro y a llorar sólo cuando tiene hambre, está incómodo o enfermo.
Joseph O. Delphe, *Obstetricia para enfermeras*, 1904.

Imaginen estar metido en una caja, indefenso, sin poder moverse mucho, sin poder conseguir comida ni bebida cuando se está hambriento y sediento, sin poder valerse por uno mismo y que se dé por sentado que uno debe quedarse acostado allí en confinamiento solitario. Lo único que uno puede hacer para cambiar lo que ocurre es hacer un ruido muy fuerte. Entonces sí sucede algo.

Los bebés lloran cuando se sienten solos o están aburridos. Les agrada saber que hay personas alrededor, que ocurren cosas interesantes –imágenes cambiantes, sonidos y movimientos. A medida que su sistema nervioso madura y son capaces de mayor coordinación –controlar el movimiento de la cabeza, por ejemplo– requieren una escena más rica y variada. No les gusta que los arropen y los pongan en la cama mientras afuera transcurre la vida.

Sin embargo, para el momento en el que el bebé tiene alrededor de un mes, muchas mujeres tratan desesperadamente de "volver a la normalidad", de establecer una rutina, de planificar algún tipo de horario para el bebé, porque tienen que volver al trabajo fuera de casa o, inclusive si se quedan en el hogar, tienen que preparar la comida y hacer las tareas de la casa. A menudo, también son presionadas a demostrar que pueden arreglárselas con todo por sí solas y, como hemos visto en el Capítulo 8, pueden sufrir bastante presión de la pareja para que atienda sus necesidades en vez de las del bebé.

Casi siempre, esto ocurre para la misma época en que el bebé empieza a llorar todo el tiempo para que lo alcen. A muchos de nosotros nos han dicho que hay que controlar a los bebés y no dejarlos que "dominen" o "manden" en la familia. Es parte de la tradición de la niñera. Como en cualquier jardín bien cuidado, el orden tiene que prevalecer, y ceder ante un bebé sugiere que las malezas y la naturaleza asumen el mando.

Inclusive si no se siente la necesidad de demostrarle al bebé quién es el amo, casi todos los libros y artículos de revistas para padres ponen de manifiesto que hay que ser consistente. A pesar de esto, cualquier madre de un bebé que llora sabe que lo primero que hay que arrojar por la ventana es la consistencia. Porque los bebés no han leído estos libros. Cuando lloran porque desean estímulos, brazos cariñosos que los sostengan, sentirse seguros y queridos, y saber que son parte de nuestra comunidad humana, no saben de nuestro miedo a perder el control, de nuestro deseo por mantener el orden, de nuestras propias dudas y falta de confianza, de nuestro sentimiento de culpa por no ser madres adecuadas, de nuestro terror al caos.

En una familia poco numerosa, cuando la única persona que está en la casa durante casi todo el día tiende a ser la madre, el bebé sólo recibe estímulos de ella. Muchas de las mujeres que hablan conmigo acerca de sus bebés que lloran, pasan largas horas solas con él, excepto quizás durante los fines de semana. El 40% de aquellas cuyos bebés lloran más, pasaron entre 8 y 12 horas completamente solas el día antes de que contestaran a mi cuestionario, comparado con el 27% de aquellas cuyos bebés no lloran mucho. Cuando una mujer está sola presta más atención al llanto del bebé o bien es cierto que su bebé llora más. Al no poder registrar el tiempo durante el cual el bebé llora, en realidad es difícil estar seguro de la cantidad de llanto. Pero lo importante es

cómo se siente la madre con eso. Y surgió con mucha claridad que las madres se sienten mucho más ansiosas y preocupadas por el llanto de sus bebés cuando están aisladas socialmente.

Aidan MacFarlane, un pediatra de la comunidad, me dijo: "Los bebés criados entre algodones y mantenidos en habitaciones silenciosas tienden a llorar más que aquellos que están expuestos al bullicio general y a todas las actividades sociales desde el principio." Sin embargo, cuando una mujer está sola en la casa durante muchas horas corridas, no hay ningún bullicio de este tipo. O si lo hay, sólo es el de la pantalla de TV. Puede ser que no haya otros niños para mirarlos jugar. El padre se va a la mañana y vuelve a la noche y espera paz y tranquilidad después de un día agotador. En general, no trae trabajos manuales a casa, lo que podría resultar interesante para que el bebé observe, y si trae trabajo, tiende a ser papelerío o si no, está apostado frente a la pantalla titilante de la computadora, que exige concentración y silencio.

Además, una mujer que está en casa sola con la total responsabilidad de un bebé y aislada de otro contacto humano, es –como ya hemos visto– susceptible a la depresión. A veces una de las razones por las que está sola es que no puede reunir la energía necesaria para salir a encontrarse con otras personas porque ya está deprimida. El aislamiento social aumenta más la depresión.

Una madre deprimida quizás no puede ofrecer estímulos adecuados a su bebé. Su cara parece congelada o como si tuviera una máscara. Se mueve despacio. La voz no tiene expresión. Hay veces en que no puede responder ante el bebé para nada y el niño pronto aprende que no tiene objeto buscar su atención mirándola a los ojos, dándose vuelta hacia ella o haciendo ruiditos para hacerla entrar en conversación. El bebé de una madre deprimida puede darse por vencido y transformarse en un ser pasivo o bien, descubrir que la única manera de conseguir su atención es llorar fuerte. El llanto hace que la madre se deprima aún más e inclusive que sea menos capaz de escapar de su aislamiento social y buscar ayuda. Puede sumirse en un torbellino de desesperación.

Mientras tanto, la pareja con frecuencia se siente incapaz para solucionar algo de todo esto. Una reacción común es tratar de mantener una apariencia de normalidad alejándose de la mujer. Al encontrarse ya bastante agobiado por la responsabilidad de este nuevo bebé, le preocupa que su trabajo se vea afectado por el llanto. Inclusive que pueda perder el trabajo. Por ejemplo, una mujer me explicó lo "absolutamente exhaustos" que se sentían ella y su pareja por el llanto del bebé. Dice que a él le importaba sólo su trabajo, mientras ella se concentraba en el bebé y en el niño de dos años "que se lamentaba y lloraba constantemente para lograr algo de la atención que conseguía el bebé con el llanto". Explicó la manera en que ambos se sentían "separados" y "alejados por completo uno del otro". Mientras esta situación se mantuvo, el bebé siguió llorando. Cuando ocurre este tipo de cosas, la única manera para que el bebé esté más contento puede ser que la pareja logre que se reanude la comunicación entre ellos. El bebé necesita estimulación y una sensación de seguridad de pertenecer que se logra a través de las relaciones activas entre seres humanos. Y el bebé llora a los gritos –muchas veces, literalmente– para ser parte de esa relación, que es algo que funciona, y para que no lo traten sólo como un objeto que hay que cuidar.

Algunas mujeres me dicen: "Mi bebé sólo llora para llamar la atención", e incluso agregan: "por eso, lo ignoro". Una madre de más edad dijo: "Con mis dos hijos me di cuenta de que lo único que querían era atención, así que no les hice caso". Y otra que estaba decidida a tomar el camino riguroso con un bebé recién nacido, aconsejaba:

Si un bebé llora mucho, hay que dejarlo llorar. Si ha comido y está limpio y al parecer, no le ocurre nada, hay que dejarlo en la cuna y que llore hasta que se canse. Rápidamente reciben el mensaje de que tiene que callarse y que no va a lograr atención.

El bebé que busca atención es un niño que busca estímulo, deseoso de aprender. Este estímulo puede ser muy sencillo y no estar vinculado a juguetes caros o computadoras para la cuna (un método mediante el cual, según algunas empresas de artículos electrónicos, los padres de Norteamérica van a lograr bebés más inteligentes.)

El bebé que busca atención es también un niño que busca relacionarse, que necesita asegurarse de que forma parte de los ritmos de la comunidad humana. Una manera importante en que los padres pueden reducir el llanto es reconocer la necesidad del niño de compartir el entusiasmo que resulta de la interacción social. Cuando esto ocurre, no sólo se descubre un niño más contento sino que también se construyen las bases de todas las habilidades para comunicarse que se necesitan más tarde en la vida.

La comunicación depende de la sincronización. Esto es lo que el bebé aprende en estos encuentros tempranos cuando hace contacto visual y después, cuando es el momento apropiado, mira hacia otro lado para "interrumpir" la conversación, presta atención, es expresivo, responde, logra respuestas de la otra persona, imita y forma parte del toma y daca de las relaciones humanas.

Los juegos repetitivos en los que las madres y los padres hacen participar a los bebés son mucho menos sencillos de lo que parecen. Implican actividades sociales muy complejas. Los participantes comparten los mismo códigos de señales, entienden el lenguaje de uno y otro y también el lenguaje no verbal a través del cual se comunican mensajes como "es divertido", "continúa" y "todavía no... no he terminado". Y además de todo esto, tienen que sincronizar lo que están haciendo e integrarlo en un flujo armónico.[1] Esta "sincronización interpersonal" comienza en el nacimiento con el intercambio de miradas y la relación entre esto y succionar, tragar y respirar. La relación entre la madre y el bebé es, al menos en forma potencial, "una unidad diádica".

Bebés de tan solo tres días de edad pueden imitar las expresiones de la cara de sus madres. Durante un estudio sobre la habilidad de los bebés para imitar las expresiones de los adultos, los bebés nacidos sólo unos pocos días antes se pusieron en posición cara a cara con alguien que adoptaba una expresión alegre, triste o sorprendida y la mantenía hasta que el bebé miraba hacia otro lado. Después, el adulto hacía dos o tres flexiones de rodillas y sonidos con la lengua y ponía otra cara, hasta que el bebé miraba hacia otro lado de nuevo. Mientras tanto, un observador que veía sólo la cara del bebé podía adivinar, sobre la base de la expresión del bebé, qué expresión estaba haciendo el adulto. No fue difícil hacer esto y los aciertos fueron correctos para expresiones tristes en un 59% de los casos, para expresiones alegres en 58% y para las expresiones de sorpresa en un 76% de las veces. (Cuando se piensa en todas las payasadas que hacían los adultos es entendible que los bebés no encontraran ninguna dificultad en parecer sorprendidos.)

Jugar a distintos juegos es un resultado espontáneo del agradable intercambio entre la madre y el bebé. No hay que considerar los juegos como experiencias educacionales y no tienen que ser premeditados. La reacción del bebé indica cuándo es el momento apropiado para introducir juegos de este tipo y también los momentos en los que el bebé ya ha tenido suficiente de ellos y no quiere más estimulación. Algunas de estas interacciones dramáticas se reconocen de inmediato como juegos, por ejemplo, cuando uno inclina la cabeza hacia el bebé y dice: "Te voy a atrapar, te voy a atrapar", y el bebé sonríe o se ríe. Otros pueden considerarse más en términos de conversaciones, como cuando se le dice al bebé: "Entonces, cuéntame" o "Cuéntame tú un cuento", y el bebé empieza a gorjear y a murmurar mientras el adulto escucha y asiente. Después responde con palabras que interpretan los sonidos rudimentarios que el bebé hace y puede introducir un componente emocional al interpretar lo que el bebé siente con respecto a todo: "Y esta fue una comida muy rica, ¿no? Me estabas diciendo que tu pancita está llena ahora" o "No te gustó quedarte solo. Querías a tu madre y ahora estás contento porque vine". Pueden parecer tonterías para otros pero no son tonterías para el bebé y en la medida en que se sincronizan y se comunican uno con el otro es como bailar un baile con pasos difíciles en el cual los dos saben las pautas, se dan señales mutuas y responden de una manera satisfactoria para los dos. ¡Y no se necesita un diploma en psicología infantil para lograrlo! En las páginas siguientes encontrará una guía útil para ver lo que el bebé puede hacer y las cosas que le parecen interesantes según las diferentes edades.

Lo que puede hacer el bebé según su edad

Los bebés se desarrollan a un ritmo propio. Algunas veces pareciera que no hay ningún progreso por un tiempo. En otros momentos, hay un torrente de logros y pareciera que crecen muy rápido. Cuando no se ven progresos evidentes, no significa que no ocurre nada. El desarrollo se lleva a cabo, se hacen conexiones y los logros llegan a su tiempo. Ser sensible a las necesidades del bebé implica observar con cuidado para que el adulto y el medio se adapten a la etapa de desarrollo que el bebé haya alcanzado y pueda crecer así con confianza en sí mismo. Las edades mencionadas abajo son aproximadas y si su hijo alcanza estos "hitos" antes o después que el promedio, es muy poco probable que esto indique que sea brillante o retardado en la parte intelectual; es sólo la expresión de sus pautas personales de crecimiento.

A LA SEMANA

El bebé puede usar los músculos del cuello para sostener la cabeza durante varios segundos seguidos. A veces, se puede advertir una sonrisa beatífica tipo Buda cuando está en estado de concentración interna.

A LAS 4 SEMANAS

Comienza a experimentar con una repetición de sonidos diferentes. Empieza a buscar con los ojos la fuente de la voz y un día cualquiera nos recompensa con la primera sonrisa social mientras se le habla.

A LAS 5 SEMANAS

Descubre el pulgar o los dedos para chupar y empieza a poder calmarse solo de esta manera.

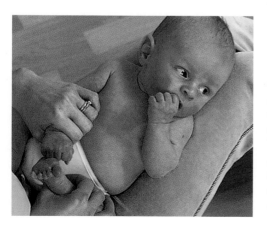

A LAS 6 SEMANAS

El bebé reconoce y sonríe inclusive si no se le habla. Cuando se le habla y sonríe al mismo tiempo, devuelve la sonrisa y patalea y gorjea encantado. Puede abrir la mano, asirse una mano con la otra, jugar con los dedos por contacto. Puede divertirle sostener un sonajero y queda encantado al descubrir que hace ruido.

A LAS 8 SEMANAS

Cuando tiene un sonajero o una argolla en las manos, la sostiene con fuerza y la mueve para todos lados. Puede seguir el sonido con los ojos dando vuelta la cabeza de un lado a otro y de arriba a abajo. También puede concentrarse en un objeto situado a 20 cm de su cara y seguirlo con los ojos. Ésta es una etapa muy importante para aprender la conexión entre lo que puede ver, oír y tocar. Distingue la diferencia entre sonreír y hablar, devuelve la sonrisa cuando se le sonríe y responde con ruidos cuando se le habla. Cuando está acostado empieza a salir de la posición fetal. Le gusta estar semiincorporado en un bebesit y levanta la cabeza y los hombros para sentarse más erguido. Le agrada estar desnudo y tocarse para conocer su propio cuerpo.

A LAS 9 SEMANAS

Si se lo coloca de costado se da vuelta sobre la espalda y empieza así a elegir las posiciones que le resultan más cómodas para dormir.

A LAS 10 SEMANAS

El bebé juega con sus manos y las mira con fascinación. No sólo mira fijamente un objeto situado de manera que pueda verlo sino que también puede tratar de golpearlo. Falla con frecuencia. Mira su mano y el objeto y lo intenta de nuevo. Una pelota blanda o un juguete que haga ruido cuando golpea, sostenido a unos 25 cm de su cara son apropiados para que juegue. Está aprendiendo que tiene poder para hacer que ocurran cosas.

A LOS 3 MESES

El bebé se ha liberado de la posición fetal. Se advierte más control de los movimientos de la cabeza. Cuando se lo acuesta boca abajo puede sostener la cabeza levantada durante largo tiempo y erguirse sobre sus antebrazos para poder ver más. Si está de espaldas puede levantar la cabeza. Ahora puede darse vueltas de espalda o de costado. Si se lo sostiene erguido o sentado en una silla, contempla fascinado cualquier actividad que haya para mirar. Le agrada estar de espaldas y patear, agitar las manos alrededor y mirarlas acercándolas a su cara para poder verlas más de cerca. Le agrada que lo levanten para sentarlo y empieza a hacerlo solo si se lo toma de las manos manteniendo su cabeza alineada con el cuerpo. Le gusta mirar y escuchar a los demás. Elige a las personas que prefiere y les hace más sonrisas y ruiditos que a aquellos que conoce poco. Se pone las manos, dedos y pulgares, dentro de la boca, los mira y después lo intenta con una combinación diferente de dedos, pulgares y puño cerrado. Se mete todo en la boca para explorarlo, masticarlo y chuparlo. Golpea y toma los juguetes, mejora al calcular la distancia entre su mano y un objeto que intenta alcanzar pero necesita tiempo para elaborar esta habilidad. No hay que hacer todas las cosas por él. Es preferible dejarlo explorar y descubrir por sí mismo. Para desarrollar la coordinación ocular necesita objetos fijos de formas, tamaños y colores diferentes que pueda tocar. No le agrada que reboten y se alejen de su mano cuando los toca porque quiere aprender más acerca de ellos. Se aburre si no se le cambian los objetos que lo rodean. Si sabe que

lo van a alzar, levanta la cabeza como preparándose. Se puede sentar por un instante si usa las manos como soporte. Cuando está acostado boca arriba puede estirar los brazos, levantar la cabeza y los hombros y puede darse vuelta. Levanta la cabeza, los hombros y la cola en forma alternativa, doblando la espalda como el monstruo del Lago Ness y puede arrastrarse con la panza contra el piso. Le agrada que lo sostengan de pie y usa los músculos de sus piernas para rebotar. Casi todos los sonidos que hace son vocales, por ejemplo "aaah" y "uuuh".

A LOS 4 MESES

El bebé puede elevar las rodillas y empujar con los pies, y es capaz de levantar los hombros para empujar con las manos usando los músculos que empleará más tarde para gatear. Demuestra que está en especial apegado a la madre cuando la acaricia, intenta escarbarle la cara con el dedo y juega con su cuerpo y con su ropa, pero es más reticente con los extraños. Puede concentrarse en un amplio campo visual y también puede asir cosas adaptando la forma de sus manos para sostenerlas con mayor facilidad. Sostiene objetos grandes entre los brazos. Conversa con continuidad. Cuando se deja de hablarle, balbucea en respuesta. Cuando está solo, habla bastante.

A LOS 5 MESES

Los músculos de la espalda son más fuertes y se puede sentar cómodamente siempre que tenga algo de apoyo en la base de la columna.

A LOS 6 MESES

Se pone nervioso si escucha la voz de alguien que conoce bien y que está fuera de la habitación. Puede empezar a desconfiar de los extraños. Se ríe mucho y también a carcajadas. Empieza a usar las manos para explorar texturas diferentes.

A LOS 7 MESES

El bebé usa los dedos y los pulgares, no sólo toda su mano, para asir y sostener. Cambia los sonidos de una sílaba por "palabras" de dos sílabas por repetición, por ejemplo "mamá", "baba", y puede usar la misma "palabra" para cosas y personas diferentes y distintas combinaciones de sonidos para la misma cosa o persona.

A LOS 8 MESES

El bebé se sienta por períodos largos sin soporte alguno y se puede inclinar para recoger objetos. Se puede poner en cuatro patas y hacer cualquier tipo de movimientos que impliquen rodar, empujar o darse vuelta. Puede empezar a gatear al levantar la panza del piso o a arrastrarse con la cola. ¡La gran aventura ha comenzado! Éste es el momento de la angustia de la separación y si hay una sola persona que los cuida, muchos bebés se le "pegan". El bebé puede querer tener a su madre a la vista cada segundo del día. Para gesticular, emplea los codos y las muñecas, no sólo toda la parte inferior del brazo y puede agitar la mano diciendo "adiós". Palabras de dos sílabas se agregan a su repertorio para dar exclamaciones, e imita palabras y acciones.

A LOS 9 MESES

El bebé se pone de pie ayudándose con muebles como apoyo. Puede gatear o arrastrarse sobre la cola para cualquier lado. Al principio puede ser que gatee mejor hacia atrás que hacia adelante y se enoja cuando el juguete que quiere se va más y más lejos. Puede usar el dedo índice para señalar y empujar. Le divierte tirar de una soga a la cual se ha atado un juguete con ruedas. Da vuelta la cabeza hacia los demás cuando hablan, "toma parte" en las conversaciones y puede ocurrir que grite para llamar la atención. Las "palabras" a veces adquieren tres sílabas y hace diversas inflexiones de manera que su voz suene como una pregunta o como una orden, como si hablara un idioma exótico incomprensible.

A LOS 10 MESES

El bebé puede sostener todo su peso cuando se lo pone de pie pero no tiene equilibrio todavía. Puede abrir los dedos para soltar un objeto cuando quiere y le divierte practicar tirando las cosas, la comida y todo lo demás. Es posible que pronuncie su primera palabra real identificando un objeto o una persona, como pelota, papa, etcétera.

A LOS 11 MESES

Se pone de pie solo y puede mantenerse parado.

AL AÑO

El bebé ahora se desplaza arrastrando los pies y sosteniéndose de los muebles y de cualquier cosa que le sirva de apoyo. Comienza a ponerse de pie solo y puede dar unos pocos pasos por sí mismo. Puede recoger objetos pequeños como migas o arvejas. Le divierte tirar cosas, llenar y vaciar cajas, cacerolas y recipientes de plástico. Éste es el momento para un carrito bien resistente o un andador con un centro de gravedad bajo, que sirva también para que pueda cargarlo con juguetes para luego sacarlos.

La poca estimulación no es siempre resultado de la depresión o de no saber cómo estimular al bebé. También puede resultar de condiciones sociales pobres, por ejemplo, el tipo de pobreza que implica que el bebé sea relegado a un lugar fuera de la vista y donde no se lo oiga porque en caso contrario, no entra dinero ni comida en la casa.

En una región montañosa, solitaria y pobre de Guatemala, los habitantes creen que es peligroso sacar a los bebés de la cabaña, así que cuando las madres tienen que ir al mercado, puede que los dejen solos en la semioscuridad[3]. Incluso cuando los adultos están presentes, se espera que los bebés sean pasivos y les hablan o juegan con ellos muy poco. Estos bebés no lloran mucho porque nadie responde a su llanto. Para cuando tienen cerca de un año, muchos de ellos son tan pasivos que se los clasifica como retardados mentales. Pero cuando pueden caminar, despiertan de pronto a lo que es la vida y se vuelven curiosos y activos. A partir de ese momento se desarrollan con rapidez y se transforman en niños audaces, sociables e inteligentes.

Los estudios con bebés que tienen algún tipo de deformación facial (labio leporino, por ejemplo) demuestran que estos bebés, en especial, se ven privados de estimulación.[4] Tiffany Field realizó un estudio sobre la interacción entre algunos de estos bebés y sus madres, y llegó a la conclusión de que aunque sus madres los miran con igual frecuencia, no son tan vivaces como los de otras madres, hay poco contacto visual y menos sonrisas, vocalización, imitación y reacciones recíprocas entre la madre y el bebé. Con estos bebés puede ser muy importante desarrollar juegos y conversaciones que estimulen la participación social y las reacciones de respuesta.

El sistema vestibular, que tiene relación con la estabilidad y el equilibrio, es uno de los primeros sistemas neurológicos que se desarrolla en el feto. Cuando aún está en el útero, el bebé recibe mensajes de los movimientos de la madre mientras se mece en la cuna ósea de la pelvis. Quizás ésta sea la razón por la cual los bebés se calman cuando se los hamaca, en especial con un movimiento hacia adelante y hacia atrás, distinto del movimiento hacia un lado y a otro. En realidad, es más probable que el grado de balanceo efectivo para calmar a un bebé corresponda al producido por la pelvis de la madre cuando camina enérgicamente o cuando baila. Cuando el movimiento excede los 60 balanceos por minuto o con un ángulo de más de 7 cm, el bebé puede ponerse nervioso en vez de calmarse y si es menor que esto, no es efectivo para calmar al bebé.[5]

Una de las mejores maneras de darle estimulación, junto con la seguridad que da la proximidad, es usar un portabebé no sólo para caminatas o para ir de compras, sino todos los días en distintas partes de la casa y casi con cualquier cosa que se esté haciendo. El bebé se mece y se hamaca mientras la madre se mueve, en contacto con el calor y confort de su cuerpo, ve a los demás que interactúan, que hablan y ríen, que las caras cambian de expresión, los ojos brillan, las bocas cambian de forma y los diferentes puntos de vista de sus cabezas. Reconoce las expresiones y las formas de relacionarse de los demás, de manera que logra ponerse en contacto con la interacción de las emociones de los otros y el intercambio con la vida social.

Se puso a prueba en Nueva York un portabebés blando entre madres de bajos ingresos que asistían a una clínica, y que inmediatamente después del nacimiento de sus hijos se las había asignado al azar a uno de tres grupos: un grupo recibió un portabebé blando, otro no recibió nada y el tercero recibió una bebesit de plástico.[6] Cuando los bebés cumplieron 13 meses, se evaluó la calidad del vínculo entre madres y bebés. La evaluación se hizo a ciegas, lo que significa que los investigadores no sabían en qué grupo habían estado las madres. De casualidad, en cada grupo había igual cantidad de bebés que habían sido amamantados naturalmente y bebés que habían tomado mamadera. Y las mujeres que habían dado el pecho lo hicieron durante el mismo tiempo, así que el hecho de que alimentaran a los bebés ellas mismas no pudo tener ingerencia alguna en el resultado. Los resultados fueron concluyentes: los bebés que estuvieron en los portabebés blandos parecían ser emocionalmente más seguros que aquellos de los otros dos grupos y molestaban y lloraban menos. Esto se dio en bebés de ambos sexos y en bebés de distintas etnias, fueran o no el primer hijo, y fuera o no que la madre contara con apoyo social.

El 83% de los bebés que recibieron "contacto reconfortante" al ser llevados de un lado a otro en un portabebés blando fueron evaluados como que se sentían seguros, contra sólo el 38% de los que estuvieron en un bebesit de plástico.

Lo que más le agrada al bebé es la estimulación vestibular y puede aprovecharla al máximo para aprender acerca del mundo que lo rodea desde la comodidad y seguridad del cuerpo de la madre. El hecho de sentar al bebé en un lugar desde donde pueda ver lo que ocurre no es suficiente. Es divertido ver a personas que lavan platos, cocinan y limpian, martillan clavos contra una madera o arreglan el jardín, pero el niño pronto se pone inquieto y puede sentirse inseguro. Un bebé necesita contacto físico humano y, sin ello, la estimulación puede resultar irritante. Una vez calmado y cómodo en contacto con su madre o su padre, puede estar atento, explorar los alrededores y aprender. Anneliese Korner demostró esto por primera vez en los sesenta y afirma que es mucho más probable que un bebé que llora se calle si la madre lo alza y lo sostiene sobre el hombro que si sólo se lo sienta o se lo deja en la cuna. Un bebé sostenido sobre el hombro tiende no solamente a dejar de llorar sino también a abrir los ojos y mirar a su alrededor.[7] El consuelo no llega solamente por estar en estrecho contacto con la madre sino también por su movimiento y esto es probable que sea el elemento más importante.[8]

Por paradójico que parezca, la estimulación puede ser tranquilizadora. Cuando se proveen estímulos externos tranquilizadores, el bebé, en vez de estar bombardeado por estímulos internos, es libre para dirigir la atención al mundo exterior. Rudolph Schaffer expresa esto brevemente cuando dice:

Mucho del cuidado maternal temprano… es cuestión de modular el estado del bebé, de evitar la estimulación de la misma manera en que se la provee, protegiéndolo contra dosis excesivas y al mismo tiempo brindándole estímulos extras. La interacción entre la madre y el bebé se considera, con frecuencia, un asunto puramente emocional. Sin embargo, parece que ciertos aspectos bastante específicos también tienen implicancias cognitivas e intelectuales, ya que le permiten al bebé conseguir un nivel de atención en el que puede empezar a explorar su entorno y a familiarizarse con el medio a través de la percepción (más tarde también a través de la manipulación)… Cuando las personas que cuidan al bebé no tienen el tiempo o la sensibilidad necesaria para ayudarlo a que llegue a un estado en el que pueda aprovechar al máximo el encuentro con el mundo, la comprensión fracasa aunque el medio sea excelente. Por último, lo que aumenta el progreso del desarrollo es la atención

personalizada, que implica alzarlo, más que una gran variedad de juguetes impersonales.[9]

Cuando se elige un portabebés, es preferible asegurarse de conseguir uno que crezca con el bebé, que le sostenga la cabeza y el cuello cuando duerma, que esté fabricado con material durable y lavable, que tenga correas firmes para que le resulte cómodo a la madre y que sea fácil de poner y sacar. Las preguntas que hay que tener en cuenta son: ¿puedo necesitar darle de mamar al bebé mientras está en el portabebés?, ¿me interesa la opción de poder llevar el bebé mirando hacia delante además de apoyado contra mi pecho?, ¿sería útil tener rellenos que puedan sacarse y lavarse por separado? Si llegara a vivir en un lugar de clima caluroso: ¿es el género fresco para el bebé? ¿puede el portabebés ajustarse con facilidad para que mi pareja pueda usarlo también?

De otra forma, se puede utilizar un rebozo mejicano, una banda ancha de género, un chal o cualquiera de los portabebés de tela que usan las madres en el Lejano Oriente, si se conoce a alguien que pueda enseñarle la técnica para doblar el género y colocárselo.

Algunas clases de estimulación son tan tranquilizadoras que en verdad ayudan a que el bebé se duerma. También son parte del modelo interactivo entre la madre y el bebé. Los masajes y las caricias, por ejemplo, pueden ser estimulantes o tranquilizadores según de cómo se los realice. El sonido, en forma de palabra hablada o en música, también puede hacer dormir al bebé o despertar su atención. Asimismo, el movimiento, según la velocidad y el ritmo, si el bebé es mecido o lanzado al aire, puede calmar o excitar. Las madres tienen un amplio repertorio de habilidades como éstas y con frecuencia las usan inconscientemente. Pero estas habilidades no son "naturales" ni "instintivas". Las aprendemos de nuestras propias madres y al observar a otras personas con bebés, y son parte de nuestra herencia cultural. Cuando una mujer nunca ha podido absorber estas acciones rítmicas, se enfrenta a la tarea de aprenderlas por primera vez o inventarlas ella misma cuando tiene un hijo.

El bebé demasiado cansado cuyos párpados se cierran pero que aún así, no quiere ir a dormir;

el bebé "nervioso" que llora irritable sin poder tranquilizarse ni relajarse, con frecuencia logra calmarse mediante la caricia, el sonido y el movimiento que ofrecen no sólo estimulación sino también tranquilidad y consuelo.

Así como las madres pueden identificar el llanto de su bebé del de otros, los bebés también reconocen la voz de su madre como distinta de todas las demás, responden a la misma en forma rítmica y marcan el acento de los sonidos del lenguaje con movimientos de labios, cabeza, brazos, piernas y todo el cuerpo.[10]

Las canciones de cuna son una manera muy antigua de consolar a los bebés con sonidos rítmicos. A menudo, mientras canta, la madre mece o da palmaditas al bebé, le brinda al mismo tiempo vibración y estimulación vestibular además del placer que se recibe de los sonidos. No es necesario ser entonado o tener una buena voz para cantar y consolar a un bebé con las canciones de cuna inventadas por la madre o cualquier otra canción que tenga que ver con la atmósfera del momento. "La importancia de cantar no está en la habilidad musical sino en la comunicación."[11]

Experiencia fragmentada

Hay algo más muy relacionado con el aburrimiento y con la sensación de soledad que hace que un bebé se angustie: es difícil de describir, pero lo podríamos llamar "asunto inconcluso" o "experiencia fragmentada". Cuando se apura a un bebé tratando de que termine la comida, por ejemplo, para desviar la atención hacia otra tarea, es casi seguro que el bebé se inquiete y se ponga a llorar justo cuando uno necesita estar libre para hacer otras cosas. Toda madre sabe lo que sucede cuando no puede evitar sentirse impaciente porque había planeado salir a la noche o recibía invitados a cenar y quiere acostar al bebé primero. Éste es el momento en el que el bebé percibe la urgencia de la madre o quizás, la manera en que los pensamientos de ella están alejados de él, y entonces busca atención y se niega a que lo acuesten.

Esto ocurre porque se ha roto un agradable modelo de reciprocidad y se interrumpió una armoniosa secuencia de actividades. Es como si el bebé hubiera sido dejado "para el final". Cuando la

128

madre se apresura en la manera de tratar al bebé, omite algo precioso aunque esto pueda ser una omisión casi imperceptible. Podría ser una pausa que sirva de contrapunto a la acción, el contacto visual que significa tanto para el bebé o una manera especial de mantener el contacto físico. Sea lo que fuere, para el bebé es parte de la reciprocidad en la teatralización compleja que representan él y su madre. Cuando se lo olvida o se lo apresura, es como omitir una parte vital de un juego, un verso o una canción, o dejar una tonada incompleta. Winnicott se refería a esto cuando dijo:

> *Cuando se está apurado o acosado por muchas cosas, no se puede permitir que los sucesos transcurran en su totalidad, y el bebé lleva la peor parte… Los acontecimientos completos le permiten al bebé adquirir el sentido del tiempo. Al permitir que el bebé cuente con el tiempo necesario para las experiencias completas y al participar uno mismo en ellas, se establecen las bases en forma gradual para que el niño tenga la habilidad de disfrutar toda clase de experiencias sin nerviosismo.[12]*

El ejemplo que se da de un acontecimiento completo es el de un bebé de diez meses de edad sentado en la falda de su madre mientras ella habla con el Dr. Winnicott. Él coloca una cuchara sobre la mesa cerca del bebé, quien intenta alcanzarla y después saca la mano como si tuviera que pensar otra vez si su madre aprueba que lo hace. Se da vuelta hacia otro lado pero después la vuelve a mirar y apunta un dedo vacilante hacia la cuchara. Después la toma con avidez y mira a la madre para ver el mensaje de sus ojos. Está claro que la madre no lo desaprueba, así que se apodera de ella y "comienza a apropiársela". Todavía está tenso porque no está seguro de lo que quiere hacer o lo

que pasará con esta cosa que desea.

Sigue un proceso de descubrimiento. La boca se estimula y la saliva fluye. Su boca quiere la cuchara y sus encías ansían morderla. Se la pone en la boca y la muerde "de la manera agresiva común en que lo hacen tigres y leones, y bebés, cuando consiguen algo bueno. Hace como que la fuera a comer."[13]

En lugar de curiosidad, duda, desconfianza, hay ahora una absoluta confianza mientras se apropia del objeto. En su imaginación ha devorado la cuchara y la ha incorporado a sí mismo. Habiendo hecho esto, ya puede entregarla. La pone en la boca de su madre y es probable que ella juegue a que la come y diga, "¡Mmm, mmm, qué rico!" El bebé sabe que en realidad no se está comiendo la cuchara y que es un juego. Los dos están compartiendo un juego de imaginación. Después pone la cuchara en la boca del médico y quiere que él también haga como que la come. Si hay alguien más en la habitación probablemente quiera que tomen parte en el juego también.

Después desliza la cuchara en el vestido de su madre y la encuentra otra vez, después la pone debajo de algún objeto sobre el escritorio y juega a esconderla y encontrarla, o quizás ve un recipiente sobre la mesa del cual saca a cucharadas algún alimento imaginario.

Aunque esto parezca simple para cualquiera que lo esté mirando, es un juego muy enriquecedor que alimenta la imaginación, forma el material de los sueños y construye la confianza del bebé en sí mismo como persona.

Entonces el bebé ve otro objeto y deja caer la cuchara. Alguien la recoge y él se la saca. Pero ahora el juego es diferente. La deja caer una vez más. El adulto la recoge y se la alcanza. La deja caer de nuevo. Esto continúa a lo mejor por varios minutos hasta terminar con la cuchara.

Lo que ocurrió durante esta secuencia es que el bebé estableció un vínculo con un objeto, lo hizo parte de sí mismo, lo utilizó de manera imaginativa, lo incorporó a transacciones con otros y después lo descartó. Se produjo una experiencia completa. El bebé tenía 10 meses. Para un bebé de menor edad, una experiencia completa se centraliza con mayor frecuencia en la comida, la digestión o las deposiciones. El proceso no puede acelerarse. E incluso a una edad tan temprana como los tres meses, la imaginación puede jugar una parte importante en el modelo.

El bebé puede introducir el dedo en la boca de su madre por ejemplo, y jugar a que le da de comer mientras se chupa el puño o un dedo. Puede jugar con el pezón lamiéndolo o mordiéndolo mientras mira a la madre a los ojos para ver cómo reacciona, o bien puede acariciarle el pecho, el pelo o la tela del vestido.

Es importante dar lugar a este tipo de juegos y participar de ellos. Para que el bebé tenga una experiencia placentera, no tiene que haber asuntos sin terminar ni cabos sueltos en la secuencia.

Monstruos imaginarios

El proceso de alimentación, digestión y deposición no es sólo una actividad completa. También es un acontecimiento de suma importancia para el bebé. Puede resultar perturbador y alarmante. Se producen sensaciones intensas: un hambre voraz, un vacío doloroso, un deseo apasionado, ira, posesión y éxito, y estados psicológicos internos de mucha presión, saciedad, rebalse, estiramiento, apertura, junto con contracciones intestinales y distensión rectal. Todo esto puede ser una experiencia abrumadora para el bebé, la que con frecuencia simplificamos mucho describiéndola en términos de dolor: "le duele la panza", "es un bebé con cólicos". En realidad, como vimos en el capítulo 4, no hay ninguna evidencia de que lo que se está produciendo en el estómago y en los intestinos de un bebé que grita sea muy diferente de lo que ocurre en el estómago y en los intestinos de un bebé contento y tranquilo. La fisiología es exactamente la misma. Dentro de unos pocos meses es muy probable que este mismo bebé se comporte de manera muy diferente. Sin embargo, tienen lugar exactamente los mismos procesos de digestión y deposición.

Aunque el hecho de poder poner el nombre de "cólico" al diagnóstico del bebé, y así darle una explicación a la angustia, hace más fácil que los padres encuentren una explicación para las emociones provocadas, este diagnóstico en particular no explica nada.

Los adultos que tienen bastante buena relación con su cuerpo disfrutan de la comida, se sienten bien mientras se realiza la digestión y tienen un sentimiento placentero de plenitud al final del proceso cuando vacían los intestinos. No hay demoras ni interrupciones en la secuencia y todo se lleva a cabo sin problemas y en armonía. Pero para un bebé que tiene sólo unas pocas semanas de vida, la experiencia está llena de sorpresas y puede ser aterradora.

Un bebé pequeño puede sentirse atrapado por estas fuerzas poderosas dentro de sí que no las puede controlar. "Cuando los bebés empiezan a tener hambre algo está despertando a la vida dentro de ellos que amenaza con tomar posesión de ellos."[14] Si se observa a un bebé que todavía no está familiarizado ni se siente cómodo con las sensaciones, se advierte a menudo nerviosismo, sorpresa, asombro, miedo e inclusive pánico. Lo que aquí describo no es exactamente dolor sino un estado psicosomático que el bebé aún no comprende.

Si la madre se pone nerviosa o se preocupa cuando el bebé empieza a retorcerse, a pestañear, se pone duro y lloriquea, y si le transmite esta ansiedad al bebé por la manera en que lo alza, lo mira y le habla, esta experiencia se hace más amenazante para el bebé. Es como si ambos estuvieran jugando juntos un juego doloroso y difícil. Esta puede ser la razón por la cual el bebé con frecuencia se calma cuando lo sostiene otra persona en sus brazos, en especial si esta persona es una madre con más experiencia y confianza en sí misma que no está involucrada emocionalmente de la misma manera que la propia madre.

Asimilar leche, digerirla y excretar la materia residual es un proceso excitante para el bebé que tiene que transformarse en un acontecimiento completo y sin interrupciones, armonioso, aceptado por el bebé y por aquellos que lo cuidan. No debe ser apresurado, fragmentado o forzado. Es necesario que suceda a su manera y a su tiempo y es vital que sea quien fuere que cuide a un bebé, se dé cuenta y convalide, de alguna manera, lo que el bebé está experimentando sin ponerse nervioso ni preocuparse por ello.

Está al alcance de la madre transformar todas estas sensaciones extrañas en seguras. Si lo hace, el bebé llegará a sentir que en vez de estar poseído y a merced del hambre y de estos otros sentimientos tan intensos, es él quien los posee y el que tiene el control. Puede llevar tanto como 12 semanas, a veces incluso más, para que el bebé aprenda esto y desarrolle la confianza interna para manejar el hambre y el proceso digestivo con conocimiento de causa.

Cuando se abandona al bebé para que haga frente solo a todo esto –del que se espera que esté acostado muy contento hasta la próxima comida– o que se deja llorar porque hay otras personas y libros que dicen que está sólo "probando" y que no hay que alzarlo, el bebé puede terminar chillando de miedo y soledad.

Cuando se trata de consolar al bebé y se evita alzarlo cuando llora, puede descubrirse que al final, cuando ya no se lo soportar más y se lo alza para consolarlo, el bebé actúe como si no nos conociera. Puede ser que arquee la espalda y luche y grite. Es como si se tratara de un animal salvaje. Ésta es la situación típica en que se coloca la etiqueta de "cólico" a un bebé.

Winnicott explica cómo el estómago del bebé es una bolsa de músculos que de manera automática se adapta a condiciones diferentes a menos que lo alteren emociones fuertes como el miedo, la ansiedad o la sobreexcitación. Siempre hay líquido en el estómago y aire en la parte superior. Cuando la leche ingresa al estómago los jugos digestivos aumentan, la pared muscular se relaja y el estómago se hace más grande. Sin embargo, puede transcurrir cierto tiempo para que se dé el flujo de jugos y se relajen los músculos. Mientras tanto, aumenta una presión incómoda. Cuando el bebé eructa, se libera un poco del aire y así se reduce la presión, por lo que el bebé está más cómodo. Al bebé que es sostenido erguido –sobre el hombro o sentado en la falda mientras se frota o se dan golpecitos en la espalda– le resulta fácil liberar el aire. Si se intenta sacar el aire con el bebé semirrecostado es probable que regurgite leche como también aire. Es normal que la leche esté cortada porque éste es el primer paso de la digestión.

Si el bebé está tenso o uno está tenso y le transmite la tensión al bebé, el músculo del estómago no puede adaptarse con rapidez. En la medida en que mayor presión se acumula con la toma de leche, el bebé está más y más incómodo. También puede suceder algo más: la leche es empujada a través de los intestinos antes de que haya pasado por todos los cambios digestivos que deberían haber tenido lugar dentro del estómago y sale verde y aguachenta por el otro lado.

Los intestinos de un bebé miden alrededor de 3,66 m de largo y comienzan a contraerse tan pronto como ingresa la leche por la boca por lo que, en general, los bebés mueven el intestino mientras comen. Las madres algunas veces dicen que "en cuanto entra la leche por un lado, sale por el otro" y creen que la leche no le está haciendo ningún bien al bebé. Pero esto es todo parte de un proceso fisiológico muy difícil de coordinar. La madre que sabe que es probable que el bebé ensucie los pañales mientras come, tiene todo a mano así no tiene que interrumpir la comida y salir corriendo para limpiar al bebé.

La materia fecal del bebé que toma pecho es a menudo bastante líquida y de color amarillo mostaza brillante. Sólo con la introducción de otros alimentos o leche de vaca modificada se torna más dura. Cuando el bebé tiene la sensación de que el recto está lleno, en especial si la materia fecal es sólida, le produce sensaciones intensas y puede quejarse.

Cuando la madre es sensible a lo que el bebé está experimentando pero al mismo tiempo confía en que todo es parte de un proceso natural y no está aturdida ni nerviosa, le da seguridad y le comunica fuerza al bebé mientras experimenta estas sensaciones fuertes. Si uno se aleja y deja que el bebé se enfrente solo, lo apura en el proceso o ignora estos acontecimientos importantes, el bebé se queda aislado y asustado. Si uno se pone nervioso, se producen en el bebé sensaciones aún más aterradoras que se hacen más difíciles de soportar porque los músculos del estómago y de los intestinos se contraen de miedo y ansiedad y todo el proceso se hace doloroso.

Una de las tareas más importantes cuando se cuida a un bebé es simplemente estar ahí, ayudar a adquirir experiencia y dar fuerza y seguridad para protegerlo de los monstruos. Es necesario observar la secuencia de hechos antes, durante y después de la comida. Anote la manera en que su bebé se comporta durante varias comidas a horarios diferentes durante 24 horas. Se aprende mucho simplemente a través de la observación cuidadosa y con las anotaciones pertinentes.

En acción

Contra el aburrimiento

Invente juegos. El juego interactivo es una manera de disfrutar el relacionarse con el bebé. Juegos como aplastar una torta, "acá está", darle el sonajero y después que él lo devuelva, y la hormiguita, haciendo caminar los dedos sobre la palma de la mano del bebé y terminando con cosquillas.

Alce al bebé. Esto es en especial bueno para momentos en que el bebé es probable que esté más nervioso. Utilice una mochila portabebé y manténgalo cerca del cuerpo.

Explore estímulos visuales. Trate de señalar cosas que se mueven como las ramas balanceándose en la brisa o la ropa tendida en la soga, los adornos del árbol de navidad o pequeñas luces que cuelgan de una percha para ropa, un espejo colgado de la cuna, carreteles de hilo pintados de colores brillantes enhebrados en una cuerda, una pelota de playa colgada de un elástico o globos. Hay que permitirle al bebé golpear y empujar con manos y pies. Deje que arrugue papel tisú o papel de diario y que explore texturas diferentes como ser papel de lija, madera, terciopelo o satén. O bien haga burbujas de jabón para el bebé.

Un juego de "acá está" puede ser muy divertido.

Todos los bebés consideran interesantes los objetos con movimiento y muy coloridos. Para bebés muy pequeños los objetos deben estar bastante cerca.

Conversaciones con el bebé

Un bebé puede comunicarse desde el momento de su nacimiento. Esto no es sólo para decir "estoy contento" o "estoy triste" o "me duele" sino para actuar en respuesta a la manera en que se lo trata, la expresión de la cara, los movimientos de la boca, de los ojos y también la voz, y para enviar señales. Con el nacimiento de un bebé se empieza a interactuar con una criatura pequeñita que es un ser humano real y que ya tiene su personalidad. Si uno se equivoca en esto y ve al bebé sólo como un animalito al que hay que entrenar para que se ajuste a los horarios y obligaciones de los adultos, se pierde la parte más importante de la relación con el bebé.

Un bebé no es sólo un objeto para envolver, poner bajo luces brillantes, pesar, chequear a ver si tiene algo anormal, dar una puntuación según el Test de Apgar y poner al pecho. El bebé es un individuo único a quien resulta emocionante conocer. Si la madre no tuvo la oportunidad de experimentar esto después del nacimiento, quizás debido a que el bebé fue llevado a la sala de terapia intensiva o si estaba agotada, aún existe una oportunidad para capturar estas primeras conversaciones vitales con el bebé durante las semanas siguientes.

Algunos de los comportamientos que se observan en el bebé son actos reflejos: el sobresalto o reflejo de Moro, por ejemplo. Esto ocurre cuando el bebé estira los brazos hacia arriba con las manos abiertas como diciendo "¡No me dejes caer!". Entrecierra los ojos cuando la luz es demasiado brillante. Si se le acaricia la planta de los pies, enrosca los dedos. Si se le acaricia el empeine del pie, estira los dedos. Si se le ofrece un dedo lo toma con fuerza y si toma un dedo con cada mano, logra una prensión tan fuerte que se lo puede levantar con suavidad hasta sentarlo. Casi puede caminar. Si se lo sostiene con una mano bajo el estómago y en posición erguida, inclinado hacia uno, dará pasos. Si se coloca con suavidad un género sobre su cara, levanta el mentón, mueve la cabeza de un lado a otro y trata de sacárselo con las manos.

La caricia al costado de la boca del bebé provoca la respuesta de rutina: es una manera de interesar al bebé para darle de comer. Si se introduce un dedo en su boca lo succiona con fuerza. Si la parte posterior de la lengua masajea la parte media del dedo, se puede sentir el tirón cuando traga. Necesita coordinar estos tres movimientos para comer.

El doctor Berry Brazelton llevó a cabo experimentos con niños y bebés durante los cuales sostenía una pelota colorada brillante frente a ellos y conseguía que la miraran absortos.[1] Esto fue investigado por la ciencia. Pero tal vez tenga a mano fotografías de un bisabuelo o de un tío abuelo sosteniendo un reloj de oro con cadena frente a su nieto, quien está extasiado por su forma y su brillo. Es algo tan viejo como el mundo que se usa para atraer la atención del bebé.

Si se sostiene una pelota brillante frente al bebé o un prisma de vidrio circular multifacetado a través del cual brilla el sol, más o menos a la distancia de un antebrazo, cuando el bebé está alerta lo mira fijo y si se lo desplaza con lentitud, sus ojos se moverán para seguirlo. Si después uno pone la cara cerca del bebé, más o menos a la misma distancia, se interesará todavía más. No sólo la mirará fijo sino que su rostro se animará y hasta imitará de muchas maneras las expresiones de uno. Pruebe abriendo mucho la boca. Saque la lengua. Frunza los labios. Observe qué ocurre. ¡Qué juego tan divertido!

Si comienza a hablarle, quedará atrapado por completo. Puede que su boca se mueva al ritmo de la voz. Los movimientos de los labios y de la lengua del bebé en estos encuentros interactivos han sido descriptos como "prelenguaje".[2]

Todos estos reflejos, y otros también, los describen en detalle Lynne Murria y Liz Andrews en el libro *The Social Baby*.[3]

Exactamente de la misma manera en que cuando uno va a otro país puede querer comprar una guía idiomática, de la misma forma puede servir tener estas guías para comunicarse con el bebé. Podremos entender entonces el lenguaje del bebé, "hablar" a través de expresiones faciales, del tacto y usar la voz de manera que el bebé pueda entender. Casi todos los padres hacen esto de forma espontánea, pero a algunos les lleva más tiempo aprender el lenguaje. Lo importante es

darse cuenta de que el bebé nos va a enseñar a hablarlo con fluidez.

Pero esto es sólo el principio. También desde su nacimiento el bebé interactúa con la madre de manera tal que construye la base de la relación entre ambos. Aunque los niños no aprenden a respetar los turnos en la conversación hablada hasta que comprenden la construcción del lenguaje, a los bebés de alrededor de tres meses, y a veces antes, les encanta esperar su turno en la interacción con sus madres, que involucra la mirada, sonrisas, palabras, incluso arrullos, expresiones faciales, contactos y silencios. Les agradan las bromas, los juegos estimulantes y las sorpresas anticipadas o los momentos culminantes cuando los padres hacen cosquillas, dan besos, abrazos y "¡buuu!".

En algún momento alrededor de los dos meses y medio, los juegos se desarrollan en forma espontánea a partir de estas conversaciones interactivas. "Te voy a comer", "acá estoy, vengo a hacerte cosquillas", "salto, salto, salto y me caigo", "éste compró un huevito…" y otros juegos estimulantes que inventamos. El bebé anticipa cada frase del juego y se ríe y se retuerce encantado. Hay vívidas secuencias de fotos de bebés y madres comunicándose en forma activa en juegos de este tipo en *The Social Baby*.[4]

No hay que pretender tener una conversación con un bebé que tiene hambre, le duele algo o está cansado. Durante las primeras semanas las conversaciones son breves y el bebé da señales que ya ha tenido suficiente dando vuelta la cabeza o cerrando los ojos. El período de atención de un bebé es corto, así que dejémosle tomar la iniciativa. Respetar los turnos es algo importante en una conversación. Debe esperarse en forma receptiva y observar. Es esencial no abrumar a la otra persona. Lo mismo ocurre con los bebés. Si se va a tener un diálogo genuino hay que respetar las señales del bebé. Se recomienda observar lo que sucede cuando el bebé se cansa. Puede empezar a lloriquear, bostezar, fruncir las cejas, incluso vomitar.

La imitación es un elemento importante en una conversación con bebés. "El juego cara a cara con los bebés en el segundo y tercer mes de vida puede verse como un dúo musical, con fases bien definidas cuando el padre o la madre sigue la iniciativa del bebé y, casi inconscientemente, imita, construye y desarrolla la comunicación original del bebé".[5]

Los bebés son muy sensibles al sonido. Para algunos es más difícil que para otros filtrar las imágenes y los sonidos y parecen reaccionar con alarma debido a que pasan demasiadas cosas a su alrededor. Incluso un recién nacido está alerta y quieto cuando se le habla. Se da vuelta hacia la voz, fascinado. Bebés de una semana eligen la voz de su propia madre antes que la voz de otra mujer.[6] A los tres meses el bebé tiene un ritmo de atención-distracción de cuatro veces por minuto e imita vocalizaciones, movimientos faciales y los movimientos de la cabeza y del cuerpo. Nosotros, a su vez, nos adecuamos al ritmo del bebé y a su comunicación.

Los bebés también se habitúan a los sonidos externos o que no tienen importancia y simplemente los ignoran. Pero algunos bebés muy sensibles no pueden hacer bien esto y cualquier sonido los estimula y les produce finalmente una sobrecarga de estimulación.

Si parece que el bebé está listo para irse a dormir, no se recomienda comenzar conversaciones estimulantes; de más está decirlo. En lugar de esto, se deben disminuir los estímulos y ayudar al bebé a encontrar tácticas para calmarse a sí mismo y relajarse.

No se puede hacer que un bebé duerma. Pero sí se puede ayudar a que se tranquilice. No se puede hacer que siga dormido. Pero sí se puede proveer un lugar seguro para que cuando el bebé se sobresalte dormido y comience a despertar a la conciencia pueda tranquilizarse y volver a un sueño más profundo.

Los adultos no duermen profundamente a la noche, sino que cambian entre diferentes niveles de sueño. Lo mismo ocurre con los bebés. Se han identificado seis estados de sueño en los bebés: sueño profundo, un estado soñoliento intermedio, un estado de alerta despierto, un estado alerta y nervioso, y el llanto.[7]

Una madre reconoce el llanto de su bebé como distinto de todos los otros desde el momento en que el bebé tiene tres días. Después de dos semanas empieza a distinguir entre diferentes clases de llanto. A los padres, en general, les lleva más tiempo. El bebé está diciendo: "tengo hambre", "estoy aburrido y me siento solo", "estoy demasiado nervioso y no me puedo tranquilizar" o "me duele".

Hay un llanto melindroso e irritable que sugiere que los bebés están tratando de resolver qué les pasa. Esto tiende a ocurrir en ciclos de tres o cuatro horas y no significa que estén listos para despertarse. En lugar de esto, necesitan poder calmarse para volver a dormirse. Los bebés se sacuden bruscamente, se arrastran, se retuercen y se dan vuelta. Necesitan encontrar maneras de calmarse. Ayuda si se tiene el puño o el pulgar para chupar. Algunos bebés se calman cuando tienen una imagen familiar para mirar. Puede ser luz, oscuridad, una sombra en la pared o algo más colorido como una fotografía o un trozo de género. Un almohadón hindú bordado con espejitos pegados es ideal para esto. (Debe cuidarse que no se caiga sobre la cabeza del bebé). O se lo puede poner bajo un árbol en el jardín.

Aprender cómo ayudar al bebé en estas diferentes etapas del sueño forma parte de descubrir cómo comunicarse con él y crear un ritmo placentero en la vida en común. Eso lleva tiempo. Puede llevar más tiempo guiar con tranquilidad a los bebés muy vivaces y activos entre estos diferentes estados de conciencia. Es probable que el llanto llegue a un pico cuando el bebé tenga entre cinco y seis semanas, probablemente a la noche.

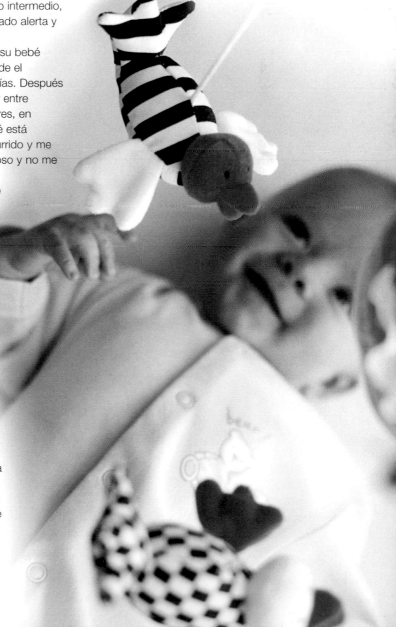

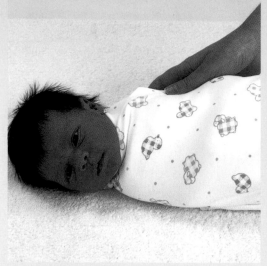

Arropar al bebé firmemente puede ayudarlo a sentirse cómodo y seguro.

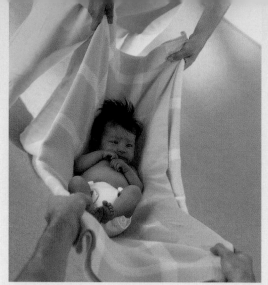

Hamacarlo suavemente puede tranquilizar a un bebé nervioso.

En acción

Para tranquilizar a tu bebé

Envuelva al bebé. Algunos bebés, en especial los que se asustan mucho, se sienten más cómodos si están firmemente envueltos en una sábana de algodón hasta los hombros. Una frazada puede dar demasiado calor al bebé por lo que una sábana es mejor. Coloque los brazos del bebé cruzados sobre el pecho por debajo de la manta pero de manera que pueda liberarse con facilidad si así lo desea. El hecho de estar envuelto de esta manera hace que le sea difícil chuparse las manos o el pulgar en caso de tratarse de un bebé muy pequeño. Una alternativa es no envolver al bebé completamente y arroparlo de manera ajustada con la manta pero dejando sus brazos libres por completo.

Dele golpecitos firmes y rítmicos en la cola. Sostenga al bebé sobre el hombro o acuéstelo sobre la falda boca abajo y palméele la cola con suavidad. Esto calma a un bebé que se pone nervioso. Es muy probable que sin darse cuenta, comience a mecerse lentamente al mismo tiempo, lo que resulta relajante para la madre también.

Acune al bebé. Es mejor levantar a un bebé totalmente despierto que no está listo para irse a dormir y mecerlo erguido sobre la falda o sobre el hombro. Un bebé nervioso y con sueño puede ser mecido de un lado a otro mientras está acostado, puesto a través sobre su falda mientras lo acuna entre los brazos, sosteniéndole los hombros y la cola, o acostarlo frente a sí, sostenerle la cabeza y hamacarlo de adelante hacia atrás. Quizás pueda contar con alguna cuna antigua de madera con mecedores. En el pasado, una madre se sentaba y mecía la cuna con suavidad con el pie mientras realizaba otras tareas.

Hamaque al bebé. Al bebé puede parecerle tranquilizador que lo hamaquen en una hamaca o en un portabebés colgado. En forma alternativa, puede recostarse en la hamaca con el bebé en los brazos balanceándose suavemente. En muchas culturas sudamericanas, los bebés pasan mucho tiempo de su vida en hamacas colgadas de vigas.

Masajee al bebé. A la mayoría de los bebés les encanta que los toquen. Pero depende de cómo se los toque. Un masaje puede transformarse en irritante y demasiado estimulante. Se necesita aprender del bebé. Encontrará más indicaciones sobre las técnicas de masaje en el Capítulo 11.

Hablarle al bebé con voz armoniosa puede calmarlo.

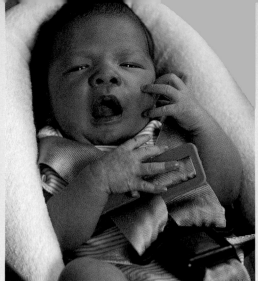

Muchos bebés demasiado nerviosos se tranquilizan después de que los llevan a dar una vuelta.

Háblele. Al bebé le agrada mucho escuchar la voz de su madre e incluso un recién nacido sincroniza sus movimientos con el ritmo de su voz. "Los movimientos del bebé son similares a los de la madre que, a su vez, adapta su voz a los movimientos del bebé. Los padres aprenden el tono, el ritmo que cautiva a su bebé, que comienza como a bailar con el acompañamiento de sus voces."[8] Observe cuál es el tono y el ritmo de voz que mejor calma a su bebé. En muchas culturas diferentes las madres cantan canciones de cuna. No hace falta cantar bien para lucirse. Hasta puede tararear. Quizás también ayude algo de música tranquila grabada.

Sáquelo a dar una vuelta. Si el bebé está sobreestimulado y no está cómodo ni siquiera con usted en ese momento, colóquelo en el cochecito y vayan a dar una vuelta o acomódelo en el asiento para bebés de su automóvil. Muchos padres comentan cómo sus bebés se calman rápidamente si van en automóvil. ¡Pero la cantidad de horas en que se puede hacer esto tiene un límite!

Cree un ambiente tranquilo, oscuro o con poca iluminación. Si considera que el bebé necesita ayuda para tranquilizarse un poco más, llévelo a una habitación tranquila y en penumbras o a una en la que haya un ruido monótono como el ruido de un caloventor u otro artefacto doméstico y colóquelo cómodamente en su cuna. Puede llegar a molestar un rato, descargar tensiones, pero después encuentra su puño o su pulgar, se lo chupa y se calma. Se convertirá en toda una experta para darse cuenta cuándo esto es lo mejor que puede hacer y para saber cuál es el momento apropiado.

Éstas son todas maneras en las que se puede ayudar al bebé a relajarse. Ninguna de ellas es una receta para el éxito. Es necesario descubrir cuál sirve para cada bebé, que es único. Lo importante es que no se utilice sólo una técnica para calmarlo sino que se actúe en sincronía con el bebé e incluso sin palabras, se interactúe y armonice con él. De esto se trata una verdadera "conversación".

La convivencia con
un bebé que llora

Casi caminamos sobre fuego y atravesamos el agua para procurarle un sueño natural.
Lo hamacamos en mantas, lo llevamos en carrito, lo paseamos por la habitación durante
horas, etcétera, etcétera, pero fue asombroso lo poco que pudo dormir después de todo
eso. Parecía que estaba siempre despierto y como si no necesitara dormir.
G. L. Prentiss, *The Life and Letters of Elizabeth Prentiss*, 1822.

**Cualquiera que viva con un bebé siempre despierto, incluso con uno que no llore
demasiado, necesita desarrollar estrategias de supervivencia. Está muy bien
escuchar decir a otros lo que se puede o no hacer pero, como hemos visto en el
Capítulo 9, los consejos son casi siempre inútiles y algunas veces desastrosos.**

Les pregunté a varias mujeres lo que consideran maneras efectivas de superar el llanto. Algunas de estas tácticas pueden ser igualmente eficaces para otros. Sugieren estrategias creativas para manejar situaciones de estrés abrumador y para bajar la tensión, tanto la de uno como la del bebé. Otras no servirán para aliviar las propias necesidades ni las del bebé. Hay cosas que se pueden hacer por él, cosas que se pueden hacer para uno mismo y otras que se pueden compartir. En la práctica, cada una de estas categorías se superpone: cualquier cosa que se haga para lograr un poco de espacio personal ayuda a que el bebé esté más contento, y cualquier manera que se descubra para ayudar a que el bebé se calme, lo hace sentir mejor a uno.

Sueño compartido

Muchos bebés desean la cercanía física y estar recostados contra el cuerpo de su madre. Si el bebé llora a la noche o está nervioso a última hora del día, es probable que ayude llevarlo a la cama con uno. Dormir solo en camas separadas, tanto para los adultos como para los niños, es una innovación histórica reciente. Tradicionalmente, la mayoría de las familias han vivido en una gran proximidad y se daba por sentado que el bebé que toma el pecho duerme al lado o en la misma cama que su madre. En la actualidad, en muchos países del mundo, las condiciones de pobreza y de superpoblación hacen que otro tipo de arreglo sea impensado. Cuando trabajé en Jamaica investigando cómo era dar a luz y ser madre en casas en medio de la selva y en barrios marginados de Kingston, me acostumbré a ver niños arropados en la cama al lado de sus

madres, el bebé en el lugar más cerca a ella y los hijos mayores más alejados, a los pies de la cama e incluso debajo de la cama. Por cientos de años ocurrió casi lo mismo en Europa, con excepción de que cuando los niños eran alimentados por un ama de cría, la mujer en cuya cama estaban no era la madre biológica.

Los predicadores y los médicos en la Europa medieval (hombres todos ellos) escribieron libros acerca de cómo los niños debían ser educados y las conductas correctas para la vida familiar y les repitieron a las madres que no debían dormir en la misma cama que sus bebés de pecho porque se podía llegar a sofocarlos. Una historiadora observa: "Pero como los pobres no podían gastar ni siguiera en una cuna y cobijas exclusivamente para el bebé, continuó siendo común compartir la cama del ama de cría o de la madre al menos hasta que se lo destetaba."[1]

En la América colonial del siglo dieciocho era costumbre general que las madres que amamantaban tuvieran a sus bebés en la cama con ellas. Rebecca Sillman le escribió en 1779, durante la Guerra de la Independencia de Estados Unidos, a su marido que era prisionero de los ingleses, sobre sus hijos: Sellek, que tenía dos años, y Benjamín, que tenía cuatro meses. Decía que el bebé era "un chiquito lindo y regordete que no puede comportarse mejor de noche, y durante el día es igual, si se lo atiende como corresponde. Su hermanito lo quiere mucho. Los dos duermen conmigo y los dos se despiertan antes de que salga el sol, cuando me levanto y los dejo para que jueguen juntos."[2] Lucy Lovell, que escribió 60 años después, describía cómo lograba persuadir a su hijita, Laura, para que durmiera separada de ella por primera vez a la edad de 18 meses. "Durante el verano conseguí que Laura durmiera en su cunita. A veces tenía ciertos problemas con ella, pero en general, cuando me veía decidida, se iba a dormir en silencio."[3]

El cambio para separar camas y habitaciones durante la revolución industrial del siglo diecinueve se dio como resultado de una mayor prosperidad económica y un cambio repentino para muchos en lo referente a la subsistencia y a la economía que se basaba en lo que se producía en la casa, a ganar un sueldo y trabajar fuera de la casa en fábricas. Al mismo tiempo, se desarrolló la teoría de las enfermedades producidas por gérmenes. En 1893, una publicidad de camas separadas en la revista "Scrivener" anunciaba: "Nuestros primos ingleses duermen ahora en camas separadas. La razón es: nunca respires la respiración de otro."[4] También surgieron las nuevas teorías psicológicas sobre la crianza de los niños. En las familias adineradas y de clase media, los niños fueron desterrados a su propia habitación y se expusieron métodos "científicos" sobre el cuidado de los niños que incluían una estricta regulación de la vida del menor sin mimos ni indulgencia innecesarios.

En la década de 1920, J. B. Watson inventó la psicología conductista que enseñaba que la educación del niño era una cuestión de buenos hábitos y un condicionamiento sistemático para lograr la independencia. El Dr. Watson escribió acerca de "los peligros de un exceso de amor maternal". Les anunció a las mujeres que si dejaban de mecer a sus hijos hasta que se durmieran tendrían "más tiempo para las tareas de la casa, para charlar, para jugar al bridge y para hacer compras". Las previno contra la "sensibilidad empalagosa" y propuso que nunca se besara ni abrazara a los bebés. En un estado ideal, deberían tener una niñera distinta cada semana. Agregaba: "Hasta me agradaría que fuera posible rotar las madres también".[5] Como vimos en el Capítulo 1, el Dr. Truby King, dentro de la misma tendencia, enseñaba que los bebés debían tener horarios estrictos y que si no correspondía alimentarlos no debía alzarse nunca al bebé porque de lo contrario, advertiría que el llanto daba como resultado una mayor atención. Hubo una generación entera de madres con miedo a mimar y

malcriar a sus hijos y que se sintieron culpables porque les agradaba el contacto físico cercano a menos que estuviera justificado porque el bebé tenía que comer, había que bañarlo o cambiarlo.

Aunque las nuevas teorías psicológicas que se centran en la interacción y en la estimulación entre madre y bebé reemplazaron la teoría conductista, estos principios para educar niños tardan en desaparecer. Esto resulta evidente a partir de la manera en que las mujeres describen la lucha para calmar a bebés que lloran probando una cosa tras otra y tardando semanas, a veces meses, antes de descubrir que llevarlos a la cama con ellas es con frecuencia una solución.

Una vez que al final la mujer tiene al bebé a su lado acostado en la cama, de manera que en vez de tener que levantarse y atenderlo de noche pueden acurrucarse uno al lado del otro y deja que el bebé tome el pecho a voluntad mientras están los dos medio dormidos, a menudo se pregunta por qué no lo hizo antes.[6] Julie sufría de depresión posparto y me dijo que estaba pensando seriamente en suicidarse: "me llevé al bebé conmigo. Me sentía emocionalmente muerta y desesperada por la falta de sueño y por el llanto constante del bebé. El amamantamiento a libre demanda y todo el contacto corporal posible fueron la solución."

La Foundation for the Study of Infant Deaths ("Fundación para el Estudio de Fallecimientos por Muerte Súbita") publicó investigaciones que demostraban que los bebés corren mayor riesgo de muerte súbita si duermen en la misma cama que sus madres cuando alguien en la casa fuma. Hay que advertir que no es una cuestión de fumar en la cama, o de si la madre es fumadora. Si otra persona fuma en la casa, el bebé está en riesgo.

Los bebés también corren más riesgo si están en habitaciones separadas. Pero pruebas recientes sugieren que también hay riesgos si se tiene al bebé en la cama con uno. Los estudios sobre muertes en la cuna llevados a cabo en Glasgow entre 1996 y 2000 demostraron que el riesgo era más alto para los bebés que compartían la cama con sus padres, en especial si dormían entre ambos o cuando uno de los padres se dormía en un sillón o en una silla con el bebé, inclusive si ninguno de ellos fumaba y también si el bebé tomaba el pecho. No se buscó ninguna información sobre alcohol o drogas porque los investigadores consideraron que no conseguirían respuestas honestas. Tampoco se sabe si estos bebés eran alimentados sólo a pecho o con una combinación de leche materna y leche artificial. El compartir la cama se vinculó con un aumento de riesgo para los bebés de menos de 11 semanas de edad, no para los mayores. Compartir un sillón para dormir es riesgoso independientemente de la edad del bebé[7].

La manera más segura es alimentar y abrazar al bebé y colocarlo suavemente en un catre justo al lado de la cama cuando ya está dormido. A menudo hay una mejora enorme una vez que el bebé puede dormir cerca de la madre. La madre de un bebé de 3 semanas expresó: "No podría decirle con exactitud cuántas veces ha comido ni durante cuánto tiempo. Pero dormí bien toda la noche por primera vez desde que él nació. Pensé en hacerlo antes pero me preocupaba que adquiriera malos hábitos. Pero el mal hábito es el llanto y la molestia general, y calculo que si le doy lo que necesita ahora para que no ocurran esas terribles sesiones de llanto durante la noche, el bebé se irá acostumbrando, de a poco, a no comer tan seguido. Después de todo, otros bebés lo hacen."

Teniendo presente el estudio de Glasgow, la madre puede decidir tener la cuna del bebé al lado de la cama más que planificar dormir con el bebé. Un estudio previo en Glasgow demostró que el 81% de los bebés que murieron mientras compartían la cama de un adulto estaban tapados con un acolchado de duvet. Puede que tuvieran demasiado calor o no pudieran respirar a causa del mismo.

Algunas veces las mujeres se ponen nerviosas el hecho de que si llevar el bebé a la cama interfiere o no con el sueño de su pareja, lo que no sería justo para él. Una mujer que se resistió a la idea durante mucho tiempo me dijo:

Me preocupaba lo que podía ocurrir con mi relación con Tony (su esposo). Me quedé embarazada durante la luna de miel. En realidad, fue demasiado pronto. Hace tan sólo un año que estamos juntos y hay cosas que todavía tenemos que aprender y entender uno del otro. Pensé que él podía sentir que la beba interfería entre nosotros. Y supongo que estaba un poco asustada de que una vez

---

MEDIDAS DE SEGURIDAD

- Si lleva al bebé a la cama con usted **nadie en la casa debe fumar**.
- No coloque al bebé entre usted y su pareja.
- Coloque al bebé boca arriba.
- Evite el alcohol.
- Evite píldoras que le puedan provocar sueño.
- No utilice un acolchado de duvet sobre la cama.
- Mantenga al bebé lejos de las almohadas.

---

que la beba llegara, el entusiasmo se perdiera, así que decidí ponerla en otra habitación e hicimos un hermoso cuarto infantil para ella esperando que pudiéramos cerrar la puerta y vivir nuestras vidas como antes. Eso es imposible y sólo nos trajo más dificultades tratar y pretender que así fuera. Escucho a Katy inclusive cuando no está llorando. Y cuando llora, no puedo sentirme sexy porque mi pensamiento está con ella. Así que ahora la hemos mudado con nosotros. Su moisés está justo a mi lado de la cama, al mismo nivel, así que la levanto en cuanto empieza a fastidiar y a menudo me despierto a la noche y me doy cuenta de que me he quedado dormida dándole el pecho. ¡Ahora estamos más relajados!

A una mujer con dos bebés de menos de dos años y medio le preocupaba que ella y su pareja nunca más tuvieran vida sexual si los niños estaban en la cama con ellos, pero dice: "Kevin y yo nos despegamos de los bebés dormidos, nos deslizamos escaleras abajo y hacemos el amor en la sala. Guardamos un acolchado de duvet extra en el placard y algunas velas. Es parecido a como cuando éramos adolescentes. ¡Supongo que es el encanto de hacerlo en secreto!"

Frances tiene tres hijos y con los primeros dos

siempre intentó hacerlo "al pie de la letra" y tener una rutina. Algo logró con el primer bebé; cuando nació el segundo, se sintió siempre en medio de un lío y se hizo a la idea de organizar todo mejor cuando el tercero naciera. Pero los otros comenzaban a despertarse y a lloriquear porque querían agua o ir al baño cuando el bebé lloraba de noche y todos aterrizaban en la cama de los padres alrededor de las 4.30 de la madrugada.

No lo podía soportar más. Me trepaba por las paredes. Por eso, negocié la paz a cualquier precio y llevé el bebé a la cama conmigo. El segundo, que tiene sólo dos años, se levanta y se arrima también, pero ahora he dejado de preocuparme por eso y acepté que necesita consuelo y mimos porque probablemente esté un poco celoso del bebé. Está funcionando bien pero todavía tengo un poco de vergüenza cuando lo admito ante otras personas.

Es más difícil entender esto como una solución si a su pareja le preocupa que la relación se vea destruida por los niños. Ann está casada con un hombre 15 años mayor que ella y éste es el segundo matrimonio de él. Él siente que como su primer matrimonio fracasó, éste también puede estar en riesgo. Su ex-mujer manejaba al niño de tal manera que las necesidades del bebé no interferían con él y pudo concentrarse en su vida profesional como abogado. Ann pensaba que las necesidades del bebé debían estar en primer lugar pero esto hizo que su marido se sintiera muy inquieto:

Su actitud era: "¿Por qué no puedes controlar a ese niño? ¿Qué te ocurre?" En realidad no lo decía pero sabía que eso era lo que estaba pensando. Así que elegí un momento en que yo estaba más o menos descansada y no demasiado cargada de cosas y le dije que habláramos de ello. Le dije que me daba cuenta de que se sentía amenazado y que lo comprendía. Al principio lo negó porque se sentía tan incómodo con todo eso que no podía enfrentarlo ni admitirlo. Quería ser fuerte y no demostrar sentimientos como esos. Le

dije que estaba todo bien, que era entendible, que cualquier hombre se sentiría así después de una experiencia como la suya. Después pasamos a otro nivel al hablar de los sentimientos y le dije que me sentía tironeada en dos direcciones, por el bebé y por él. Teníamos que encontrar un punto de encuentro para los tres. El resultado fue que ahora tenemos al bebé en nuestra habitación, donde me puedo ocupar de él sin salir de la cama y las noches son mucho más tranquilas. La conclusión es que pasamos más tiempo juntos y él disfruta del bebé y hace cosas que nunca había hecho antes.

Las mujeres se sienten obligadas a ajustarse a un modelo de madres que se supone "normal" y correcto para todas. Susan tiene un bebé de ocho meses y me dijo:

He tratado de no presionar a la beba para que coma o duerma, y de no mirar el reloj. Siempre la acuesto cuando está cansada. De esa manera, no la tengo chillando durante horas. Los demás se molestan conmigo y dicen que debería estar acostada a las 6 de la tarde. Se va a acostar a las 9 de la noche. Pero antes, cuando trataba de copiar a mis amigas y trataba de hacerla dormir a las 6, gritaba hasta la medianoche o hasta las 2 de la mañana, y a veces inclusive hasta las 3.

El hecho de llevar finalmente al bebé a la cama es quizás el resultado de una larga batalla previa para tratar de persuadirlo de que se quede en su propia cuna y en su propia habitación, porque tener a un bebé en la cama se considera amenazante para la independencia del adulto. Tratamos de ajustarnos con desesperación a las prácticas comunes para la educación del niño. Y parece como si los bebés de todos los demás durmieran profundamente: es sólo el nuestro el que no lo logra, y debe ser por culpa nuestra. Ser madre puede transformarse en una actividad muy competitiva. Las olimpíadas para bebés empiezan pronto, cuando uno se encuentra, sin duda alguna, en la clínica para bebés, cuando alguien ve las ojeras debajo de los ojos y dice: "Todavía no duerme toda la noche, ¿no? El mío sí".[8]

Hay una paradoja en el hecho de que aunque para la mayoría de las mujeres llega un descubrimiento importante cuando se llevan el bebé a sus propias camas, para otras es exactamente lo opuesto. Les parece que el bebé necesita paz y tranquilidad y su propio espacio para quedarse tranquilo. Una mujer dijo: "El llanto se detuvo a los ocho meses cuando nos mudamos y ahora tiene su propia habitación. Pienso que lloraba porque estaba cansado y no podía dormirse con nosotros en la misma habitación." Cuando hablé con ella me di cuenta que había algo más en esto. Ella y su pareja vivían con los padres en condiciones de hacinamiento y las dos parejas sentían la tensión. Siempre que el bebé lloraba se preocupaba porque pensaba que estaban molestando al resto de la casa y estaba deseosa de demostrar que podía arreglárselas sola con el bebé y ser una buena madre. El resultado era que estaba todo el tiempo en vilo. No había manera de evitar comunicar esa tensión al bebé. Cuando se mudaron a la nueva casa, al final pudo relajarse. Contar con una habitación para el bebé era sólo un elemento en una situación familiar muy cargada que ahora permitía a la joven pareja tener su propio espacio.

Es una paradoja que algunas veces cuando una mujer se da cuenta de que el bebé necesita estar físicamente cerca, pero que ella al mismo tiempo necesita tiempo para sí misma sin estar a cargo del bebé, provoca una importante disminución del llanto. A la noche la madre se va a dormir junto al bebé, que entonces está más contento, pero no sólo está contento a la noche sino también de día. Esto produce una sensación de libertad y la mujer se relaja y empieza a disfrutar de la vida y su nuevo estado de ánimo como madre se transmite al bebé, que puede relajarse también.

Cuando esto sucede, la necesidad urgente de probar que es una madre capaz deja paso al placer. Parte de ello es un regocijo sensual con la sola presencia física del bebé –verlo, tocarlo, olerlo y abrazarlo. En parte proviene de la excitación que

produce una relación viva: la comunicación preverbal que involucra ojos, expresiones faciales, movimientos y sonidos. Cuando la madre se preocupa por organizar al bebé de acuerdo con un horario fijo, por aceptar que se lo lleve a la cama a la hora que las reglas dicen que debe ser, por ponerlo en el pecho 15 minutos de cada lado porque algún experto dice que esa es la manera de amamantar, la madre tiene poca oportunidad para disfrutar simplemente del bebé y para gozar al máximo de las etapas tranquilas y alertas del ciclo de actividades del bebé uniéndose a este primer tipo de conversación. Es difícil sentir placer alguno con un bebé si todo el tiempo se está ocupada en una batalla permanente por conseguir que acepte un horario o crezca y sea independiente. Una vez que la mujer ha aceptado los ritmos espontáneos de su bebé y disfruta teniéndolo cerca, los dos se sienten mucho más contentos y en sintonía uno con otro.

La mochila para bebés

Para muchas mujeres el uso de una mochila mejora en gran medida la situación. Dicen que les agrada saber que sus bebés están seguros contra sus cuerpos. Algunas no sólo se desesperan al escuchar llorar a sus bebés, sino que también están nerviosas cuando se callan porque se preguntan si estarán muertos. Si el bebé está acurrucado contra su pecho la mujer al fin se siente libre para pensar y hacer otras cosas. El trabajo de la casa, el cuidado del jardín y las compras son más fáciles, y puede ir a dar una larga caminata con el bebé ceñido a ella. Cuando necesita estar sola o tiene otro trabajo que hacer, el padre o alguna otra persona pueden hacerse cargo y cargar la mochila con el bebé.

El bebé de Kathy lloraba inconsolable hasta que a las 6 semanas lo puso en una mochila para bebés. Ahora la usa todo el tiempo: "¡Llevo al perro al parque con Ben en su mochila donde nadie lo escucha si llora, puedo cantar a los gritos y el solo hecho de estar afuera al aire libre es una bendición!"

Una mujer nativa norteamericana, que cura y es partera en Onondage, me comentó que uno de sus propios bebés lloraba y lloraba y sólo se consolaba cuando lo colocaba en una mochila para bebés típica de los indios y lo llevaba con ella. Lo recomienda para bebés que lloran de manera inconsolable.

Tener el bebé cerca de uno, en algo para transportarlo o en un chal, es una extensión del principio básico que dice que los bebés se calman cuando están en contacto con el cuerpo de un adulto. También tiene otra ventaja: el bebé está erguido y no acostado. Como hemos visto en el Capítulo 12, hay estudios que demuestran que los bebés están más cómodos en mochilas que cuando se los acuesta o están en posición inclinada en un bebesit. Un bebé que está ligado al cuerpo de otra persona también recibe todos los estímulos que provienen de los movimientos de esa persona y, si están de frente al cuerpo, pueden calmarse con el sonido regular del corazón humano.

Sonidos tranquilizadores

El profesor Murooka de Japón colocó un micrófono en miniatura dentro del útero de una mujer y grabó el sonido. Cuando se hizo escuchar la grabación a bebés que lloraban, dejaron de hacerlo. Después intentó con otros sonidos pero los más efectivos resultaron ser los sonidos intrauterinos.[9]

Una partera en un hospital inglés comparó la efectividad de una cinta grabada con sonidos intrauterinos con una caja de música que reproducía "Fray Santiago" o "Arrorró mi niño" y con otros métodos para calmar bebés como hablarles, mecerlos y darles palmaditas. Casi todos dejaron de lado rápidamente la caja de música porque no produjo el resultado deseado. El sonido intrauterino fue efectivo el 98,4% de las veces y cuando fracasó fue porque el bebé estaba en el horario en que tenía que comer. El tiempo promedio que llevó calmar a un bebé fue de 10 minutos, pero más de la mitad de los bebés se calmaron en menos de 5 minutos.[10]

Algunas mujeres cuentan que cuando ponen sus bebés en la cama usan un grabador con sonidos intrauterinos. Es difícil que este método dé resultado después de las 6 semanas, pero puede ser muy útil

con bebés de menos edad. Algunos padres descubren que otras formas de sonidos también son efectivas. Una grabación que sirve para muchos bebés presenta sonidos rápidos que resultaron de una falla en el grabador cuando un padre trató de grabar a su bebé llorando. Cuando lo escuchó de nuevo, el bebé dejó de llorar. Otro reproduce el sonido de las hojas entre sí y caídas de agua. Una mujer comentó: "Mi madre me compró el casete con sonidos intrauterinos que lo calmaba después de 10 segundos. Pero el equipo de audio ahora está roto así que encontramos una combinación entre el secador de pelo (a baja velocidad) y la aspiradora, más el chupete, que lo calma." Otra aconseja: "Siempre tiene que haber ruido razonable en la casa; la aspiradora, la TV, la radio, el perro que ladra, personas hablando." En al menos una familia el bebé puede calmarse sólo en el cuarto de baño porque el sonido más tranquilizante resulta ser el del agua que corre en el inodoro; mientras uno de los padres hamaca y da palmaditas al bebé, el otro aprieta el botón del baño una y otra vez.

A los bebés con frecuencia les agrada la música y sus gustos musicales varían mucho. Algunos prefieren Bach, mientras que a otros les agradan las canciones de cuna, los blues, la música pop o el rock pesado. Una mujer me comentó que su bebé de cuatro meses "está encantado cuando mi hija toca la guitarra o enciende el equipo de música o escucha el piano". Muchos padres les cantan a sus bebés y algunos se dan cuenta de que sus bebés se calman con mayor efectividad con música a un volumen en realidad alto. Una mujer, por ejemplo, se dio cuenta de que cantar muy fuerte era casi la única cosa que funcionaba. "Un día me horroricé al encontrarme gritando en una casa totalmente silenciosa con el bebé que me miraba absolutamente estupefacto". Un padre que es baterista descubrió que cuando ensaya, el bebé por lo general, se duerme.
Peter y Juliet Kindersley organizan conciertos de música clásica especialmente para bebés, nacidos y por nacer. Escuchan a Brahms, Medelssohn, Ravel, Mozart, Schumann y Vivaldi.[11]

Las madres pueden componer canciones sedantes sobre casi cualquier cosa; himnos y recetas de cocina incluidas. Las mujeres vietnamitas a menudo cantan canciones de cuna que consisten en secretos de cocina. "Para hacer una sopa de pescado y calabaza agregar un poco de pimienta y cebollines para resaltar el gusto. Duerme profundamente, mi bebé, para que yo pueda trabajar para darte de comer." Para encontrar el tipo de música que le agrade más al bebé habrá que experimentar. Si las canciones de cuna tradicionales no parecen apropiadas, es probable que nos demos cuenta de que cualquier tipo de música que nos ayude a relajarnos ayudará a que el bebé se relaje también. Una madre de mellizos dice que enciende la radio, toma una taza de café y "la música me ayuda a relajarme y esto se transmite a los bebés".

Si no desea relajarse pero sí necesita en cambio dejar salir toda la rabia que se acumula en su interior mientras el bebé llora, eso funciona también. Elija una pieza de música o una canción que exprese sus sentimientos que entretendrá al bebé y la hará sentirse mejor.

Las canciones de cuna y las canciones especiales para bebés por lo general les dan a las madres "permiso" para expresar su angustia y su enojo. Una vieja canción de cuna americana resume los sentimientos ambivalentes que las madres sienten por sus bebés:

¿Qué haré con el bebé
si no se va a dormir?
Envolverlo en percal y enviárselo a su
padre.
Envolverlo con el mantel y arrojarlo en el
granero.
Bailar con él hacia el norte y hacia el sur.
Verter un poco de brillo de luna en su boca.
Pellizcarle los dedos de los pies y hacerle
cosquillas en el mentón, arrojarlo en el viejo
corralito.
Ojos celestes y mejillas rosadas, labios tan
dulces como el pan de jengibre.[12]

Sólo tiene que pensar en algún ritmo muy conocido como "Duérmete niño" que termina diciendo "o vendrá el cuco y te comerá" para darse cuenta que estas canciones de cuna por más dulcemente que se canten son un medio socialmente aceptado para expresar emociones violentas de hostilidad hacia un bebé que llora, que están almacenadas justo bajo el nivel de conciencia.

Posturas y movimientos cómodos

Una de las cosas que se han aprendido es que al bebé le agradan ciertas posiciones y los cambios de posición. A algunos bebés les gusta mucho más cuando se los coloca sobre la panza, por ejemplo. Les agrada ser sostenidos con fuerza, boca abajo, a lo largo del brazo. O bien disfrutan estar de panza cruzados sobre la falda mientras se les dan golpecitos en la cola con un ritmo regular. O quizás están más contentos si se los sostiene contra el hombro y se les dan palmaditas en la cola en esa posición. Algunos bebés están cómodos sentados en la falda mientras se los sostiene con una mano y se los mece suavemente hacia delante y hacia atrás con la otra mano en los hombros.

Pero es probable que todas estas posturas sólo funcionen por unos pocos momentos. En

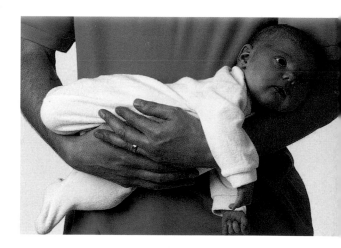

seguida, el bebé comienza a inquietarse de nuevo y el adulto debe recurrir a todo su ingenio para pensar qué hacer después. Un bebé realmente activo nunca se queda quieto, excepto cuando duerme profundamente. Se sacude por momentos y se sobresalta, golpea con los puños, los pies se contraen y patean, la espalda y la panza se ponen rígidas, se retuerce y se da vuelta, arquea la espalda, pone los hombros rígidos, salta y se retuerce mientras hace muecas y lloriquea como si lo estuvieran sometiendo a una prolongada sesión de tortura.

Todo esto necesita mucha energía pero resulta que es nuestra fuerza la que se agota y no la del bebé. Ese hombre con la cara desencajada y mirada fija que da vueltas y vueltas a la manzana en el automóvil puede que no esté buscando una prostituta después de todo; ¡puede tratarse de un padre cansado con un bebé en el asiento trasero!

Es asombroso cuanta energía posee esta criatura recién formada. Cuando la madre está agotada y casi se desvanece por la falta de sueño y por la constante atención a las necesidades del bebé, él todavía está activo. Parece que es la supervivencia del más fuerte… y al observar a un bebé vigoroso y a sus padres exhaustos, ¡queda muy claro cuál es el más apto!

La actividad incesante exige mucha generación de energía por lo que el bebé pronto tiene hambre y está listo para comer una vez más. Toma el pecho con presteza. La madre puede pensar con seguridad que cada comida, en lugar de prometer paz y tranquilidad, alimenta rápidamente a este diminuto dínamo lleno de energía para que pueda continuar con su actividad imparable de contorsiones y forcejeos.

La esencia de todo es el movimiento. A los bebés les agrada moverse y que los muevan. Les resulta placentero investigar una variedad de movimientos de diferentes clases y ritmos y de esta manera, tonifican los músculos y aumentan la coordinación neuromuscular. Al mismo tiempo, descubren y hacen pruebas con el medio: la dureza, la fuerza y la resistencia de los objetos sólidos y, sobre todo, las acciones y reacciones de los que los cuidan. Es como un gran experimento que revela todo lo que hay que saber acerca del mundo y los seres humanos que viven en él, un enorme esfuerzo para colarse en la sociedad humana, que lo acepten y reconozcan, que lo socorran y protejan, y para afianzar los derechos de esta nueva persona contra todos.

El movimiento forma parte de toda esta acción. Parece que los bebés luchan por moverse. Les agrada viajar en automóviles veloces y gritar cuando se detienen en los semáforos. Les agrada que los transporten de un lado a otro en cualquier cosa que tenga ruedas. Les agrada que los alcen para llevarlos, siempre que no se detengan ni siquiera por un instante. Les agrada que les den palmaditas, que los froten, que los acaricien, que los masajeen, que los hamaquen, que los hagan rebotar y que los mezan.

Tradicionalmente, los bebés han sido hamacados en cunas o en los brazos de su madre. Hamacarlos de manera vertical, más que de un lado a otro, es probable que sea especialmente efectivo y se parece al movimiento hacia arriba y hacia abajo que el bebé sentía cuando se hamacaba dentro de la pelvis de la madre antes de su nacimiento. Se ha demostrado que la mejor velocidad para hamacarlos es de entre 30 y 90 movimientos por minuto.13 Algunas mujeres consideran que la hamaca vertical suspendida de un resorte diseñado especialmente para mantener el movimiento a esta velocidad ayuda a que sus bebés se relajen y se duerman.

A los bebés les agrada también iniciar el movimiento, estirarse y enroscarse, torcerse y darse vuelta, flexionar y extender las articulaciones. Pruebe acostar al bebé desnudo en un colchón sobre el piso de una habitación templada. Incluso los bebés recién nacidos se pueden mover. Se retuercen, empujan la cabeza hacia arriba y hacia abajo y hacen movimientos con brazos y piernas como si nadaran. La libertad que brinda un colchón le permite al bebé hacer todos estos movimientos exploratorios sin el impedimento de la ropa o de las mantas.

En contacto con el bebé

A menudo se sugiere llevar a un bebé que llora donde no se lo pueda oír, a una habitación tranquila y en penumbras. La separación y la falta total de estimulación es la respuesta. Aunque esto funciona con muchos bebés, es triste que la única manera para calmar a un bebé sea aislarlo de todo contacto humano y tratar de actuar como si no existiera. A pesar de que algunas veces es necesario para no perder la cordura, como regla general es un consejo para la desesperación: "No puedes hacer nada para calmar a tu bebé y que se conforme; por ello, déjalo completamente solo". Cuando las madres se resisten a ese consejo puede que sea porque saben en sus corazones

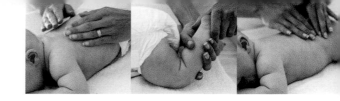

que parece ser la confirmación de que no están poniéndose en contacto con el bebé de la manera adecuada.

Naomi Stadlen, una psicoterapeuta que trabaja con madres primerizas y bebés, escribe:

No todos esperan que se los consuele. Las personas que han sido educadas para no molestar nunca o para no "cargar" nunca a otras personas con sus propios problemas, tienden a aislarse cuando no se sienten felices. Se sienten más seguras solas, cuando pueden "lamer sus propias heridas", como se dice, para consolarse. También hay maneras impersonales para conformarse. Una persona puede encontrar consuelo en la bebida, en la comida, en el cigarrillo, en las drogas, con los juegos de la computadora u otras actividades solitarias. Se trata, en general, de actividades repetitivas y adictivas. Otra manera de manejar la angustia es decirse a sí mismo: "No importa", "No es tan importante", "No me importa nada". Si esto es una negación de los sentimientos verdaderos de una persona, la persona puede sentirse calmada pero pagando el precio de cerrar un nivel de sensibilidad humana común…
Por fortuna, muchos padres aún prefieren consolar a sus bebés. Si no lo hicieran, podríamos encontrarnos viviendo en una sociedad de gente muy solitaria que habría aprendido a controlar su angustia en vez de buscar fuerzas compartiéndola…
En general, lleva varios meses antes de que el bebé tenga confianza en que su madre vendrá a consolarlo. El proceso lleva tiempo. Lentamente la madre y el bebé se sintonizan uno con otro. La madre aprende que el bebé responde a ésta o aquella acción en particular que lo tranquiliza; el bebé aprende a esperar toda una serie de pequeñas acciones; y su madre reconoce, por la manera en que llora, cuándo las está esperando. Se desarrolla una relación de confianza mutua que se extiende hasta la niñez.[14]

El contacto físico y los masajes

La piel del bebé es en especial sensible no sólo porque se irrita y se lastima pronto con la orina, la suciedad, la excesiva exposición al sol, sino también cuando aparecen en escena sentimientos y mensajes que se reciben a través del tacto. De muchas maneras, el bebé aprende a través del contacto. Esta funda protectora de piel tiene múltiples funciones: la diferenciación entre el mundo interior y el exterior, el establecimiento de una frontera firme para la imagen corporal, la unión de las diferentes partes del cuerpo en una persona y como transmisor de comunicación. La funda de piel nos da identidad como individuos. Es también nuestro punto de contacto con los demás.[15]

Una madre, al hacer contacto con la piel del bebé de diferentes maneras –tomándolo con fuerza o con suavidad, a través de caricias, al frotarlo, al hacerlo rebotar y de otras formas– le transmite mensajes silenciosos a su bebé, el que a su vez reacciona con cambios en el tono muscular, respuesta instantánea de la piel, con la respiración, el movimiento de la cabeza, con gestos, con la mirada, la vocalización y la succión. Es un lenguaje de comunicación intensamente físico. Como esto no se puede aprender con los libros sino sólo con el bebé, a menudo ha sido dejado de lado.

Las mujeres de todo el mundo se han comunicado con sus bebés a través del tacto durante miles de años, en general, sin siquiera pensar en ello, al igual que cuando lo hamacan, lo arrullan, le mordisquean las orejas, le besan la cola y todo el lenguaje infantil que acompaña estas cosas. Se recomiendan en libros distintas maneras sistemáticas de contacto desde la época de los griegos y los romanos. Un psicoterapeuta llamado Ian St.John hizo una descripción generalizada de algunas de estas formas de masaje.[16] En el siglo segundo de nuestra era, Sorano de Éfeso, aconsejaba un vigoroso masaje modelador diseñado para dar forma perfecta al cuerpo del bebé que había visto hacer a las niñeras y las madres a sus bebés. Primero se ungía al bebé con aceite y después, la mujer tomaba fuertemente un tobillo y pasaba la otra mano desde un glúteo hacia arriba a lo largo de la columna. Después, lo acariciaba desde la clavícula hacia la columna y hacia el otro muslo. Después de esto, le masajeaba la columna, las piernas y la cabeza. La idea griega de la belleza era un físico atlético, perfectamente formado y, al igual que en la actualidad, el objeto de masajear a los bebés era lograr un cuerpo fuerte, erguido y vigoroso. Pero también debe haber sido divertido excepto, quizás, para un bebé al que no le gustara toda esa estimulación y prefiriera estar cómodamente acostado y que sólo se lo acariciara de manera suave.

El masaje hindú para bebés fue introducido en occidente por Leboyer en su libro *Loving Hands*.[17]

En los Estados Unidos, en Australia y en Inglaterra se desarrollaron variantes de esto.[18] Un tema fundamental es que se acaricie al bebé con un movimiento continuo y fluido de la cabeza a los pies con caricias suaves y un masaje más profundo.

Cuando al bebé le agrada que lo toquen, se relaja y se queda blando y flexible como un gatito que ronronea, que en ocasiones se estira y bosteza. Un bebé que se asusta, abre las dos manos en el reflejo de Moro, levanta los brazos y después los retrae cuando alguien se mueve de repente o hay un ruido inesperado. Si esto sucede, quizás tenga la mano muy pesada o la mueva demasiado rápido y le transmite el propio nerviosismo a través del tacto.

Se recomienda prestar atención para ver la clase de contacto que le agrada al bebé. Se descubre que una vez que se comenzó con el masaje, es más apropiado continuar con el contacto continuo. Mantenga siempre una mano o un dedo sobre la piel del bebé mientras cambia hacia otra parte del cuerpo. El contacto da seguridad. En las partes del cuerpo del bebé que estén cubiertas de pelo, las caricias deben hacerse en el sentido del crecimiento del pelo. Cuando se acaricie la cabeza y la frente del bebé, el movimiento debe ser hacia abajo, nunca hacia arriba.

Vierta aceite tibio –dos gotas de lavanda o aceite esencial de mandarina mezclado con 5 ml de aceite base– en la palma de las manos, sólo lo suficiente para que se deslicen con suavidad sobre la piel del bebé.

Con cuidado, acaricie la cabeza del bebé con toda la mano, de adelante hacia atrás, con los dedos tocando el centro de la coronilla de la cabeza.

Mientras mantiene una mano suavemente sobre la coronilla de la cabeza del bebé, haga pequeños movimientos circulares hacia abajo sobre la frente con el dedo mayor.

Haga pequeños movimientos circulares con el anular entre los ojos del bebé.

Comience por la parte inferior de ambas orejas y con un dedo de cada mano siga el contorno hacia arriba y vuelva hacia el lóbulo.

Acaricie los dos brazos en toda su longitud y presione con suavidad el centro de las palmas de las manos del bebé con un dedo durante unos 10 segundos.

Para los dos tipos de caricias siguientes, el bebé debe estar desnudo.

Acaricie a lo largo de las dos piernas y termine con una suave presión de su dedo en el centro de las plantas de los pies del bebé durante 10 segundos. Con el bebé acostado boca arriba o de costado, todavía con una mano sobre su cabeza, utilice dos dedos para hacer suaves movimientos circulares a lo largo de toda la columna hacia abajo, empezando en la nuca hasta la cola. Pruebe si su bebé parece relajarse más si hace los movimientos a ambos lados de la columna en vez de justo encima.

Ian St.John sugiere tres enfoques básicos para el cuidado del bebé. El enfoque "convencional" implica el aislamiento de los bebés durante largos períodos de tiempo. El masaje puede darse porque se aplica crema, pero no para "hacer contacto". Con el enfoque "integrado", la madre se da cuenta de lo poco natural que es alejar al bebé de ella y de alguna manera quiere compensarlo, por lo que usa el contacto y el masaje para comunicarse, para restituir algo que está faltando. El enfoque "biológico" implica un contacto continuo entre la madre y el bebé y otra persona que los quiera para que los mime a los dos. La madre mantiene a su pequeño bebé dentro de su ropa y con frecuencia se masajea juntos a la madre y al bebé "en un intercambio, tanto emocional como físico, que es mutuamente relajante… Cada masaje es único. No hay una rutina a seguir; es una experiencia muy personal; lo que es importante es generar una interacción amorosa entre seres humanos."[19] La mujer puede acostarse con el bebé a su lado y acurrucarlo contra ella o bien colocar al bebé para que descanse sobre su cuerpo.

Entonces otra persona los masajea a los dos con caricias y leves presiones, siempre siguiendo la "dirección del pelo". El bebé que está en contacto con la piel de su madre, que es masajeado y tocado de esta manera como parte de una experiencia compartida, es "criado con el cuerpo más que con la mano".

Cualquier contacto tranquilo y rítmico que sea agradable en ese momento puede servir para calmar al bebé. Una mujer, por ejemplo, ha descubierto que si masajea la frente del bebé lo puede hacer dormir. Otra dice que le saca el pañal a su bebé y le frota suavemente la panza.

Un baño tibio

Aunque algunos bebés odian que los bañen, otros dejan de llorar cuando están en el agua tibia. Una mujer me comentó: "Nada funcionaba hasta que empecé a bañarlo y eso ayudó a que se relajara." Algunas mujeres llevan al bebé consigo para sumergirse en un baño tibio en un cuarto templado para poder relajarse juntos.

Con frecuencia, parece que a los bebés no les agrada que los bañen porque se los coloca de espaldas. En esta posición se sienten inseguros, ponen los brazos hacia arriba y lloran. Algunas de las madres australianas en mi encuesta habían aprendido un método especial para el baño que se dieron cuenta que sus bebés disfrutaban. Implica sostener al bebé desde abajo del mentón y

colocarlo de panza con la cabeza dada vuelta hacia un lado. Es necesario mantener los nudillos fuera del agua y los dedos separados para que el agua se escurra de las manos. Ann Burleigh del Royal Hospital for Women de Sydney les enseñó a estas madres la manera de bañar a los bebés. Los coloca en agua con una profundidad de entre 12 y 15 cm para que puedan flotar y se asegura de que el agua esté realmente tibia –cerca de 38°C– y siempre baña al bebé boca arriba primero. Después, si está contento, lo da vuelta de espaldas.[20] Si el bebé se despierta a la noche, es probable que este tipo de baño lo calme y relaje, y después de haberlo secado con palmaditas, mientras el cuerpo todavía está tibio por el baño, puede que le agrade que lo masajeen con aceite hasta que se duerma. Una mujer me comentó que darle a su bebé este tipo de baño durante los peores períodos de llanto le permitía relajarse lo suficiente para comer tranquilo e irse a la cama.

Estimulación visual

Una manera de distraer y calmar a los bebés que lloran, e inclusive evitar que lloren, es ofrecerles una gran cantidad de estimulación visual muy variada. No tiene que estar a la vista todo el tiempo porque el bebé se acostumbra. Es necesario presentar una selección de objetos que provoquen excitación visual; quizás con sonido también, como si fuera un especial de "luz y sonido" para bebés.

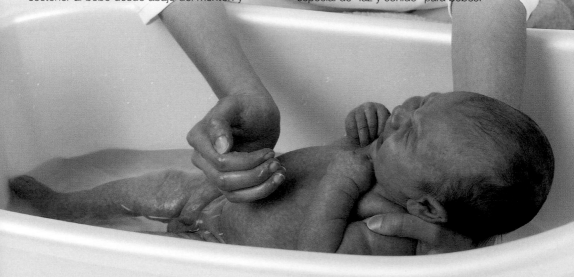

Las madres inventan todo tipo de soluciones para conformar los gustos de estimulación visual de sus bebés. "Colgamos móviles hechos en casa y libros de cuentos abiertos con sujetos con grandes bandas elásticas."; "Hay un comedero para pajaritos en el jardín y colgamos un coco del árbol y le encanta estar mirando toda lo que pasa". A los bebés les encanta mirarse al espejo, observar el juego de luces y sombras en la pared, que les muestren libros grandes y coloridos y les diviertan las banderas que flamean y las cosas que están hechas de bronce, cobre y plata. Les agradan las velas, las guirnaldas y los banderines, las flores, las plumas de pavo real, las artesanías hechas en colores brillantes y con diseños complicados, las alfombras, los tapices de pared, las linternas chinas de papel y los barriletes, los títeres, las máscaras y las sombrillas. También, las llamas que chisporrotean en un fuego de un hogar (con una buena protección, por supuesto), los globos que se mueven, las burbujas de jabón que flotan en el aire, las cortinas de encaje movidas por el viento y los dibujos que forma la luz cuando atraviesa las hendiduras de las persianas venecianas o cortinas de ratán. Desde ya, se pueden colgar arriba de la cuna cuentas de colores, pelotas y sonajeros de plástico multicolor, pero no son suficientes para mantener la atención de un niño movedizo por mucho tiempo. Los colores no siempre tienen que ser brillantes para fascinar a un bebé. Las pequeñas diferencias también pueden ser apreciadas.

El bebé puede distinguir entre tonalidades de color y formas que sean sólo ligeramente diferentes una de la otra. Si se cuelga un móvil de distintos colores y/o formas donde lo pueda ver con facilidad, puede pasar un largo tiempo concentrándose en él y tratando de encontrar la diferencia entre las partes.

La mejor estimulación visual que se encuentra en el entorno consiste, sobre todo, en los otros seres humanos –personas que van y vienen y advierten la presencia del bebé. Una mujer que pasó la niñez en las islas Seychelles dice que hay una enorme diferencia entre su propia vida como niña pequeña y la vida diaria de su bebé en Gales, y que no puede entender por qué éste llora. Ella es la mayor de siete hermanos y recuerda cómo se colocaba a los bebés frente a la casa donde podían ver todo lo que pasaba y eran, además, el centro de atención. Cuando llevé a cabo pruebas de campo e investigaciones antropológicas en Jamaica, muchas veces vi niños jugando a "¿Lobo está?" o a la rayuela con bebés muy tranquilos sujetos a la espalda, y uno de los lugares preferidos para poner al bebé era un balde grande en un claro fuera de la cabaña, con las gallinas escarbando alrededor, los perros corriéndose unos a otros, los pájaros bajando en picada de los árboles de mango, las cabras o el burro de la familia andando por ahí y los vecinos preparando comida o lavando la ropa todos juntos. Ningún bebé puede aburrirse con esta escena tan animada.

Osteopatía craneal

Las mujeres que han tenido un parto complicado a menudo dicen que sus bebés lloran como si tuvieran dolor de cabeza. Probablemente así sea. La extracción por vacío provoca un bulto grande en la cabeza del bebé, como si fuera un peinado y no tejidos que han sido succionados y estirados. Después que se va la hinchazón, los magullones siguen estando. A menudo, los fórceps dejan marcas rojas o raspones a ambos lados de la cabeza del bebé, entre el ojo externo y la oreja. La cesárea implica ejercer tracción sobre el cuello del bebé para sacar la cabeza tirando. Todas estas cosas pueden asociarse con el llanto en las primeras semanas o meses de vida.

Un osteópata craneal acomoda los huesos de la cabeza y el cuello del bebé con mucho cuidado para volver a alinearlos y reducir la presión sobre los nervios. Las mujeres que deciden probar con la osteopatía craneal con poca esperanza de que sirva para algo, con frecuencia se asombran por la manera en que sus bebés se tranquilizan después de unas pocas sesiones.

Descansar del bebé

Una mujer con su primer bebé a menudo se siente bajo la presión de adecuarse a una imagen ideal de la maternidad que fue impuesta por la sociedad y es una mezcla de Virgen María, Doña Petrona y una estrella pop: madre perfecta, cocinera, ama de casa sin igual y compañera de juegos sexuales por excelencia. Ninguna mujer puede ser las tres cosas al mismo tiempo. Algunas mujeres se esfuerzan muchísimo para cumplir con alguno de estos roles y se dan cuenta que inclusive esto es imposible de lograr. La exigencia más insidiosa que nos hacemos puede ser la de ser madres perfectas. Cualquier mujer que cree que debe estar con su bebé las 24 horas, sentir sólo ternura y amor, y ser toda generosidad y un ejemplo, encontrará muy difícil aceptar el enojo y el odio que un bebé que llora puede provocarle.

Al negar lo que siente, rechaza una parte de sí misma, su realidad e integridad como persona. La frustración y la tensión se acumulan mientras intenta frenar bruscamente sus emociones y se resiste a reconocer cómo se siente en realidad y el resultado, como hemos visto en el Capítulo 10, puede ser desastroso. Si se da el caso y al fin alguien en quien puede confiar le da permiso para escapar del bebé por un tiempo, reivindicarse a sí misma y tener un espacio privado, la tensión espantosa cede. Puede dormir, llorar, escuchar música, golpear almohadas con los puños, sumergirse en un baño caliente –hacer cualquier cosa por alrededor de una hora en lugar de tratar de ser una madre perfecta.

Mientras que para algunas mujeres con un bebé que llora hay una salida importante cuando reconocen la necesidad del bebé por tener contacto físico cercano y se llevan el bebé a la cama, para otras, todo se hace más sencillo cuando aceptan que no tienen que cuidar a sus bebés continuamente las 24 horas y que pueden resistir la presión de ser la imagen de la madre ideal, y se dan tiempo para ellas mismas.

Esto es totalmente diferente del consejo que se da a menudo de "poner al bebé donde no se lo escuche". Es más bien: "Tienes derecho a crear un espacio para ti misma y no ser absorbida por completo por la maternidad".

Puede que exista la oportunidad de contar con alguien que se haga cargo del cuidado del bebé por un tiempo. Si es así, ¡a aprovecharlo! Hágase una escapada para una caminata rápida o correr, realizar alguna actividad en el jardín donde no se oiga el llanto del bebé, asistir a una clase de gimnasia, hacer natación o –la felicidad absoluta– dormir. Muchas mujeres dicen que después de

haber dormido bien, tienen la energía necesaria para continuar. Otras dicen cosas como: "¡Estaría perdida sin mi marido! Le dejo al bebé y después voy a correr para que se aclaren las ideas y volver renovada y lista para empezar de nuevo."

Si los dos tienen la oportunidad de un recreo, ¡aprovéchenlo también! Como dice una mujer que por suerte para ella cuenta con otra persona que puede vigilar al bebé: "Nos aseguramos de salir solos todos los días, aunque sea por media hora. Lo necesitamos. Les hemos pedido ayuda a vecinos y amigos y no nos da vergüenza."

Aunque al principio es difícil sentir que es correcto tomarse un respiro del bebé, porque a uno se lo necesita obviamente tanto, y cerrar la puerta cuando llora el bebé parece el último rechazo, a veces eso es lo único que se puede hacer. Preserva la cordura. Y la interrupción en el ciclo del conflicto entre la madre y su bebé puede ayudar a que el bebé esté menos molesto. Una madre me dijo que había aprendido que "un bebé puede cansarse de tu compañía". Reconoce que su pequeña ahora se calma cuando la llevan con regularidad a una habitación en penumbras para que duerma una siesta durante el día: "Corro las cortinas, la acuesto en la cuna y ve que salgo de la habitación y cierro la puerta." Esto no puede funcionar para todos pero parece apropiado para esta madre y su bebé. El bebé se tranquiliza después de llorar por unos momentos y la madre gana un poco de espacio personal.

Algunas mujeres aprenden que sus bebés se irritan cuando sólo quieren que se los deje en paz. Pero dado que sus propios ritmos psicológicos de sueño y vigilia son interrumpidos para adaptarse a los horarios de otros, o que alguien los estimula constantemente tratando de calmarlos, no logran revertir la situación: "Mi bebé se cansa mucho si tengo que despertarlo a cada rato para ir a buscar a los otros niños al jardín o a la escuela, a la clase de equitación o de fútbol, o de lo que sea. Es entonces cuando llora en exceso." "Llora como una histérica cuando está demasiado cansada y se ha pasado el momento en que se dormiría sin chistar." "Descubrimos que Philip (de cinco meses) lloraba cuando estaba demasiado cansado. Tratamos de acostarlo tan pronto como empezaba a lloriquear un poco y las cosas mejoraron notablemente.

Estoy atenta al tiempo que ha estado despierto durante el día y me aseguro de que se vaya a la cama un poco más temprano si ha tenido un día muy activo. Se duerme enseguida y está de mucho mejor humor cuando se despierta."

Las mujeres solteras que tienen toda la responsabilidad y las mujeres que tienen parejas ausentes o desinteresadas, encuentran particularmente difícil conseguir la ayuda que necesitan para poder tomarse un respiro del bebé. Cuidar a un bebé es un trabajo arduo. Las madres necesitan ayuda práctica, no sólo comprensión. Una mujer que sufre de depresión lo expresa de esta manera: "Estallaba todos los días. Sólo gritaba fuerte. Me sentía fuera de control y muy asustada. Me odiaba por no poder arreglármelas por mí misma. Hablo a Opus (una línea de ayuda) pero sólo hablar con alguien no sirve. Necesitaba ayuda práctica, alguien que cuidara al bebé por un par de horas."

Como muchas mujeres señalan, lo único que les permite afrontarlo es "liberarse del bebé" y "Tener a alguien más a quien entregárselo cuando no lo puedo soportar más". Una mujer me comentó: "Le pido a un vecino que se lleve al bebé. Me parece que si le doy mi hijo a otra persona, me calmo. Entonces me las puedo arreglar mejor después. Cuando no quería dejar de llorar, era como si me estuviera rechazando. Me di cuenta de que a menudo no podía hacer que dejara de llorar, pero otra persona sí podía. En ese momento pensé que era una madre que no servía para nada. Ahora pienso de otra manera." Una mujer me comentó que la solución que había encontrado para su sentimiento de abatimiento por lo que ocurría era contar con una amiga para que se turnaran para alzarlo. Dijo que cuando otra persona tenía a su bebé que lloraba no se sentía "tan inmersa en el miedo y la soledad del bebé. Podía brindarle a mi bebé el apoyo de un adulto."

Las mujeres con buenas amigas o familiares con niños pequeños, algunas veces se hacen tiempo para compartir el cuidado de los bebés para que la mujer cuente con un respiro. Ann tiene tres niños. La hermana tuvo un bebé diez semanas antes que naciera el último de Ann:

Si yo cuidaba a sus hijos (un bebé y uno que recién empezaba a caminar) le permitía descansar o podía salir de compras. Al

principio no quería dejar a su bebé, ya que sólo toma pecho, pero la convencí de que yo le podía dar el pecho –y funcionó. El bebé estaba pasando por un serio período de llantos, mi hermana se estaba poniendo nerviosa con él y el que caminaba daba señales de estar celoso. Las dos nos dimos cuenta de que el hecho de que yo amamantara a su bebé aliviaba la nerviosidad que sentía con el bebé que lloraba.

Otra mujer sugiere llegar a un acuerdo con una vecina con hijos mayores y turnarse en el cuidado de los niños. "A los otros niños les agradan mucho los bebés y se pasan horas hamacando el cochecito o jugando con él."

Algunas veces el respiro tiene que ser más drástico porque una mujer está en riesgo de destruirse y destruir a su bebé. Sencillamente no puede continuar así. El bebé de Amanda lloró sin consuelo durante ocho meses. Después, el asistente de servicios de salud a domicilio sugirió un jardín maternal para que Amanda pudiera tener un descanso. A ella no le agradaba la idea por lo que consideró otras posibilidades con el asistente de servicio de salud a domicilio. El resultado de la conversación fue que Amanda decidió volver al trabajo fuera de casa y que el bebé fuera a una guardería. "En dos semanas el bebé había mejorado como por arte de magia, dormía mejor y estaba más contento. Lo extrañaba durante el día pero estaba realmente contenta de verlo cuando volvía y mi hijo estaba contento de verme. Nos llevamos mucho mejor."

El bebé de Mary tiene ahora cinco meses y dice que al fin se rindió y permitió que su madre lo tuviera todo el fin de semana. "El sentimiento de culpa desapareció, mi madre está en su elemento y mi marido está un poco malcriado y feliz recibiendo un poco de atención en vez del bebé. Si se ofrece de nuevo, voy a aceptar con placer. Todavía me da pena dejarlo con otra persona pero es la única manera de sobrevivir."

Salir del problema

Muchas mujeres describen cómo el llanto se detuvo espontáneamente, a menudo dentro de un período de dos o tres días –algunas veces inclusive toda la noche– entre las 10 y las 16 semanas. El momento más común para que se produzca este cambio repentino es entre las semanas 13 y 14. Al parecer, forma parte del programa de desarrollo del bebé, es una nueva etapa en la que el bebé no necesita llorar. Las mujeres que me contaron sus experiencias relacionaron esto con un aspecto particular del desarrollo neurológico y motor: el bebé podía tomar y sostener juguetes, darse vuelta o moverse. Sentían que sus bebés se habían sentido frustrados y aburridos.

Algo que ayuda mucho a algunos bebés es descubrirse los pulgares para chupar. Un bebé puede tener un instinto para succionar tan fuerte que en realidad sólo se relaja cuando tiene un pecho o un substituto del pecho, como ser un chupete o el dedo de algún adulto, adentro de la boca. En las encías superiores se encuentra una zona en especial sensible que está llena de terminaciones nerviosas. Los bebés recién nacidos sienten un placer exquisito cuando algo se aprieta contra ese lugar. La estimulación de esta área excita al bebé de la misma manera en que el clítoris de una mujer produce sensaciones placenteras. Si se observa al bebé succionando de manera satisfactoria, parece como si estuviera experimentando toda la pasión e intensidad de una experiencia sexual. Involucra todo el cuerpo, no sólo los labios y la boca sino también las manos y los pies, que se enroscan y desenroscan de placer. Después, mientras el bebé continúa chupando, empieza a relajarse y una placentera somnolencia se apodera de él. Para algunos bebés parece ser que el único momento en que pueden relajarse lo suficiente como para dormirse, es cuando succionan.

Éste es el motivo por el cual el hecho de que encuentren su propia mano para chupar, lo que puede ocurrir alrededor de las cinco semanas, es un paso importante en su desarrollo. El bebé sabe cómo calmarse a sí mismo. Sin embargo, algunos bebés nunca aprenden a hacer esto y muchas mujeres usan chupetes sintiéndose culpables al principio, ya que piensan que es un hábito desagradable y no les gusta que otros vean al bebé con el chupete en la boca, quizás porque parece indicar que se descuida al bebé. Algunos bebés aceptan sus chupetes con avidez. Otros,

valoran otra clase diferente de "objeto de transición" como ser un trozo de tela que representa para ellos el amor de su madre y la seguridad que ella le brinda. Una mujer con un bebé de cinco meses dijo: "Le doy una tela de algodón, que retuerce en la mano para irse a dormir o apoya ahí la cara. Cuando está en la cuna, el llanto se reduce mucho con esto y se va a dormir rápido. También lo usa como un juguete." Otra madre comentó: "Mi bebé eventualmente se calmó a los nueve meses después de darle algunas chalinas de seda."

Otros bebés dejan de llorar cuando desarrollan suficiente coordinación neuromuscular para manejar objetos y empezar a controlar su medio inmediato al moverse por sí solos y también mover las cosas de su alrededor. Las mujeres dicen cosas como: "Dejó de llorar por su cuenta a los seis meses. Entonces empezó a gatear y esto ayudó porque parte del llanto era frustración". "A los dos meses y medio mi bebé se calmó más, exigía menos cosas y podía divertirse por sí mismo por períodos cortos." "Para el momento en que se pudo sentar en el piso y jugar con sus juguetes estaba muy contento de entretenerse por sí solo y las cosas comenzaron a ser mucho más fáciles." "Una vez que logró sentarse solo y pudo ponerse de pie, se calmó por completo."

La amplia variedad de mordillos y pequeños objetos diseñados para que el bebé se lleve a la boca en diferentes culturas y períodos históricos demuestra que a los bebés les agrada explorar cosas con la boca, morder y masticar. Entre ellos se encuentran: pequeños calabacines en palitos, sonajeros de plata y marfil, silbatos de madera, de ratán, de cuero, de conchillas marinas, flautines de nácar y de coral, cuentas y campanas que suenan, sonajeros de cáñamo y soga, calabacines rellenos con semillas. Son los primeros objetos que un bebé aprende a manipular y producen la satisfacción que resulta de encontrar una habilidad nueva.

Emociones y expectativas propias

El factor más importante para muchas mujeres para superar el llanto es un cambio en sus expectativas y en su estado emocional, lo que conlleva a una modificación de su propio comportamiento.

Cuando se tiene un bebé que llora, se pierde todo sentido del tiempo. Es difícil pensar en otra cosa que no sea el llanto y hacer otra cosa que no sea intentar detenerlo. Las mujeres dicen que esto distorsiona los procesos del pensamiento de tal manera que no creer que ese ruido termine alguna vez y que mientras más dura, más se siente que el bebé quiere acabar con uno. Sin embargo, cuando hablé con madres que habían pasado por esta terrible experiencia y salido de ella, con frecuencia dijeron que era importante mantener un sentido de perspectiva. "Recuerden que el bebé no va a llorar para siempre y que es demasiado pequeño para considerarlo como algo personal. El bebé no "odia" a la madre y no está tratando de molestar a propósito. Hay algo concreto que necesita." La mujer dijo que tenía que recordarse que el bebé necesitaba sentir su cariño, incluso si sólo lo estaba cambiando, mimando o hamacando.

Para una madre primeriza, el llanto de un bebé puede llegar como una sorpresa terrible. Puede haber esperado que su bebé se durmiera después de comer y sentirse totalmente confundida cuando no lo hace, y pensar que esto es una evidencia de que es una mala madre. Todos sus esfuerzos pueden dirigirse entonces a tratar de que el bebé se duerma de acuerdo con algún esquema que se aconseje en un libro sobre el cuidado del bebé. Sin embargo, como explica una mujer: "Una vez que dejé de intentar conseguir que se durmiera y lo mantuve despierto para que jugara, dejó prácticamente de llorar."

Dado que la mujer trata de seguir las instrucciones de un libro más que de conocer a su bebé, algunas veces el llanto resulta ser una simple cuestión de enojo. Las tomas fueron reducidas y el bebé quiere más leche. Este no es, estrictamente hablando, un llanto "inconsolable" porque el bebé se detiene si se lo pone al pecho de nuevo, pero como la madre considera que el bebé ya comió lo suficiente, surge como resultado un llanto que ella no tiene la capacidad de detener. Una mujer, por ejemplo, continuó con esto durante seis semanas porque había leído que los bebés "deben" esperar entre tres y cuatro horas entre tomas y nadie le había dicho que la leche materna en comparación con la leche artificial se digiere en general, en dos horas.

Algunas veces un bebé provoca una respuesta negativa en su madre y esto se inmiscuye e interfiere con la habilidad de ella para actuar en respuesta con sensatez a las necesidades del bebé, la relación entre ellos mejora sólo cuando la madre se da cuenta de lo que ocurre y puede solucionarlo. Una mujer que creía que su bebé sano y fuerte quería lastimarle el pecho vivía como una amenaza cada vez que tenía que alimentarlo. Me confesó: "Temía el momento de darle de comer". El bebé lloraba durante horas todas las noches y le diagnosticaron cólicos. "Nada podía calmarlo." La madre estaba a punto de quebrarse y el bebé estaba en riesgo evidente. Ella sentía que había perdido el control de su vida. El médico arregló para que admitieran al bebé en un hospital durante 48 horas, en observación. Este período fue lo suficientemente largo como para que la madre, con la ayuda de un consejero, viera lo que ocurría y su pánico a ser atacada por el bebé desapareció. "Salió del hospital sin cólicos y sin llorar, tranquilo y relajado. Naturalmente, nosotros también nos sentíamos así."

Un bebé grande y robusto puede no despertar la ternura que una mujer puede sentir hacia uno pequeño y delicado. Un bebé largo y delgado puede que no sea para su madre tan agradable como uno gordito y fuerte. Quizás no le resulte fácil atender las necesidades de uno con muchas ansias de independizarse, que siempre luche y pelee, por ejemplo, si bien disfrutaría de un bebé que se amoldara a su cuerpo y se aferrara a ella de manera agradablemente dependiente. O, por el contrario, tal vez no le agrade la constante dependencia del bebé y desee que crezca y haga cosas para entretenerse solo y demostrar que está logrando nuevas etapas de desarrollo. Cuando una mujer se siente decepcionada con su bebé puede ser muy difícil para los dos llegar a sincronizarse.

Una mujer y un niño pueden quedar encerrados en un conflicto cuando las expectativas no concuerdan realmente. Es como si la mujer no quisiera dejar de lado a su bebé imaginado, al bebé soñado durante el embarazo, y el que en realidad tiene fuera un intruso. El viaje emocional para reconocer esto puede ser doloroso. Implica enfrentar deseos que pueden haber estado ocultos para ella misma y que, sin embargo, eran la base de sus expectativas y suposiciones acerca del tipo de bebé que tendría. Mónica admite: "Porque es una nena, tiendo a sentirme menos condescendiente que hacia mi hijo varón." Siente que su hija, como ella, debería poder manejar los problemas de la vida sin quejarse. Pero hay más que eso. En el caso de Mónica ha habido problemas aterradores. Su primer hijo, varón, nació con una seria discapacidad y para poder afrontarlo necesitaba toda su autodisciplina. Continuó diciendo: "Mi hija es perfecta, mientras que mi hijo no lo es y siento que no tendría que llorar ni exigir atención." Parecía injusto que esta beba, que está sana y fuerte, hiciera tanto escándalo mientras que el mayor tenía más derecho a no sentirse feliz. Mientras Mónica tuvo estos sentimientos, la beba lloró sin consuelo. Después se dio cuenta de cómo su propia resistencia y enojo con la beba eran los causantes de la angustia. "El llanto terminó cuando pude calmarme y no echarle la culpa de mis problemas. Los puse en perspectiva."

Algunas mujeres sienten que han hecho un viaje emocional que, aunque doloroso en el momento, es enriquecedor al fin. Una madre soltera que no quería a su bebé y estaba muy asustada con la maternidad dijo que tener un bebé que lloraba implicaba aprender mucho acerca de sí misma y descubrió una capacidad para adaptarse y para aceptar la responsabilidad que no sabía que tenía. "Al principio pasé un tiempo terrible adaptándome. Ahora sé que le puedo dar a mi niño una vida feliz y segura. Me ha llevado tres meses llegar a este estado de cosas." Dice que en la medida en que comenzó a confiar más, el bebé lloraba menos. Desconoce si esto fue la causa o el efecto o más bien, pura casualidad.

Algunas mujeres atribuyen la disminución del llanto a que el bebé desarrolla cada vez más el sentimiento de seguridad. Es como si los bebés tuvieran miedo de todos los cambios que se presentan en la vida fuera del útero. Ya hemos visto que los bebés prematuros y de poco peso pueden asustarse con facilidad y parecen nerviosos. También otros bebés a menudo parecen nerviosos. Una mujer describió a su beba de esta manera: "El llanto se detuvo en forma espontánea. Coincidió con la introducción de una rutina para irse a la cama. Pensamos que se había dado cuenta de que irse a dormir no significaba

separarse de nosotros para siempre y dejó de tener miedo de la noche. Era algo que tenía que descubrir por sí misma. Nadie lo podía experimentar por ella." Para su bebé: "el contacto corporal es de suma importancia, incluso más importante que la comida." Agregó: "Los bebés no pueden soportar la soledad ni la frustración en esas primeras semanas. Están demasiado asustados. Todo lo que podía hacer era permitirle a mi beba expresar su angustia y su miedo de la única manera que podía, es decir llorando, mientras la sostenía con la tranquilizadora presencia de mi cuerpo."

Otra mujer dijo que al principio tenía miedo de estar malcriando al bebé que lloraba cuando lo alzaba, pero comprendió que si dejaba de llorar cuando lo hacía, quedaba demostrado que podía responder al afecto "y eso es lindo. Todo el trabajo difícil que haces al principio vale mil veces la pena si tienes una buena relación con tu bebé."

Respirar y relajarse

Algunas mujeres dicen que la respiración y la relajación que aprendieron en las clases preparto son muy útiles cuando hay que sobrellevar a un bebé que llora, en especial por el alivio instantáneo que se consigue al aflojar los hombros, al hacer una exhalación prolongada y dejar que toda la tensión se vaya con ella. Treinta segundos que se inviertan para que la respiración recorra toda la espalda y el abdomen se ensanche constituyen una válvula de escape para evitar golpear o sacudir al bebé. Proporciona una pausa con la que aclarar las ideas de la cabeza. Y rompe el aumento de estrés que se va acumulando entre la madre y el bebé. Una mujer que se sentía atrapada y aislada explicó: "Creo que podía sentir mi nerviosismo. En la medida en que más me relajaba, también lo hacía el bebé." El bebé de Helen se despertaba a las tres de la mañana. Ya se sentía cansada porque "parecía que yo existía para todos los demás menos para mí durante aquellas primeras semanas." El llanto de las 3 de la mañana fue la gota que colmó el vaso. "Sobre todo traté de mantenerme tranquila cuando me acerqué al bebé. Respiré profundamente unas veces y recordé que yo era el centro de su universo y que, a pesar de todo, todavía lo quería." El bebé de Sandy lloró durante casi todo su primer año de vida y dijo que lo que hizo que pudiera continuar fue aprender a respirar plenamente. "El llanto me ponía nerviosa. La nerviosidad se transmitía al niño y se creaba, así, un círculo vicioso. Me di cuenta de que al respirar profundamente unas pocas veces hacía una diferencia enorme."

La respiración y la relajación no son un consejo para lograr la perfección. Nadie puede estar relajado todo el tiempo. Pero si se está en una situación de crisis, el saber cómo emplear las técnicas respiratorias para aliviar la tensión puede ser un salvavidas.

Salir al aire libre

Salir con el bebé, independientemente del clima que haga, es una válvula de escape y la madre se siente renovada. Y el bebé con frecuencia se calma. Una mujer aconseja: "Recomiendo comprarse un perro y un par de zapatos fuertes para caminar". Otras dicen: "Las cosas no siempre son tan malas al aire libre. Se puede encontrar a algún conocido para que nos levante el ánimo y nunca llegaremos al punto de lastimar a ese bebé si estamos afuera"; "si el bebé molesta mucho más que de costumbre, dejo el trabajo de la casa y salgo. Nunca se está tan mal afuera de la casa como adentro"; "un bebé que llora en el cochecito

no molesta ni la mitad que uno que te mira con odio a los ojos."

Algunas mujeres compran un abrigo largo de paño o una capa dentro de la cual pueden arropar al bebé y después salen a caminar sin importarles la lluvia, el viento y la nieve, como los pioneros abriendo caminos en territorios desconocidos. Los cochecitos de bebé suelen tener un protector impermeable para que esté cómodo a pesar del mal tiempo. Con el equipo para el bebé –pañales, cambiador y crema- en el cochecito o debajo del mismo, las madres salen de expedición como exploradores en la Antártida. Hacen esto porque no pueden tolerar ni un minuto más estar encerradas en la casa con el bebé. Sienten que se están por volver locas y con frecuencia, que van a estampar al bebé contra la pared a menos que escapen de la prisión de sus casas y puedan desviar la atención hacia otra cosa que no sea ese llanto constante e implacable.

Incluso salen también cuando ya oscureció. El llanto inconsolable a las 2 de la mañana, como dice una mujer: "puede parecer como que se acaba el mundo." Me dijo que ella y su pareja caminan por las calles de noche ya que el bebé se calma sólo si anda en el cochecito.

El llanto es más estresante cuando se está sola. Esto se ve claramente por lo que todas las mujeres dicen cuando describen sus experiencias. El hecho de salir permite establecer un contacto humano con alguien que pueda ayudar, aunque sea sólo diciendo lo lindo que es el bebé para que uno se ponga orgulloso. La combinación del aire fresco y el encuentro con otros adultos a veces pone fin al llanto casi como por arte de magia. Si no hay ninguna posibilidad para unas vacaciones adecuadas, combinar encontrarse con otras mujeres con bebés en un parque cercano, ir a la playa juntas o hacer un picnic en el jardín de la casa de una amiga pueden hacernos sentir como una persona otra vez.

Contacto humano

Cualquier mujer con un bebé, ya sea que ese bebé llore o no en exceso, necesita relacionarse con adultos que le permitan funcionar socialmente como alguien distinto de una madre. La madre necesita personas con quien conversar y relajarse, personas que reivindiquen el sentido de sí mismas y que validen su rol de adultos capaces de tener responsabilidades y tomar decisiones por ellas mismas, otros con los cuales puedan compartir experiencias y sentirse parte de una comunidad. Contar con una pareja cariñosa y que brinda apoyo, que se da cuenta de lo que le ocurre al otro y presta ayuda concreta y práctica, que está disponible cuando se lo necesita con urgencia, puede proporcionar la fuerza necesaria para continuar.

Cuando hay otro niño, la realidad de compartir la responsabilidad puede evitar que la familia se desintegre. "Nos turnamos 12 horas de las 24. Yo me levanto de noche y John se ocupa del que empieza a caminar durante el día mientras atiendo al bebé."

Las parejas que comparten la ansiedad que provoca un bebé que llora, pueden darse cuenta de que aunque se trate de una experiencia emocional que los destroza, están más unidos. "Solíamos turnarnos cada hora con Sara. Nunca le grité, ni la sacudí, ni la golpeé. Dudo que hubiese podido decir esto de no haber sido por mi marido. Esos meses horribles nos unieron aún más que antes."

Sin embargo muchas madres primerizas están socialmente aisladas y terriblemente solas. A veces, les da vergüenza encontrarse con otras personas porque piensan que el hecho de que el bebé esté llorando sirve para demostrar lo mala madres que son. Tienen miedo de que se las acuse por haber fracasado, como la madre que me dijo: "No busco ayuda porque no quiero que nadie piense que no me las puedo arreglar sola." Pero con frecuencia, la realidad es que no hay nadie cerca para ponerse en contacto y hablar de la frustración y la desesperación que se sienten. Como dijo una mujer: "Nunca tuve alguien con quien hablar. Nunca me reuní con un grupo de madres ni fui a la casa de una amiga porque me daba vergüenza lo mucho que lloraba. Si hubiera tenido alguien con quien hablar o que pudiera venir y hacerse cargo del bebé, me hubiera ahorrado muchas lágrimas y angustia mental."

Una y otra vez las mujeres dicen que encontrarse con otras madres ayuda a poder soportar a un bebé que llora de una manera mucho más positiva, y una ventaja inesperada de estos encuentros sociales es que en realidad los bebés lloran menos.

De alguna forma, se afloja la tensión. Una mujer me dijo: "Ahora creo que tenía problemas de celos con mi otra hija y que me estaba empezando a quebrar emocionalmente. Hablar con otros sobre ello me ayudó mucho y, lo que es más importante, pude dejar al bebé con mi marido o con mi madre y salir un par de horas sola a visitar amigas."

Por otro lado, puede resultar muy difícil cuando una mujer forma parte de un grupo de madres dentro del cual parece que todas se desempeñan muy bien con sus hijos –o al menos dan esa impresión– y siente que sólo ella es un fracaso. Otras madres que no habían tenido problemas con sus bebés me hicieron sentir incapaz y, de alguna manera, que estaba en falta. Me sentí muy sola con el problema y también culpable y nerviosa al no poder hacer algo para ponerle un fin al llanto. Probé con todas las sugerencias que me hicieron. Había sido una persona con mucha confianza en mí misma y muy capaz y me sentí reducida a un manojo de nervios. No podía arreglármelas sola aunque debería haber podido hacerlo.

Es aquí donde los grupos especiales para madres primerizas son muy útiles y con seguridad se encuentra una persona en el grupo con un problema similar. Las mujeres dicen que reciben apoyo moral al unirse a algún organismo que pone en contacto a las madres entre sí. Las que intentan desenvolverse solas dicen que reciben mucha ayuda de los grupos de padres solteros. Muchas siguen la amistad que comenzaron en las clases prenatales y en grupos para cuidar bebés, y arreglan para salir juntas. Otras, toman clases. "Cuando hablé con madres que tenían problemas similares con los niños, me sentí muy aliviada." Para una mujer que tiene un bebé que llora, el apoyo de otras mujeres que comparten, escuchan sin emitir juicio, prestan ayuda de manera real y práctica, se apoyan mutuamente, son abiertas y sinceras, se ríen y lloran juntas, es la mejor estrategia para subsistir. Si la madre cuenta con eso, puede ser fuerte y dar por sentado que, cualquiera sea el problema, al final se solucionará.

Bebés de otras culturas

La madre lleva al bebé en la espalda casi todo el día
y hay siempre un estrecho contacto físico entre ellos,
por lo que es muy raro oír un niño africano llorando
por esa falta del contacto que consuela o el abrazo cariñoso.
Mirella Ricciardi, Vanishing Africa

En cualquier parte del mundo, los bebés tienen las mismas necesidades. Lloran si están incómodos, tristes, demasiado excitados, aburridos o les duele algo o sufren angustia de alguna clase. Sin embargo, lo extraño es que en muchas culturas tradicionales los bebés lloran muy poco. Esto lo han advertido los viajeros y los antropólogos y las mismas madres que provienen de otros países occidentales, como por ejemplo de África occidental, se sorprenden de lo mucho que lloran nuestros bebés. ¿Qué es lo que hace que sus bebés estén más complacidos?

La maternidad compartida

El primer factor importante tiene que ver con la madre: no está sola. Está rodeada de otras mujeres que también tienen o tuvieron bebés y le brindan apoyo emocional y ayuda práctica. Con frecuencia, puede ser que surjan diferencias y discusiones. Cualquiera que haya tenido hermanas sabe que puede haber ideas controvertidas muy fuertes y siempre existe alguien que no se lleva bien con otro. En la India, por ejemplo, se pasa mucho tiempo y se gasta mucha energía en discusiones domésticas entre cuñadas y suegras y las otras mujeres "encerradas en la casa".[1] Pero en un grupo de 10 ó 20 mujeres, o inclusive más, siempre hay algunas que son muy amigas entre sí. Las mujeres tienen una sensación de unidad, afrontan los desafíos juntas y comparten la alegría y la pena de las demás. Asimismo, en culturas de vivienda matriarcal (donde una mujer después de casarse vive con su marido cerca de la madre de ella), las hermanas con frecuencia comparten el cuidado de los bebés de unas y otras y los amamantan indistintamente. La abuela materna puede cuidar al bebé cuando su hija regresa a trabajar en el campo. Y en sociedades donde se vive con la familia del esposo, puede ocurrir que una mujer conozca a las mujeres de su familia política desde que era una niña, en especial cuando la costumbre es el casamiento entre primos.

Los navajos del norte de Arizona son una sociedad de vivienda matriarcal y las hermanas comparten la responsabilidad de los niños de unas y de otras. Entre los comanches, a todas las tías maternas se les dice "mamá". Lo mismo ocurre con los hopi, donde las hermanas con frecuencia pasan toda la vida juntas en la misma casa grande.[2] Cuando Margaret Mead hizo por primera vez el estudio en Samoa, comentó acerca de la manera en que los bebés eran pasados de manera natural de los brazos de una mujer a los brazos de otra. Consideraba que con esto se les daba una lección para no esperar demasiado de ninguna relación, lo que llevaba en un futuro a tener relaciones libres de pareja, sin ser posesivos ni celosos. Cualesquiera que sean las consecuencias a largo plazo de la maternidad compartida, lo cierto es que quita la carga de la responsabilidad total de la madre biológica, quien aprende con el ejemplo cómo tratar al bebé y las otras mujeres la acompañan en su nuevo rol.

Pero no es sólo una cuestión de maternidad compartida. Muchas de estas sociedades tradicionales tienen clasificaciones de sistemas de parentesco. La sociedad en su totalidad está compuesta por individuos que viven en relaciones que estimulan y se basan en el lazo sanguíneo. En las comunidades rurales a los hombres y mujeres de mayor edad se les dice "padre" y "madre". Desde ya que tienen muy en claro que existe una diferencia entre sus padres biológicos y aquellos a quienes les dicen "padre" y "madre". Pero un sistema de clasificación tiene un propósito muy útil. Amplía el concepto de la responsabilidad paternal y de la autoridad, y el de las obligaciones y los derechos de los hijos en toda la comunidad. El niño aprende a comportarse con propiedad con cualquier persona que se encuentre. Hay términos especiales para familiares lejanos y otros, para aquellos con los que no se considerarían relacionados en absoluto, y para todos aquellos que un individuo llegue a conocer en alguna ocasión. Para un niño pequeño ninguna persona es sólo un extraño o alguien que sólo conoce a su madre y a su padre. Cada uno tiene un título específico que representa una acción potencial.

La relación del compadre latinoamericano y en menor medida, la costumbre en Europa occidental de los "padrinos", indica el reconocimiento de la función social de otros adultos en una relación de parentesco con niños que no son sus hijos biológicos. Existe un resabio de la misma situación cuando les decimos a nuestros amigos adultos "tío" o "tía" en el momento que el niño los conoce. La misma señal verbal de acción potencial se emplea con un propósito en los clubes y asociaciones de las sociedades industrializadas cuando los miembros se dirigen unos a otros como "hermanos" y "hermanas".

Es así como en la sociedad tradicional, el universo del niño pequeño se estructura con mucho cuidado y el sistema social más amplio es sólo una extensión, en círculos cada vez más amplios, del grupo familiar.

En las sociedades tradicionales, una madre primeriza sabe que cuenta con manos voluntariosas para ayudarla y que siempre puede aprender de la sabiduría y de la experiencia de otra mujer. Su bebé no depende de ella de la misma manera en que un bebé de una sociedad industrializada depende de su madre. Otras faldas, otros brazos cariñosos, inclusive otros pechos para amamantar, están disponibles. Por supuesto, esto también implica que no puede criar a su hijo de una manera diferente, según su propia idiosincrasia. Debe aceptar la manera de hacer las cosas con los bebés que todos dan por sentado. Los niños no se educan con libros. No se basa en el consejo de profesionales. No hay conflictos ni teorías desconcertantes. Es lo que toda madre hace siempre.

Cuando un bebé llora hay modelos culturales establecidos que se ocupan del problema en los cuales el conocimiento empírico con frecuencia se combina con símbolos importantes conectados al mito y a la religión. Si un bebé de los seri en Nuevo México llora mucho, una mujer realiza una ceremonia especial de curación. Quema ramas del nido de un pájaro conocido como "el pájaro que duerme por la tarde" en pequeños fuegos hechos en cuatro cúmulos de arena colocados alrededor del bebé. Mientras el humo se eleva, la sanadora canta y llama al espíritu del pájaro cuyo nido se quema para curar al bebé de su llanto.[3]

Las mujeres pueden explicar y justificar el llanto de un bebé en términos religiosos. El bebé se comunica con los espíritus de sus ancestros, por ejemplo. Los ibo de África occidental creen que por algún tiempo después del nacimiento el bebé sigue en contacto con espíritus de niños que no han nacido y que están llamando a su compañero para que vuelva con ellos. Cuando el llanto de un bebé no puede explicarse de otra manera, se lo interpreta como parte de la comunicación del bebé con espíritus que no han nacido.[4]

Una mujer comienza a aprender cómo cuidar bebés cuando ella misma es una niña pequeña. Siempre hay bebés alrededor, hermanos o primos u otros familiares. Los niños más grandes cuidan a los más pequeños. En Yucatán, se le pide a una niña de mayor edad, no necesariamente su hermana, que sea la cuidadora del bebé. La niña mayor transporta al bebé o se sienta con él y sólo lo deja en la hamaca cuando está dormido, y es muy veloz para correr y alzarlo si el bebé se despierta y llora.[5] En Jamaica, una niña de mayor edad a la que se considera lo suficientemente responsable como para cuidar al bebé, lleva al bebé atado a la espalda para seguir jugando y ayudando a otras mujeres mientras cuida del bebé. He visto bebés casi tan grandes como sus pequeñas niñeras aferrados como una garrapata a su espalda mientras las niñas jugaban a un enérgico juego de rayuela o a la ronda. Al parecer, el bebé se une a los movimientos de estos juegos, rebotando contento y compartiendo la emoción de los otros niños, hasta que se queda cómodamente dormido mientras aún lo sacuden de arriba para abajo.

Cuando una mujer tiene su primer bebé, ha visto cientos y miles de veces desde su niñez cómo se pone un bebé al pecho de una determinada manera. Ni cuestiona ni duda que lo puede hacer. Aunque su comportamiento parezca muy natural, lo dicta la cultura. Las mujeres que viven en barcazas en una región de China, por ejemplo, alimentan a su bebé sólo de un pecho, para que la mano derecha quede libre para continuar con el trabajo. La ropa se abre de un solo lado también para que sea imposible dar el otro pecho sin desvestirse primero. Para ellas es normal esta manera de dar el pecho. En el desierto de Kalahari existen tribus en las que las mujeres llevan los bebés en la espalda y los amamantan pasando un pecho sobre el hombro para poder continuar con lo que fuera que estén haciendo mientras el bebé se alimenta muy tranquilo. Para hacer esto tienen que estirarse los pechos. Para ellas es la manera natural de cuidar a un bebé y nadie lo cuestiona.

Las mujeres espontáneamente maniobran y sostienen a los bebés según esquemas culturales. Una madre hindú se sienta en el suelo con las piernas estiradas y acuesta al bebé sobre sus piernas para darle un masaje con aceite o para lavarlo, sosteniendo la cabeza entre los pies. En Jamaica, las mujeres campesinas juegan con los labios de sus bebés, chupan burbujas de la boca y acarician el pene de los varones. Éste es un tipo de contacto mucho más íntimo y estimulante que lo que las mujeres de una cultura industrial considerarían correcto.

práctica era casi obsoleta en Inglaterra.[6] En 1784, un viajero alemán se asombró al ver que los bebés usaban ropa liviana que les permitía moverse con libertad. Un historiador cree que el hecho de fajarlos se abandonó porque las ideologías sociales y políticas lo consideraron una violación a la libertad humana. Señala que como es imposible acariciar y acunar a un bebé fuertemente fajado, surgió una nueva ternura y delicadeza hacia los bebés después de que las madres o las nodrizas pudieron tocar el cuerpo y jugar con ellos con facilidad. Esto produjo un cambio de actitud hacia los niños en general. No se los consideró más como sólo adultos inmaduros, sino personitas con derechos propios que necesitaban cuidados y consideraciones de carácter especial.[7] Los padres les comenzaron a prestar más atención a sus hijos hasta que a fines del siglo dieciocho aparecieron los primeros libros escritos por expertos que "acusaban" a los padres de malcriar a sus hijos.

De una u otra forma, ya sea fajándolos o envolviéndolos ajustados, aún continúa siendo una

Sostenerlo con firmeza

En toda la historia europea, desde los tiempos de los romanos en adelante, los bebés pasaron largos períodos fuertemente fajados. El bebé, en general, era envuelto en fajas durante cuatro meses y a veces de manera tan ajustada que era imposible que pudiera mover la cabeza o las extremidades. Cuando la madre o la niñera estaban ocupadas, el bebé era colgado de un gancho en la pared, fuera de peligro.

Hacia fines del siglo dieciocho, dejó de estar de moda el fajar a los bebés en Inglaterra y en América, y en 1762, Rousseau advirtió que la

parte en la vida social de la familia. Un antropólogo advierte que en una reunión familiar de los seneca había tantos adultos y niños que querían estar con el bebé que en el lapso de 50 minutos lo alzaron 11 personas.[9] En algunas tribus nativas americanas, la madre solía llevar a su bebé a caballo, al que le colgaba la mochila del pomo de la montura.[10]

Algunas veces los bebés permanecían en la mochila durante casi todo el primer año de vida. Los sacaban para lavarlo, para que hicieran ejercicio y para darles un masaje relajante. Cuando se cansaban y se sentían afligidos, con frecuencia lloraban para que los colocaran otra vez en la mochila y se calmaban tan pronto como esto sucedía.

La mochila parece haber sido un "objeto de transición" y era como la vieja manta o el suave animalito de peluche al que nuestros hijos se aferran y que es un símbolo de seguridad. Un antropólogo que escribió sobre la tribu skagit en Washington, dice que algunos niños que recién comenzaban a caminar, jugaban y corrían en redondo mientras arrastraban la mochila de bebé por detrás.[11]

Acurrucarse y mamar a libre demanda

En casi todas las culturas, un bebé está unido al cuerpo de la madre de alguna manera hasta que logra sentarse por sí solo durante largos períodos, con frecuencia durante el primer año de vida. Es como si el bebé fuera todavía parte de la madre, aunque ahora esté fuera de su cuerpo, casi como si fuese un canguro en la bolsa marsupial. El bebé se alimenta cuando acerca la cara al pecho. No se lleva un registro de los tiempos de amamantamiento –la cantidad, la duración o el intervalo entre ellos– y es muy extraño que se pese a los bebés, si es que se hace alguna vez. El tomar el pecho es parte del contacto íntimo y estrecho entre la madre y el bebé, se hace con naturalidad y muchísima tranquilidad. De la misma manera, al igual que los animales tienen leche para sus hijos, se da por sentado que una madre va a producir leche para su bebé.

En muchas culturas, la ropa de la madre se adapta para que tenga un bebé al pecho. Algunas

manera práctica de ayudar a que un bebé inquieto se calme. Se puede aprender mucho de las madres del pasado como también de las madres pertenecientes a otras culturas en la actualidad.

La mochila para bebés estilo indio es un artefacto con el que se consigue casi el mismo resultado que con las fajas. Se sostiene al bebé de manera segura y firme y sus movimientos están restringidos. Las madres de culturas diferentes que deben trabajar en el campo, sujetan la tabla a la espalda o bien la usan como asiento si la colocan en el suelo a su lado mientras realizan tareas dificultosas como preparar la comida o lavar la ropa sobre piedras a orillas del río.

En la costa noroeste americana se bañaba al bebé nativo todos los días en un plato de madera de maple donde el agua es entibiada con piedras calientes, luego se lo envolvía con la suave corteza de cedro cortada en tiras y después se lo colocaba en una de estas mochilas hecha de madera o de cuero suave. La mochila la hacía alguien que fuera importante en la vida del niño y era un regalo muy preciado.[8]

Una vez bien asegurado en la mochila, el bebé podía ser pasado de una a otra persona y tomar mujeres árabes en Israel usan un vestido especial de seda confeccionado a partir de muchas tiras diferentes de género con bordados en el pecho y con aberturas a cada lado para poder sacar un pecho y amamantar al bebé. En regiones del Tíbet, las mujeres nómades acomodan a sus bebés debajo de sus abrigos de piel de oveja, contra la piel. En África, el bebé ikung es apoyado contra el cuerpo de la madre día y noche, ya sea en una especie de cabestrillo o sobre su cadera o para que duerma acurrucado muy cerca de ella. Toma el pecho cuando lo desea durante los primeros tres años más o menos y se lo pone al pecho varias veces por hora hasta que tiene alrededor de 18 meses de vida.[12]

Existe una gran cantidad de implementos diseñados para que los bebés estén cerca del cuerpo de la madre. El bebé japonés es atado a la altura de la cintura, dentro de una faja doble que se sujeta al frente.[13] La bolsa de bebé del este de África en general está hecha de piel animal tratada de manera especial para suavizarla, ya sea de un ternero, de una oveja o de una cabra sacrificada para celebrar el nacimiento y agradecer por la salud y la fortaleza de la madre. Las partes de cuero que corresponden a las patas del animal se usan con frecuencia como correas y un pedazo de cuero o algodón puede servir para proteger la cabeza del bebé del sol tropical.

En Sudamérica, la madre se pone una manta alrededor de la pelvis y de los hombros y después levanta al bebé sobre su cabeza colocándolo en la bolsa en la parte baja de la espalda. La bolsa china se fabrica con bandas de fibra de cáñamo. Primero se coloca un trozo de género acolchado y rígido que se extiende sobre la cabeza del bebé y se fija a su espalda. La madre después se ata el bebé a la espalda con tiras de tela que pasan por sobre sus hombros, se cruzan en el pecho y se aprietan atrás del bebé para sostenerlo de manera segura y por último, se atan adelante al nivel de la cintura. Otro trozo de género cuelga de la parte de arriba de la tela acolchada y rígida que puede protegerlo del sol o evitar que el bebé tome frío.[14]

La madre innuit tiene una capucha grande forrada en piel cocida a su parka y el bebé se acurruca allí, ya sea mirando por encima del borde o, cuando hace mucho frío, protegido dentro de la capota que cubre tanto su cabeza como la de su madre. Una canción de cuna innuit habla del "bebé gordo que siento en mi capucha… cuando doy vuelta la cabeza me sonríe, mi bebé, escondido en lo profundo de mi capucha."[15] En partes del sur de la India, la mujer de campo lleva a su bebé debajo de la parte superior de su sari, pegado a la piel. Un viajero describe cómo vio a estas mujeres con sus bebés sujetos a su cuerpo de esta manera "mientras trabajan con los inmensos grupos de trabajadores reclutados para la reconstrucción de grandes represas para los proyectos nacionales de desarrollo de la India, y dándoles de mamar cada tanto."[16]

Movimiento y estimulación

Incluso cuando una madre hindú no tiene a su bebé bajo el sari, de alguna manera logra trabajar con una sola mano mientras lleva a su bebé desnudo a horcajadas sobre su cadera mientras le sostiene la espalda con la mano libre. Las madres se dan cuenta de que los bebés duermen mejor cuando están junto a sus cuerpos en movimiento.

En Tanzania, la mujer barabaig que desea tranquilizar a su bebé que comienza a llorar cuando no trabaja, hace como que trabaja e imita los movimientos y sonidos de la molienda de maíz. Inclina la cintura hacia delante, se endereza, se inclina de nuevo y hace los ruidos de la molienda hasta que el bebé se calma.[17]

Las madres pertenecientes a culturas que no usan ropas que formen una bolsa o cabestrillo para el bebé con frecuencia acomodan a los bebés en algún tipo de receptáculo que los sostenga con firmeza y deje las manos de las mujeres libres. Una madre china que trabaja en los campos de arroz puede acunar a su bebé contra la espalda en una canasta de mimbre profunda sujeta con correas alrededor de sus hombros. Los bebés aborígenes de Australia son llevados sobre el hombro izquierdo de la madre en una canasta hecha con hojas de palmera o pasto, en una batea de madera o corteza, lo que le deja libre la mano derecha para usar el bastón para excavar. A veces, cuando busca comida, pone al bebé en el suelo cerca de ella sobre una tira de corteza suave bajo un refugio de corteza u hojas, protegido del sol por una pantalla curva de esterilla.[18] En Tailandia, la cuna es primero una canasta no muy honda de paja y después, una cuna de madera o de bambú que se suspende de unas vigas mientras la madre está ocupada. En Nueva Guinea, es una bolsa con sogas, que también se cuelga de las vigas, de un árbol o de un poste mientras la mujer continúa con su trabajo,[19] y en Borneo, los dyak que viven en tierra firme usan un tronco de árbol ahuecado colgado con sogas.

En Turquía el bebé puede ser colgado en una bolsa de algodón suspendida del vértice formado por tres largos postes rectos puestos juntos como para formar el armazón de una tienda, mientras la madre trabaja en el campo. Hay niños mayores que también ayudan a juntar el algodón, y corren de su trabajo para hamacar al bebé y jugar un rato bajo la sombra del toldo hecho con una bolsa vieja puesta sobre el armazón de postes. La madre vuelve cada vez que el bebé quiere comer y se sienta bajo un árbol a amamantarlo. El bebé puede mirar el tránsito que pasa por la calle, los pájaros que surcan el cielo, hombres en sus tractores u otras máquinas agrícolas y mujeres pesando el algodón y colocándolo en grandes bolsas. Hay actividad por todos lados y el bebé recibe estimulación visual, auditiva, y también estimulación motora cuando se le dan palmaditas o se lo hamaca en la bolsa. En la casa puede haber un anillo o un gancho en la pared del cual pende una cuna de alfombra acolchada para que todos hamaquen al bebé cuando se sientan, hablan o trabajan juntos.

Se consigue casi el mismo efecto en Jamaica usando un balde, aunque el bebé no está atado en su receptáculo personal. Se sienta al bebé derecho dentro del balde en el piso entre las gallinas, las lagartijas que corren de un lado a otro y demás animales. A nivel del suelo, el bebé tiene una vista espectacular de todo lo que ocurre: ramas que se mueven con la brisa, grandes mariposas que se posan entre ellas, pájaros tropicales que chillan, la mula que rebuzna y come haciendo ruido, los hermanos y los primos, las tías y los tíos –que tal vez tengan más o menos la misma edad– juegan a la rayuela o a la mancha, los jóvenes en la puerta escuchan una radio a transistores y juegan a las cartas, y las mujeres

venden granos de café, usan una máquina de coser a pedal o muelen achiote.

En todos estos receptáculos, el bebé está más o menos derecho y puede ver todo lo que sucede. En vez de estar solo en otra habitación o en un cochecito con la capota alta, mientras se espera que duerma, el bebé se encuentra en medio de la actividad, es parte de la escena social, está rodeado de adultos y niños que hacen cosas interesantes –se mueven, hablan, gritan, cantan, bailan y trabajan.

Aunque en la Europa medieval se usaban cunas separando así al bebé del cuerpo de su madre, siempre se los colocaba en el centro de la casa donde había más bullicio y actividad –no en una habitación separada– y cualquiera que estuviera a mano podía mecer la cuna.

El aislamiento

La vida social tan ocupada de la cual participan los bebés en las sociedades no occidentales comienza cuando el bebé tiene alrededor de seis semanas, en general, después de una ceremonia en la que le ponen nombre. Hasta ese momento, se tiene al bebé en un lugar más bien silencioso, con poca luz, sin ningún contacto con alguien que pueda echarle el "mal de ojo" o cuya malicia lo pueda enfermar. Es como si el niño estuviera en tránsito entre el mundo espiritual y el hecho de transformarse en una persona y, por lo tanto, en un estado de ser muy vulnerable y potencialmente peligroso.

Por tradición se supone que la madre debe estar aislada con su bebé en una habitación o cabaña separada durante unas semanas. Un período de aislamiento de 40 días se da una y otra vez en sociedades diferentes. En realidad, pocas veces funciona de esta manera porque hay trabajo que hacer. Cuando una mujer vive en la pobreza o el resto de su familia depende de ella, no puede permanecer en aislamiento. Pero esto sigue siendo el ideal. Durante este tiempo, debe comer ciertos alimentos, evitar otros y mantenerse alejada de las malas influencias. Las mujeres del resto de la familia cuidan de ella. Si se trata de una familia polígama, las otras esposas son las que la cuidan. En la actualidad, entre los mormones polígamos

de Utah, por ejemplo, las esposas hermanas se hacen cargo de todas las tareas de la casa y del cuidado de los otros niños. Con frecuencia, las amigas mujeres y parientas, o la partera, le dan a la madre un masaje especial con aceite. En Yucatán, la partera tradicional va todos los días a masajearle las piernas, la espalda y el abdomen. El bebé también recibe masaje todos los días.

Se supone que la madre tiene que estar en un ambiente muy cálido y que está en particular muy expuesta a enfriarse. En Jamaica, donde la madre y el bebé están en una habitación a oscuras los primeros nueve días –algunas veces más tiempo– ella usa un turbante para protegerse del "enfriamiento del bebé", y los vecinos o familiares le traen avena cocida con leche y otros platos calientes que le han preparado. Asimismo, la madre quema incienso para atraer a "los ángeles buenos".

En Yucatán la mujer maya pasa los primeros ocho días después del nacimiento en la seguridad de la hamaca, con su bebé. La habitación está a oscuras y Brigitte Jordan, una antropóloga con conocimientos especiales acerca del nacimiento entre las mujeres mayas, dice que la madre y el bebé se orientan, casi en exclusividad, uno hacia el otro a través del tacto, el movimiento, los sonidos y los olores. Afirma que es un medio muy apropiado para establecer la lactancia materna. La madre pone el bebé al pecho cada vez que se mueve o emite un sonido, y la Dra. Jordan nunca ha escuchado de un fracaso en la lactancia en estas condiciones.[20]

Una madre primeriza que vive en las montañas de Ecuador observa la dieta, que consiste en 40 a 45 días de aislamiento (ahora con frecuencia reducidos a 8 días) durante los cuales deben cumplirse reglas de alimentación especiales. La cocción de los alimentos la realiza su propia madre y la cuñada. Se le proporcionan alimentos muy nutritivos: pollo y caldo de pollo, fideos, arroz, platos con leche y sopa de papas. La miman los miembros mujeres de su propia familia y las de la familia del esposo, descansa en la cama, se queda adentro para evitar la luz brillante del sol y no tiene obligaciones sexuales.

Durante los primeros tres días la fajan de manera similar al bebé para que sus huesos se "vuelvan a alinear". Una vez libre de las fajas, tiene seis semanas de vacaciones –algo que debe ser muy diferente del trabajo duro de todos los días

que realiza una mujer campesina durante su vida– y puede concentrarse con exclusividad en el bebé. Al final de la dieta, la bañan en agua con hierbas, perfume y leche, y reanuda las tareas de la casa o sus tareas habituales.[21]

En muchas culturas el "descanso del fuego" se mantiene entre una y seis semanas después del parto según la salud de la madre y de lo crudo que resulte el invierno. Se cree que una mujer debe estar en un ambiente cálido después de tener un bebé. En Melanesia y en la Polinesia, se recuesta al lado de un fuego de cocotero mientras sus amigas la masajean con aceite de coco.

El descanso del fuego solía ser una práctica común entre los nativos americanos. En el sudoeste se hacía un agujero en el que se colocaban piedras calientes. Se cubría con arena o cenizas sobre las cuales la madre podía acostarse. Cada vez que sentía que no estaba lo suficientemente caliente, se ponían piedras recién calentadas debajo de su cuerpo. En algunas tribus la madre primeriza estaba con todo el tronco de su cuerpo enterrado en arena caliente, que era cambiada cuando necesitaba más calor. Los hopi hacían un sándwich de arena entre dos trozos de tela y extendían una piel de oveja arriba para que la madre descansara sobre ella. Ya sea que incluya o no un descanso con fuego, la práctica del aislamiento da a la mujer un tiempo prolongado en un medio privado e íntimo, durante el cual comienza a conocer a su bebé y llega a aceptar su nuevo papel como madre. Recibe ayuda práctica y apoyo emocional de un pequeño grupo de mujeres y no tiene que realizar sus tareas habituales ni hacer nada por su marido. Es un momento para que la halaguen y la cuiden. Esto es justo lo opuesto a la imagen que muchos occidentales tienen del parto en el Tercer Mundo: una mujer que da a luz al bebé en los campos o a la vera del camino, después lo levanta, corta el cordón umbilical con los dientes y sigue con su trabajo. Aunque esto ocurre en algunas sociedades, se debe a la necesidad y a las exigencias de la peor pobreza y no a la costumbre. En cualquier parte del mundo lo usual es que otras mujeres cuiden a la madre primeriza para liberarla de las tareas habituales y que pueda llegar a conocer a su bebé. Estos cuidados constituyen uno de los elementos en el cuidado posnatal tradicional que la ayudan a mimar y cuidar al bebé. Se ha enriquecido como persona al convertirse en madre y la comunidad reconoce su posición superior, celebra con ella y brinda su cariñosa aprobación e ilimitada ayuda práctica. Incluso en la pobreza, los niños se consideran la riqueza de la familia.

La fertilidad humana puede considerarse muy vinculada con la fertilidad de los animales y de la tierra misma. Cuando una mujer da a luz un hijo,

estimula una maduración y riqueza similares en el resto de la naturaleza, en especial cosas de las que la sociedad depende para sobrevivir y mantenerse. Las plantas crecen mejor, se atrapan más peces, el arroz germina, el maíz florece, los hombres regresan a la cabaña con mucha carne. No es sólo que la mujer ha tenido un bebé, toda la comunidad se regenera.

Esto se expresa brevemente en forma gráfica en un trozo de tela tejida en la isla de Mindanao en las Filipinas. Se representan escenas sucesivas más bien como si se tratara de una tira cómica, que comienza con una figura solitaria en un jardín árido y continúa, para simbolizar la concepción, la fecundidad y el nacimiento, con un rectángulo que representa ese mismo jardín que se va poblando de plantas hasta el momento en que, cuando llega el nacimiento del bebé, se encuentra con una cosecha esplendorosa. La fertilidad humana y la productividad de la tierra son interdependientes y cuando una mujer da a luz,

estimula a la tierra para que también dé frutos. La parición es un acto religioso y ritual que se realiza para el bienestar de toda la sociedad, y el nacimiento es un acto sagrado.

Contrastes

Dar a luz un bebé hoy en día es muy diferente para una mujer de un país industrializado del norte. Es un acto médico más que un acto religioso. Tiene lugar entre extraños más que entre amigos. Y la autoridad final que decide cómo conducirlo es un hombre –el jefe de obstetricia– más que otras mujeres con experiencia. En la mayoría de los casos, también se lleva a cabo en terreno extraño –un hospital en vez de en la casa de la madre o de la abuela, o en la cabaña de aislamiento de la aldea.

Muchas mujeres sienten que toda la experiencia del nacimiento no es sólo dolorosa sino también traumática. Se sienten sin control del acontecimiento más importante de sus vidas. Una consecuencia de esto puede ser que comiencen el camino de la maternidad con menos confianza y autoestima, a veces con un sentido de culpa de no haberlo hecho bien y sintiéndose inadecuadas para la función femenina más importante de todas.

En un momento en que la mujer necesita la mayor confianza y seguridad en sí misma, se espera que sea una paciente pasiva y se comporte como una niñita obediente. Esto puede inhabilitarla para su nuevo papel como madre. Como se siente un fracaso inclusive antes de haber comenzado, no es nada raro que cuando el bebé llora, responda con miedo, dudando de sí misma, confundida y algunas veces, con puro pánico. En cualquier sociedad industrializada, una mujer también enfrenta la maternidad más o menos sola. Al contrario que las mujeres en las sociedades tradicionales, puede estar socialmente aislada en la caja de un departamento en un piso alto o en una casa suburbana sin conocer a los vecinos. No se ofrece ayuda y es difícil pedirla cuando no hay un sistema de cooperación mutua habitual. En realidad, si lo hace, parece que admitiera su debilidad e incapacidad para desenvolverse sola y que se entrometiera en la vida de otros que están muy ocupados con sus cosas.

A veces una mujer se pone nerviosa porque piensa que si pide ayuda, alguien va a venir y se va hacer cargo de todo. Le preocupa el hecho de que si se descubre que no puede manejarse, se movilizarán los servicios sociales y la pueden "encerrar" o "internar" y perder así a su bebé.

Puede presentarse el caso donde una madre primeriza no tenga contacto humano de ningún tipo excepto con su pareja que vuelve del trabajo esperando tranquilidad, comida caliente, comodidad y sexo. En vez de esto, encuentra un bebé que llora, caos y una mujer desesperada. Los viejos días antes de que el bebé naciera parecen un sueño que se ha desvanecido. Y parece como si el bebé fuera personalmente responsable de su actual infelicidad.

Otra diferencia importante entre las sociedades industrializadas y las tradicionales es que la independencia que los adultos tienen que demostrar en nuestra cultura también se la impone a los niños desde temprana edad, incluso desde que son bebés. Si una mujer alimenta al bebé cada vez que el bebé quiere mamar, si el bebé duerme en la cama con ella o si continúa dándole el pecho después de los nueve meses, la pueden criticar por "hacer lo que quiere el bebé" y le advierten que está "criando cuervos". Le dicen que nunca va a sacar el bebé de la cama, que el niño va a crecer "pegado" y miedoso, y que, en el caso de ser varón, estará "colgado de la falda de la madre", lo que implica que será afeminado e incapaz de tener relaciones heterosexuales. En nuestra cultura se insiste mucho en inculcar la independencia en nuestros hijos. Se considera una responsabilidad moral. Dormir toda la noche, comer "sólidos", aprender a ir al baño, no son sólo cosas para la comodidad de los padres sino indicaciones de este desarrollo hacia la independencia social; cada una es un mojón en el camino.

Es exactamente lo opuesto a la relación entre la madre campesina y su hijo al que acomoda dentro del chal o del poncho, o lo ata pegado a su piel. Quizás no deberíamos sorprendernos cuando los bebés protestan porque se los separa a la fuerza del olor tranquilizador, la firmeza, la suavidad y la seguridad del cuerpo de su madre, del sonido de la voz y el ritmo continuo del latido del corazón materno.

Las mujeres también se pierden algo en nuestra cultura. Seguro que es más difícil conocer y disfrutar del bebé si el objetivo principal es serle útil al bebé, mantenerlo limpio y alimentado y después ponerlo a dormir. Cuando el bebé demuestra que no le agrada este trato, con frecuencia concluye en una interminable batalla de voluntades.

En lugar de la estimulación espontánea que provee el medio tan activo de la sociedad tradicional, nuestra cultura provee materiales de aprendizaje diseñados y producidos en masa por fabricantes de equipos para bebés: móviles, muñecos con sonido, sonajeros, juguetes blandos, mordillos con forma de anillos y sartas de cuentas que son, en definitiva, objetos inanimados de plástico moldeado. Se supone que el bebé esté contento mirando estas cosas y cuando sea un poco más grande, que juegue con ellas, para que los adultos puedan seguir con su trabajo y con sus ocupaciones. En el mercado hay computadoras especiales para cuna. Se activan con la voz del bebé para que el aprendizaje sistemático comience incluso antes de que el bebé pueda ajustar el foco de la visión o asir cosas, y sin necesidad de que los padres tengan que dedicar parte de su tiempo a ello. En los Estados Unidos, se promociona una "cuna de percepción". Tiene un grabador que se activa en respuesta a una orden de la voz del bebé, y en el marco se forman "módulos de juego programados para el ejercicio físico y sensorial", que los padres deben cambiar en tiempos establecidos. Esto incluye caras de plástico, móviles, un acuario y un espejo "para formar el ego". La consecuencia es que una vez que el bebé cuenta con esta pieza carísima del equipo de aprendizaje, los padres pueden ir y continuar con su vida habitual mientras el bebé recibe en forma automática toda la estimulación y enseñanza que necesita para ser un ciudadano de primera clase. La idea básica que está atrás de todo esto implica que es inclusive mejor que la estimulación que pueden dar los padres, porque está diseñado por psicólogos y pediatras que, más que padres, son verdaderos expertos en bebés.

La organización de la estimulación infantil de esta manera es parte de un sistema de comportamiento en el que el tiempo está compartimentado. Una mujer cree que en realidad debería tener una "rutina".

Hay libros que aún sugieren que debería planificar el día para que el trabajo de la casa no se atrase y su marido pueda regresar a casa a compartir la comida con una esposa atractiva que se ha tomado el trabajo de peinarse y maquillarse, mientras el bebé duerme pacíficamente. Si su matrimonio se desintegra porque su casa es un desorden, en la cocina hay pilas de platos sucios y en la heladera cosas con moho que no se pueden identificar, se le advierte que ella es la única culpable. Se siente muy presionada para que el bebé tenga algún tipo de rutina. El bebé se transforma entonces en otra tarea, y el objetivo es completar la tarea dentro de límites de tiempo establecidos. Por desgracia, el bebé no ha leído estos libros. El resultado inevitable es el conflicto.

De muchas maneras es más fácil ser madre en las sociedades tradicionales y los bebés están seguramente más contentos. No necesitan adecuarse a la vida. Pertenecen a la sociedad y son su justificación, su esperanza y su futuro. No se considera a ninguna mujer como "solo un ama de casa" y la maternidad provoca un sentimiento de crecimiento personal, que todos los demás también lo reconocen.

Por supuesto, hay muchas cosas de las sociedades tradicionales que una mujer del norte industrializado no podría tolerar: la rigidez de la tradición, el poder de los mayores que insisten en que nada debe cambiar, los sistemas familiares en los que no hay privacidad para nada y casi todo lo que se tiene debe compartirse con otros, que el marido y otros en la familia tomen todas las decisiones por una y nunca poder actuar de manera independiente; y todo esto mientras se vive en la pobreza más desesperante y se supone que debe continuar teniendo hijos hasta que la salud se debilite. En realidad, pocos de nosotros querríamos volver a un pasado campesino aunque fuera posible.

Asimismo, es un problema elegir elementos de la vida rural como si se tratara de un menú para agregarlos a nuestras vidas complicadas. Es muy difícil porque para nosotros son aditivos artificiales. Si tratamos de hacer algunas cosas que las madres han hecho siempre en las culturas rurales, nos vemos forzados a explicar y defender nuestra postura. Una mujer segura que resuelve amamantar a un niño hasta los tres o cuatro años porque le agrada darle el pecho, por ejemplo, o una que hace dormir a sus niños con ella en la cama familiar, o que los deja quedarse despiertos hasta cualquier hora, seguramente será muy criticada por otros y de seguro tendrá muchas dudas acerca de lo que hace. Es evidente que estamos tan ligados a la cultura como ellos.

Sin embargo, hay muchas cosas que podemos aprender de mujeres de otras sociedades. Descubrir lo que hacen cuando enfrentan desafíos similares a los nuestros hace que cuestionemos actitudes y comportamientos que dábamos por sentado. Vemos nuestros problemas en perspectiva y podemos encontrar soluciones inesperadas. Antes de que se escribiera ningún libro, las mujeres de todo el mundo sabían cómo cuidar a sus bebés y educar a los niños, y lo siguen haciendo en ausencia de psicólogos, educadores, pediatras y otros expertos. Hay una gran hermandad ahí afuera, mujeres de diferentes culturas y de la nuestra, con el conocimiento que surge de la experiencia compartida y la experiencia práctica. Cada página de este libro es un homenaje a lo que las mujeres ya saben y pueden darse unas a otras.

Posdata

Tener un bebé que llora con frecuencia se considera como un asunto privado, algo que debe solucionar uno mismo. También se da por sentado que de alguna manera es culpa de la madre y demuestra que es inadecuada como tal. Cuando se ofrece ayuda, esto se recibe como un "¡prueba esto!" o "¡prueba aquello!"

Al escuchar y aprender de las mujeres, miro a los bebés que lloran desde otro punto de vista. Cada bebé que llora inconsolable es evidencia de lo enorme que es la dificultad de la transición a la maternidad para muchas mujeres porque están aisladas unas de otras. En realidad, algunas quedan socialmente aisladas durante todo el período hasta que los niños van a la escuela. En efecto, una madre puede transformarse en una no-persona, más o menos invisible excepto como esposa y madre.

Ser la madre de un bebé que llora, como tantas otras experiencias femeninas, incluso los procesos biológicos como la menstruación y la menopausia, y los problemas físicos como hongos vaginales, el dolor que sigue a la episiotomía, la incontinencia urinaria, la cistitis y el cáncer de mama, se considera con frecuencia como un secreto culpable, que debe confesarse sólo a las amigas íntimas o un síntoma por el cual se consulta al médico. A las mujeres les resulta difícil comunicar estas cosas, tanto porque consideramos que debe haber algo mal con nosotras y también porque no existe un lenguaje para hablar acerca de lo que ocurre.

Dado que tener un bebé que llora es una etapa temporaria de la maternidad, tendemos a tratar de olvidarnos de ella una vez que el bebé deja de llorar, y lo consideramos sólo un mal momento de la vida. Lo vemos como una aberración más que como un reflejo directo de la experiencia común de ser mujer y madre en nuestra sociedad.

Una de las cosas que hemos aprendido del feminismo es que lo personal es lo político. Cuando enfrentamos grandes desafíos en la vida, cuando estamos sobrecargadas de dolor y sufrimiento, podemos estar seguras de que otras mujeres están pasando por la misma angustia, enfrentando las mismas crisis. Cuando las mujeres nos reunimos y compartimos lo que sabemos, podemos crear las palabras necesarias para describir la realidad femenina. Podemos validar las experiencias de cada una. En lugar de descartarlas y no darles importancia mientras tratamos de adecuarnos a la imagen de madre que se nos impone socialmente –y sintiéndonos enfermas de culpa porque no llegamos al nivel requerido–, podemos usar las experiencias compartidas para desarrollar una comprensión distinta de la vida de las mujeres y crear así un sistema político, económico y social que apoye a las mujeres como madres.

Notas al pie

CAPÍTULO 1 EL BEBÉ NO ES UN ENEMIGO
1 Buffington, P. W., *Cheap Psychological Tricks*, Peachtree, Atlanta, 2003.
2 Ford, Gina, *The New Contented Little Baby Book*, Vermillion, Londres, 1999.
3 Ferber, Dr Richard, *Solve Your Child's Sleep Problems*, Dorling Kindersley, Londres, 1986.
4 Pearce Dr J. & Bidder J., *The New Baby and Toddler Sleep Programme, How to have a peaceful night, every night*, Londres, Vermilion, 1999 (Gratis con cada ejemplar de Practical Parenting, 2005)
5 Hardyment, Christina, *Perfect Parents*, Oxford University Press, Oxford, 1995.
6 Beeton, Isabella, *Household Management*, Ward Lock, Londres, ediciones sucesivas de 1861 a 1960.
7 Smiles, Samuel, Character, John Murray, Londres. 1871 - *Physical Education, or the Nurture and Management of Children*. Edinburgo, 1838.
8 Kugelmass, I. Newton, Growing Superior Children, Appleton, Nueva York, 1935.
9 Medley, Anne, *Your First Baby*, Faber, Londres, 1943.
10 Stopes, Marie C.C., *Your Baby's First Year*, Putnam, Londres, 1939.
11 Martin, Ruth, *Before the Baby and After*, Hurst Blackett, Londres, 1958.
1-2 Spock, B., *Common Sense Book of Baby and Child Care*, Dwell, Stran and Pearce, Nueva York, 1945.
13 Brazelton T. B., *Infants and Mothers*, Dell, Nueva York, 1969.
14 Brazelton T B., *Touchpoints Birth to 3*, Perseus. Boston, 1992.
15 Brazelton T B. & Cramer B. G., *The Earliest Relationship: Parents, Infants and the Drama of Early Attachment*, Addison-Wesley, Nueva York, 1990.
16 Baxter Sarah, "Shut up or the bunny gets it", *Sunday Times*, 13 de febrero de 2005.
17 Pownceby Polly, Tight Leash (carta), *Sunday Times*, 20 de febrero de 2005.
CAPÍTULO 2 EL IMPACTO DE UN BEBÉ QUE LLORA
1 John Todd, John Todd: *The Story ot His Life*, Londres, Sampson, Law and Co., 1876.
2 John Todd, op. cit.
3 Enright A., *Making Babies*, Londres, Jonathan Cape, 2004.
4 Kitzinger S., *The Crying Baby*, Penguin Books, Londres, 1990.
CAPÍTULO 3 POR QUÉ LLORA EL BEBÉ
1 Brazelton T.B., *Crying in infancy - is it really necessary?* Redbook, 1978.
2 Brazelton T.B., op. cit.
3 Paradise J.L., "Maternal and other factors in the etiology of infantile colic", *JAMA*, 197: pp 123-131, 1996.
4 Schnall R. y colaboradores, "Infant Colic", *Australian Pediatric Journal*, diciembre de 1979.
5 Winnicott D.W., *The Maturational Processes and the Facilitating Environment*, Hogarth Press, Londres, 1965.
6 Shaver B.A., "Maternal personality and early adaptation as related to infantile colic", in Shereshefsky P.M. & Yarrow L.J. (eds), *Psychological Aspects of a First Pregnancy and Early Postnatal Adaptation*, Raven Press, Nueva York, pp 209-215, 1974.
7 Jorup S., "Colonic hyperperistalsis in neurolabile infants", *Acta Paediatrica*, Sup. 85, pp 1-92, Uppsala, 1982; Illingworth R.S., "Three months colic", Archives of Diseases of Childhood, 29, pp 165-174, 1954; *idem*, "Crying in infants and children", BMJ, 1, pp 75-78, 1955.
8 Wessell M.A., y colaboradores, "Paroxysmal fussing in infancy, sometimes called 'collic'", *Pediatrics*, 14, 1965, pp. 421-434.
9 Brazelton T B., "Application of cry research to clinical perspectives", en Lester, B. M. & Zachariah Boukydis, C. F (eds), *Infant Crying*, Nueva York, Plenum, pp 325-340, 1985.
10 Illingworth R. S., "Three months' colic", *Archives of Diseases of Childhood*, 29, pp 165-174,1954; *idem*, "Crying in infants and children", BMJ, 1, pp 75-78, 1955.
11 Ibid.
12 Weissbluth Marc, *Crybabies: Coping with Colic*, Priam Books, pp 16-17, 1984.
13 Boulton T. J. C., y Rowley M. P., "Nutritional studies during childhood: incidental observations of temperament, habits and experiences of ill-health", *Australian Pediatric Journal*, 15, pp 87-90, 1979.
14 Illingworth, *op. cit.*
15 Paradise, *op. cit.*
16 Illingworth, *op. cit.*, Taylor W. C., "A study of infantile colic", *Journal of the Canadian Medical Association*, 76, pp 458-461 , 1957.
17 Paradise, *op. cit.*, Illingworth, *op. cit.*
18 Wessell, *op. cit.*
19 Weissbluth M., Davis A. F. & Poncher J., "Night waking and infantile colic", *Clinical Research*, 30, p 793A, 1982.
20 Illingworth, *op. cit.*
21 Jakobsson I. & Lindberg T., "Cow's milk proteins cause infantile colic in breasffed infants: a double-blind crossover study", *Pediatrics*, 71 , pp. 268-271 , 1983.
22 Cant A. J., y colaboradores. "Effects of maternal dietary exclusion on breastfed infants with eczema: two controlled studies", *BMJ*, 293, pp. 231-233, 1986.
23 Cant A. J., y colaboradores, *op. cit.*
24 Du J.N.H., "Colic as the sole symptom of urinary tract infection in infants", *Journal of Canadian Medical Association*, 115, pp. 334¬337. 1976.
25 MacFarlane A., "Screening for congenital dislocation of the hips", *BMJ*, 294, p. 1047, 1987.
CAPÍTULO 4 ¿LLORA POR HAMBRE?
1 Bacon C.J., "Oveheating in infancy - an avoidable cause of cot death?" *Update*, 15 febrero de 1986.
2 Woolridge M. & Fisher C., "Colic, 'overteeding' and symptoms of lactose malabsorption in the breassfed baby: a possible artifact of feed management?", Fisher C. 8, Woolridge M., *Finish the first breast first, Royal College of Midwives Joumal*. 2(8):1999.
CAPÍTULO 5 EL ESTRÉS EN EL EMBARAZO
1 Brown W.A., *Psychological Care During Pregnancy and the Post-natal Period*, Raven Press, Nueva York, 1979.
2 Ball J.A., Reactions to Motherhood: *The Role ol Post-natal Care*, Cambridge University Press, Cambridge, 1987.
3 Caplan G., *Principles of Preventive Psychiatry*, Londres, Tavistock Publications, 1964; *idem, An Approach to Community Mental Heatth*, Londres, Tavistock Publications, 1969.
4 Newton R.W. y colaboradores. "Psychosocial stress in pregnancy and its relation to the onset of premature labour". *BMJ*, 2, pp.411-413, 1979.
5 Newton R.W. & Hunt L.P "Psychosocial stress in pregnancy and its relation to low birth weight", *BMJ*, 288, pp.1191-1193, 1984. 6 Fox H.A. "The effects of catecholamines and drug treatment on the tetus and newborn", *Birth and the Family Journal*, 6, pp.157¬165, 1979.
7 Pennebaker J. Documento entregado en la conferencia de la American Psychological Association. 1986.
CAPÍTULO 6 EL PARTO
1 Bernal J. "Night waking in infants during the first 14 months", *Developmental Medicine and Child Neurology*, 15, pp. 760-769, 1973.
2 Blurton-Jones N., y colaboradores. "The association between perinatal factors and later night waking". *Developmental Medicine and Child Neurology*, 20, pp. 427-434, 1978; Richman N. "A

community survey of characteristics of 1 to 2 year olds with sleep disruption", *American Academy of Child Psychiatry*, 10, pp.281-291, 1981.

3 Schaffer R. *Mothering*, Londres, Fontana, 1977

4 Brazelton T. B. "Psychophysiologic reaction in the neonate II: the effects of maternal medication on the neonate and his behaviour", *Journal of Pediatrics*, 58, pp.513-518, 1961.

5 Tronick E., y colaboradores. "Regional obstetric anesthesia and newborn behaviour: effect over the first ten days of life", *Journal of Pediatrics*, 58, pp. 94-100, 1976; Belsey E. M., y colaboradores. "The influence of maternal alagesia on neonatal behaviour I: pethidine", *British Journal of Obstetrics and Gynaecology*. 88. pp.398-406, 1981.

6 Sepkoski C. "Maternal obstetric medication and newborn behaviour", en Scanlon J. W. (ed.) *Perinatal Anesthesia*. Oxford. Blackwell, pp.131-174, 1985.

7 Rosenblatt D. R. y colaboradores. "The influence of maternal analgesia on neonatal behaviour II: epidural bupivicaine", *British Journal of Obstetrics and Gynaecology*, 88, pp.407-413, 1981.

8 Sepkoski C. "A 5-year follow-up study of obstetric medication effects: bupivicaine epidural anesthesia", documento presentado en el Tercer Congreso Mundial de Psiquiatría Infantil y Disciplinas Afines, Estocolmo, 1986.

9 Murray A. D. y colaboradores. "Effects of epidural anesthesia on newborns and their mothers", *Child Development*, 52, pp.71-82, 1981 .

10 Ibid.

11 Tronick y colaboradors. *op. cit.*

12 Rosenblatt y colaboradores., *op. cit.*; Murray y colaboradores., op. cit.; Tronick y colaboradores., *op. cit.*

13 Murray y colaboradores., *op. cit.*

14 Klaus M. 8 Kennel J. *Parent-Infant Bonding*, 2da edición, St Louis, C V Mosby Co, 1982.

1-5 Kitzinger S. *The New Good Birth Guide*, Londres, Penguin, 1983.

16 Gopnik A., Meltzoff A. & Kuhl R, *How Babies Think*, Londres, Phoenlx, pp 48-49, 2001.

17 Romito P. "The humanising of childbirth: the response of medical institutions to women's demands for change", *Midwifery*, 2, pp.135-140, 1986.

18 Ibid.

CAPÍTULO 7 EL CONTACTO CON LA REALIDAD

1 Oakley Ann, *Women Confined*, Oxford, Martin Robertson, 1980.

2 *The Independent*, 24 de marzo de 1987.

3 Kitzinger Sheila, *Birth Over Thirty-five*, Londres, Sheldon Press, 1994.

4 Brice Pitt, "'Atypical' depression following childbirth", *British Journal of Psychiatry*, 114, pp.1325-1335, 1968.

5 Chertok L. *Motherhood and Personality*, Londres, Tavistock Publications, 1969; Nilsson A. "Parental emotional adjustment", en Morris N. (ed.). *Psychosomatic Medicine in Obstetrics and Gynaecology*, Nueva York, Wiley, 1972.

6 Main T F. "A fragment on mothering", en Barnes E. (ed.) *Psychosexual Nursing*, Londres, Tavistock Publications, 1968.

7 Markham Sylvia, "A comparison of psychotic and normal postpartum reactions based on psychological tests", en Chertok L. (ed.) *Medecine Psychosomatique et Maternité*, París, Gautie-Villers, pp.499-503, 1965.

8 Ball J.A. *Reactions to Motherhood*: The Role of Post-natal Care, Cambridge, Cambridge University Press, 1987.

9 Al-Issa I. *The Psychopathology of Woman*, Englewood Cliffs NJ, Prentice Hall, 1980.

10 Haavio-Mannila E. "Inequalities in health and gender", *Social Science Medicine*. 22(2), pp.141-149, 1986. Brown G.W. 8 Harris T. (eds.) *Culture and Psychopathology*, Baltimore, Baltimore University, Park Press, 1982.

11 McKay P. *Parenting by Heart*, pp 75-76, Victoria, Australia, Lothian, 2001.

12 Price J. Comunicación personal.

13 Josovic H. Comunicación personal.

14 Douglas M. *Purity and Danger: An Analysis ot Concepts of Pollution and Taboo*, Londres, Routledge & Kegan Paul, 1966.

CAPÍTULO 8 EL PADRE DEL BEBÉ QUE LLORA

1 Martin J. *Infant feeding 1975: Attitudes and Practices in England and Wales*, Londres, HMSO/OPCS, 1978; Hally M.R. y colaboradores. A Study of Infant Feeding: Factors Influencing Choice of Method. Newcastle, Health Care Research Unit, University of Newcastle, 1981; Jones D.A., West R.R. 8 Newcombe R.G. "Maternal characteristics associated with the duration of breastteeding", *Midwifery*, 2, pp.141-146, 1986.

2 Rutherford J. "I want something that we men have no language to describe, to look after a baby at home, not like a mother, but as a man", *Woman's Journal*, mayo de 1987.

3 Shereshefsky P. & Yarrow L. *Psychological Aspects of a First Pregnancy and Early Post-natal Adaptation*, Nueva York, Raven Press, 1973; Rishards M., Dunn J. & Antonis B. "Caretaking in the first year of life", *Child Care, Heatth and Development*, pp. 23-26, 1977; Oakley A. *Becoming a Mother*, Oxford, Martin Robertson, 1979.

4 Association of Market Research Organisations, Men and Domestic Work, Londres, 1987.

5 Lewis C. and O'Brien M. (eds.) *Reassessing Fatherhood: New Observations on Fathers and the Modem Family*, Londres, Sage Publications, 1987.

6 Lewis C. *Becoming a Father,* Milton Keynes, Open University Press, 1986.

7 Shapiro J. L. "The expectant father", *Psychology Today*, pp.36¬42, enero de 1987.

8 "Fathers '86". *Parents* (Australia), pp. 47-59, agosto-septiembre de 1986.

9 Levi-Strauss C. *The Raw and the Cooked: Introduction to a Science of Mythology,* Londres, Cape, 1970.

10 Glastonbury M. "Fathers-in-flight", *Women's Review*, p.6, 13 noviembre de 1986.

11 *Parents* (Australia), op. cit.

CAPÍTULO 10 CÓMO MANEJAR LA VIOLENCIA

Epigraph: Phyllis Chesler, *With Child: A Diary of Motherhood*, Wisconsin, T W Crowell, 1979.

1 Lazarre J. *The Mother Knot,* Nueva York, Dell, 1976.

2 Gray P. Crying Baby: *How to Cope*, Londres, Wisebuy, 1987. 3 Guardian, 24 de mayo de 1986.

4 Kempe C.H. & Helfer R.E, *Helping the Battered Chlld and His Family*, Philadelphia, Lippincott, 1972.

CAPÍTULO 11 PARTO ANTES DE TIEMPO

1 Citado en Trotter R.J. "The play's the thing", *Psychology Today*, enero de 1987.

2 Crawford J.W. "Mother-infant interaction in premature and full¬term infants", *Child Development 53*, pp.957-962, 1982.

3 Blurton-Jones N y colaboradores. "The association between perinatal factors and later night waking", *Developmental Medicine and Child Neurology*. 20, pp.427-434, 1978; Richman N. "A community survey of characteristics of 1-to-2-year-olds with sleep disruptions", *American Academy of Child Psychiatry*, 20 pp.281¬291, 1981.

4 Baum J.D. and Howat P. "The family and neonatal intensive care", en Kitzinger S. y Davis J.A. *The Place of Birth*, Oxford, Oxford University Press, 1978.

5 Ibid.

6 Klein M. y Stern L. Low birthweight and the battered child syndrome, *American Journal of the Diseases of Children*, 122:15¬18, 1971.

7 Brazelton T.B. "Crying in infancy- is it really necessary?", Redbook, 1 978; idem. "Application of cry research for clinical perspectives", en Lester B.M. & Boukydis C.F.Z. (eds) *Infant Crying*, pp. 325-340, Nueva York, Plenum, 1985.

8 Whitelaw A. & Sleath K. "Myth of the marsupial mother: home care of very low-birthweight babies in Bogotá, Colombia", *Lancet*, 1 (25), pp.1206-1208, 1985.

9 Brazelton T.B. "Crying in infancy- is it really necessary?", Redbook, 1978.

10 Hasselmeyer E.G. "The premature neonate's response to handling", *Journal of the American Nursing Association*, 1 , pp.l5¬24, 1964; Solkoff N. y colaboradores. "Effects of handling on the subsequent development of premature infants", *Developmental Psychology*, 1 (6), pp.765-768, 1969; Feldman Powell L. "The effect of extra stimulation and maternal involvement on the

development of low-birthweight infants and on maternal behaviour", *Child Development*, 45, pp.106-113, 1974; Solkoff N. y Matuszak D. "Tactile stimulation and behavioural development among low¬birthweight infants", *Child Psychiatry and Human Development*, 6(1) pp.33-37, 1975; White J.L. & Labarba R.C. "The effects of tactile and kinesthetic stimulation on neonatal development in the premature infant", *Developmental Psychobiology*, 9(6) pp.569-577, 1976.
11 Rice R.D. "Neurophysiological development in premature infants following stimulation", *Developmental Psychology*, 13(1), PP.69-76, 1977.

CAPÍTULO 12 ESTÁ ABURRIDO Y SE SIENTE SOLO
Epígrafe: DeLee J.D. *Obstetrics for Nurses*. Philadephia: W. B. Saunders, 1904.
1 Schaffer R. *Mothering*. Londres, Fontana, pp.66-84, 1977.
2 Trotter R.J. "The play's the thing", *Psychology Today*, 1987.
3 Kagan J & Klein R. "Cross-cultural perspectives on early development", *American Psychologist*, 28, pp.947-961, 1973.
4 Trotter, op. cit.
5 Ambrose J.A. *Stimulation in Early Infancy*, Nueva York, Academic Press, 1965.
6 Hunzinger U.A. 8 Barr R.G. "Increased carrying reduces infant crying: a randomised control trial", *Pediatrics*, 77, pp.641-648, 1986.
7 Korner A.F. & Grobstein R. "Visual alertness as related to soothing in neonates: implications for maternal stimulation and early deprivation", Child Development, 37, pp.867-876, 1966.
8 Korner A.F. & Thoman E.B. "Visual alertness in neonates as evoked by maternal care", *Journal of Experimental Psychology*, 10, PP.67-68, 1970.
9 Schaffer, op cit.
10 Wasz-Hockert O. *The Infant Cry*, Londres, Spastics Internal Medical Publications, Heinemann, 1968.
11 Lind J. & Hardgrove C.B. "Lullaby Bonding. Keeping Abreast", *Journal of Human Nurturing*, 3, pp.184-189, 1978.
12 Winnicott D.J. *The Child, the Family and the Outside World*, Londres, Penguin, 1964.
13 Ibid.
14 Ibid.

CAPÍTULO 13 CONVERSACIONES CON EL BEBÉ
1 Brazelton T. B. *Infants and Mothers*, Nueva York, Dell Publishing, 1983.
2 Trevarthen C. "Descriptive Analysis of Infant Communicative Behavior", en Schaffer H. R. (ed.) *Studies in Mother Infant Interactions,* Nueva York, Academic Press, 1977.
3 Murray Lynne & Andrews Liz, *The Social Baby, Londres*, CP Publishing, 2005.
4 Murray Lynne & Andrews Liz, *op. cit*.
5 Murray Lynne & Andrews Liz *op. cit*.
6 Brazelton T. B. *Touchpoints Birth to 3*, Perseus, Boston, 1992.
7 Brazelton T B. & Cramer B. G. *The Earliest Relationship*, Addison-Wesley US 1990.
B Condon W.S. & Sander L.W. Synchrony demonstrated between movements of the neonate and adult speech, *Child Development*, 45, pp.456-462, 1974.

CAPÍTULO 14 LA CONVIVENCIA CON UN BEBÉ QUE LLORA
Epígrafe: Prentiss G.L. *The Life and Letters of Elizabeth Prentiss*, 1822.
1 Fildes V Breast, Bottles and Babies, Edinburgo, Edinburgh University Press, 1986.
2 Fisher G.P. *Life with Benjamin Silliman*. LL. DD., vol 1, p.10, Nueva York, Scribner and Co., 1866.
3 Lovell M. (ed.) *Two Quaker Sisters*, Nueva York, Liveright, pp.57¬58, 1937.
4 Luce J. & Segal J. *Insomnia*, p.1 53, Nueva York Doubleday 1969.
5 Watson J.B. *Psychological Care of Infant and Child*, pp.69-87, Nueva York, W. W. Norton and Co., 1928.
6 Thevenin T. *The Family Bed,* PO Box 16004, Minneapolis, MN 55416, Tine Thevenin, 1977.
7 Tappin D., Ecob R. & Brooke H. "Bedsharing, Roomsharing and Sudden Infant Death Syndrome in Scotland: a case-control study", *Journal of Pediatrics* 2005.
8 McGrail A. & Metland D. *Expecting*, p.30, Londres, Virago Press, 2004.
9 Tsutoma A. y colaboradores. "Induction of rest and sleep on the

neonates by the rhythm of the maternal blood flow". *Journal of Nippon Medical School*, 42(3), pp.77-79, 1975.
10 Callis P.M. "The testing and comparison of the intra-uterine sound against other methods of calming babies", *Midwives Chronicle*, pp.336-338, octubre de 1984.
11 *The Independent* 5 de mayo de 2005.
12 Cantado por el Coro de Madres de Santa Cruz, California.
13 Ambrose J.A.(ed.) *Stimulation in Early Infancy*, London & New York Academic Press 1970.
14 Stadlen N. *What Mothers Do*, pp 78-79, Londres, Piatkus, 2004.
15 Bouchart-Godard A. "Une peau sensible", en Herbinet E. & Bushel M-C. (eds.) *L'aube des Sens*, Paris Stock 1981.
16 St John I. "Motherbaby Massage", *Studies in Bioanalysis*, Addlestone, Bioinstitute Publications, 1984.
17 Leboyer F. *Loving Hands: The Traditional Indian Art of Baby Massage*, Londres, Fontana 1977.
18 Showell J. "Touching babies", *Intertace 3*(6), 1977; Auckett A.D. "Baby massage: an alternative to drugs", *The Australian Nurses' Journal* 9(5) pp.24-27, 1979; *idem, Baby Massage*, Wellingborough, Thorsons, 1982; Heinl T. *The Baby Massage Book*, Londres, Coventure, 1983.
19 St John I. *op. cit.*
20 "Bathing babies without tears", *Parents* (Australia), pp 44-45, agosto-septiembre de 1987.

CAPÍTULO 15 BEBÉS DE OTRAS CULTURAS
Epígrafe: Riciardi M. *Vanishing Africa*, London Collins, 1974.
1 Lannoy R. *The Speaking Tree: A Study of Indian Culture and Society,* Oxford, Oxford University Press, 1971.
2 Niethammer C. *Daughters of the Earth: The Lives and Legends of American Indian Women*, Londres, Collier Macmillan, 1977.
3 Beck Moser M. "Seri: conception through infancy", en Artschwager Kay M. (ed.) *Anthropology of Human Birth*, p.230 Filadelfia, Davis F.A., 1982.
4 Henderson H.K. & Henderson R.N. "Traditional Onitsha Ibo maternity beliefs and practices", en Kay *op. cit.* pp.190-191 .
5 Jordan B. *Comunicación personal.*
6 Stone L. *The Family, Sex and Marriage in England 1500-1800*, Londres, Penguin, 1979.
7 *Ibid.*
8 Horn B. "Northwest coast Indians: the Muckleshoot", en Kay, *op. cit*. p.374.
9 Evaneshko V "Tonawanda Seneca childbearing culture", en Kay, *op. cit.* p. 411.
10 Cole Trenholm V *The Arapahoes, Our People*, Norman, Oklahoma, Oklahoma University Press, 1970.
11 Collins J.M. *Valley of the Spirits: The Skagit Indians West of Washington*, Seattle, University of Washington Press, 1974.
12 Shostak M. "Earliest memories: growing up among the !Kung", en Cohn A.R. & Leach L.A. *Generations*, pp. 201-203, Nueva York, Pantheon with Smithsonian Institution Travelling Exhibition Service, 1987.
13 Benedict R. *The Chrysanthemum and the Sword*, Boston, Houghton Mifflin 1946.
14 Klima G.J. *The Barabaig: Easf African Cattle-herders*, New York Holt Rinehard & Winston 1970.
15 Micky M. "The Cowrie Shell Miao of Keweichow" Documentos del Museo Norteamericano de Arqueología y Etnología, 32(1), 1947.
16 Lannoy, op. cit.
17 Kohn A.R. & Leach L.A. op. cit. p. 155.
18 Thompson D. *Children of the Wildemess*, Melbourne, Currey O'Neill, 1983.
19 Hogbin H.N. *Kinship and Marriage in a New Guinea Village*, Londres, Methuen, 1963.
20 Jordan B. *Comunicación personal.*
21 McKee L. "Los Cuerpos Tiernos: Simbolismo y Magia en las Practicas Post-Parto en Ecuador", *América Indígena*, 62(4) pp. 615-628, 1984.

Grupos de ayuda

FUNDALAM
Av. Gral Paz 898 (y Cuba)
Ciudad de Buenos Aires, Argentina.
Tel.: (54-11) 4701-7444
Correo electrónico:
fundalam@uolsinectis.com.ar

SOCIEDAD ARGENTINA DE PEDIATRÍA
Av. Coronel Díaz 1971/75
Ciudad de Buenos Aires, Argentina.
Tel.-Fax: (54-11) 4821-8612

CENTRO NATAL
Charcas 4049 P.B. "A"
Ciudad de Buenos Aires, Argentina.
Tel.: (54-11) 4831-7412
Correo electrónico: info@tobinatal.com.ar

EMBARAZO ACTIVO
Tel.: (54-11) 4825-8234 Cel.: (54-11) 15-5010-0504
Correo electrónico: info@eactivo.com.ar
www.eactivo.com.ar

AMAMARTE. Grupo de apoyo a la lactancia materna y crianza
Tel.: (54-11) 4746-5084 / 4745-8331
Correo electrónico:
amamarte@yahoo.com.ar

AMAMANTA. Grupo de apoyo a la lactancia materna
3 de Febrero 857, San Fernando
Tel.: (54-11) 4744-6872 / 4749-6199 / 4749-9024 / 4717-2904
Correo electrónico:
grupoamamanta@hotmail.com

LA LIGA DE LA LECHE
Grupos de apoyo a la lactancia materna
www.lalecheleague.org/Argentina.html
Tel.: (54-11) 0810-321-TETA
Ciudad de Buenos Aires
Belgrano: 1° martes del mes, de 9.30 a 11.30 hs.
Mónica tel.: (54-11) 4783-5754
Correo electrónico:
monicate@ciudad.com.ar
Devoto: 2do. y 4to. miércoles del mes, de 10 a 11.30 hs.
Silvia tel.: (54-11) 4501-6160
Núñez: 2° martes de cada mes, de 9.30 a 11.30 hs.
Maite tel.: (54-11) 4545-8395
Florida, provincia de Buenos Aires
3er. lunes de cada mes, de 10 a 12.30 horas.
Patricia tel.: (54-11) 4718-2449
patriciaronis@focus.com.ar
Azul, provincia de Buenos Aires
Segundos y últimos lunes del mes de 17.30 a 19 hs.
Stella y María Luz tel.: (54-2281) 426051
Correo electrónico: lacluz@infovia.com.ar
Lobería, provincia de Buenos Aires
Todos los lunes a las 17 hs.
María Elena tel.: (54-2261) 440486
Mar del Plata, provincia de Buenos Aires
2do. miércoles del mes a las 14.30 hs.
Club Pueyrredón Hipólito Yrigoyen 1561.
Tel.: (54-223) 489-0974 / 474-0717
Correo electrónico: alfredc@arnet.com.ar
Miramar, provincia de Buenos Aires
Sala de la Maternidad del Hospital Municipal.
Rosana tel.: (54-8891) 43274
Rosario, provincia de Santa Fe
Último viernes de cada mes a las 17.00 hs
Centro Médico Previnca, Gaboto 1161.
Gabriela tel.: (54-341) 433-3004
3er. martes de cada mes a las 9.30 hs.
Hospital Roque Sáenz Peña. Silvia: (54-341) 4827576
Correo electrónico: jauly@arnet.com.ar
2do. martes de cada mes a las 18 hs.
Centro Municipal Villa Hortensia, Warnes al 1900.

Alejandra tel.: (54-341) 4554565
Correo electrónico:
alegalvan@arnet.com.ar
Bariloche, provincia de Río Negro
Un sábado al mes (consultar por tel.) de 10 a 13 hs.
Centro de Educación Física Nro. 8
Verónica tel.: (54-341) 428127 - Patricia tel.: (54-341) 520128
http://www.bariloche.com.ar/lactancia/index.html
Colonia Wanda ruta 19, provincia de Misiones
Todos los sábados de 10 a 11 hs.
Sanatorio Rolón Vargas
Liliana tel.: (03757) 470271
Correo electrónico:
hogardeluz@ptoesperanza.com.ar
El Dorado, provincia de Misiones
Primer martes de 14 a 16 hs. Hospital SAMIC, salón auditorio.
Miryam tel.: (54-3751) 422952
Correo electrónico: dasilva@ceel.com.ar
2do. miércoles del mes de 9 a 10 hs.
España 2717 km 10.
Miryam tel.: (03751) 422952
Correo electrónico: dasilva@ceel.com.ar
Wanda Puerto, provincia de Misiones
Todos los jueves de 16 a 17 hs.
Centro de Salud de Wanda Puerto.
Melchora tel.: (54-375) 7470621
San Rafael, provincia de Mendoza
María Inés tel.: Telefax (02627) 432291 / (02627) 435093
Correo electrónico: inesmm@infovia.com.ar
Córdoba, provincia de Córdoba
3er. sábado del mes de 17 a 19 hs.
Coronel Beverina 2015, Cerro de las Rosas.
Viviana tel.: (54-351) 481-1091
Correo electrónico:
vivianaedithlorenzo@hotmail.com
Villa La Angostura, provincia del Neuquén
Sandra: (54-2944) 495422
Correo electrónico:
cabasenes@ciudad.com.ar
Ushuaia, provincia de Tierra del fuego
Claudia tel.: (54-2901) 445213
Correo electrónico: pablolui@infovia.com.ar

Índice temático

Agradecimientos

Deseo agradecerles a todas las mujeres que hicieron posible este libro: a las madres de bebés que lloran y que no duermen, quienes compartieron sus experiencias, sus conocimientos y su comprensión conmigo.

Wendy Rose-Neil de la revista *Parents* de Inglaterra y Carol Fallows, editora de *Parents* en Australia, fueron de gran ayuda para publicar los cuestionarios originales y para producir los análisis computarizados de datos estadísticos que formaron la base del resto de la investigación.

Jenny Kitzinger hizo un análisis psicológico perceptivo de los patrones de pensamiento femeninos sobre bebés que lloran, lo que me fue de gran ayuda.

También le estoy agradecida al Dr. Berry Brazelton por todo lo que ha hecho sobre el tema y la forma en que estimuló mi pensamiento y me indicó el material de investigación relevante.

Gracias a Emmeline Crause, por su arduo trabajo dedicado en la computadora.

Carroll & Brown quisiera agradecer a:
Paul Stradling (computación)
Laura De Grasse (asistente de diseño)
Sandra Schneider (investigación fotográfica)
Créditos de las fotografías:
Getty Images pp. 17, 31, 39, 85, 86, 88
Getty Images/Altrendo p. 20

www.bloomingmarvellous.co.uk p. 128
Photolibrary pp. 115 (derecha), 116, 117 (izquierda), 158, 162
David Turnley/Corbis p. 161